KB156491

TOTAL SLING MEDICINE

토털 매선의학

성형매선과 치료매선

하세현 지음

| 저자약력 |

하 세 현 원장

강남라인한의원 원장
대구한의대 한의학과졸업
대한한의피부성형학회 회장
복수면허 한의사
2006년 쁘띠성형 공동강의
2007년 PDO매선 최초강의
2007년 최신 한방성형 토탈강의
2008년 생리학, 면역학, 조직학강의

토털 매선의학

성형매선과 치료매선

추천사

이 책의 저자 하세현 원장은 내가 아끼는 대구한의대 후배 한의사이다. 2007년 부산에서 하원장의 한방성형강의와 매선강의를 듣게 되었다.

그 당시 한의계 미용성형분야에는 미용침과 한방에스테틱 비만치료등이 각광을 받고 있었는데 하원장이 최초로 소개한 ethicon 수술용 PDS봉합사를 이용한 새로운 매선시술 즉 양장사가 아닌 PDO봉합사를 이용한 매선시술은 나로서도 참신하고 안전하며 편리한 시술이라는 생각이 들었다.

일반침을 이용한 미용침도 효과가 사실 뛰어난 것이 많다. 현재 미국과 여러 유럽 선진국에서 cosmetic acupuncture의 인기는 날이 갈수록 더욱 높아지고 있으며 침으로 점을 빼고, 매선으로 피부 탄력을 좋게 해주는것만 봐도 미용침술과 한방피부미용시술은 앞으로 더욱 발전할 것으로 기대한다.

매선은 유침효과를 극대화한 것으로 바쁜 현대인에게 보다 오래가고 간편한 현대적인 침시술이라고도 할 수 있다. 물론 매선의 가장 큰 역할은 통증치료이며 현재 매선침은 한의학 치료의 중요한 도구로 완전히 자리매김을 하고 있다.

과거 양장사매선의 이물반응과 염증반응 문제를 해결해주는 PDO봉합사를 이용한 매선을 소개한 하원장의 아이디어는 선배 한의사로서 치하할만한 일이 아닐 수 없다.

이번 '토털매선의학' 책의 출간을 축하하며 앞으로도 한의계 발전을 위하여 더욱 연구정진하기를 한의계의 선배로서 적극 응원하는 바이다.

– 경상남도 한의사회 회장 **이 병 직**

추천사

경희대 한의대 동기인 이탁진 원장을 통해서 이원장의 고등학교 동문후배 한의사인 하세현 원장이 주최한 PDO 매선 시술강의를 2009년경에 듣게 되었다.

매선침은 유구한 동양의학의 침구학에서 비롯된 것으로 과거에도 태반이나 양의장등 동물단백질을 이용하여 인체에 매식하는 전통시술이 있었는데 매선침 또한 그중 하나이다. 양장사보다는 조직반응 안정성이 뛰어난 PDO 봉합사를 이용한 매선은 통증 매선침을 한결 편리하고 안전하게 시술하는데 도움이 되고 있다. 이후로 나는 통증 매선을 여러 동료 한의사들과 함께 연구하여 대한통증매선학회를 만들고 현재도 열심히 매선시술을 연구하고 발전시키고 있는 중이다.

특히 나는 매선침의 효능과 안정성에 대한 연구 논문을 SCI급 국제학술지에 게재한 바 있다.

'만성요통(慢性腰痛)에 대한 매선침(埋線鍼)의 효능과 안정성에 대한 연구(Efficacy and safety of therad embedding acupuncture for chronic low back pain: a randomized controlled pilot trial)'를 의학저널 'BMC 트라이얼스'에 게재한 것이 그것이다.

埋線療法과 관련된 연구가 SCI급 國際學術誌에 揭載 된 것은 처음인 것으로 알고 있다.

하원장은 주로 미용매선을 연구하고 나는 통증매선을 주로 임상연구하기에 서로 분야는 많이 다르지만 매선침이라는 큰 틀에서는 서로 공통점도 적지 않다. 다시 한번 책을 저술한 하원장의 노고를 치하하며

이 책의 출간을 통하여 한방미용매선의 발전이 더욱 빛나기를 기대한다.

이제는 전세계에서 매선침시술 만큼은 우리 대한민국 한의사들이 제일가는 수준이 될수 있도록 대한통증매선학회 또한 노력을 아끼지 않을 생각이다.

– 대한통증매선학회 회장 **최 병 일**

하세현 원장님을 처음 뵌 건 2010년 봄인데 그 당시 한방성형 1세대 원장님으로 매선과 한방성형 교육에 힘쓰시던 모습이 떠오릅니다.

벌써 10년이 넘는 시간동안 실리프팅과 한방성형 교육 및 환자 시술을 통해 축척된 노하우를 이번에 책으로 엮어 많은 사람들에게 알려주시게 된 것을 축하드립니다.

실리프팅을 처음 시작하려 하시는 분들이나 기존에 시술중이시던 원장님들에게도 기본 원리 및 시술 방법에 대해 많은 정보를 얻을 수 있는 소중한 책이라 생각됩니다.

다시 한번 매선의 발전을 위해 힘든 노고를 마다하고 집필해주신 하세현 원장님께 감사드리고 이 책이 한방매선의 큰 발전에 계기가 되기를 바랍니다.

– 강남 아미율한의원 대표원장 **김 현 갑**

추천사

하세현 원장님과의 인연은 16년 전 다이어트에 대한 연구를 위해 소모임에 참가하면서입니다.

항상 적극적으로 많은 사람들을 만나고 다양하고 새로운 것들을 시도하는 분이셨습니다.

그때 하세현 원장님의 주선으로 카복시강의를 하게 된 것이 제가 피부 비만쪽의 학술적인 활동을 하는 계기가 되었습니다. 제가 혼자만 연구하면서 시술했던 노하우들을 다른 의료인에게 공유할수 있는 첫 기회를 만들어 준 소중한 인연입니다. 그 뒤에 궁금하던 차에 복수면허를 취득하시고 나타나셔서 새로운 진료에 도전을 하셨던 하원장님의 용기에 박수를 보냈습니다.

이번에 새로운 매선책을 출간한다는 소식에 한의사의 눈과 복수면허 한의사의 눈으로 바라보는 매선 시술에 대한 견해에 대해 저 역시 대단히 궁금해하고 있습니다.

매선 시술의 발전에 충분히 기여하실 것으로 생각합니다.

다시 한번 토털매선의학책을 출판하신 것을 축하드리며 한의계에 더욱 활발한 매선임상연구가 이루어지는 계기가 되기를 바랍니다.

– 후한의원 강남점 대표원장 **하 지 훈**

이 책의 저자 하세현 원장은 동문후배 한의사이다. 한의사 중에서도 특이하게 복수면허를 가지고 있는 하원장은 항상 남다른 아이디어와 폭넓은 지식으로 우리 군성(경북대부속고등학교)한의사 동문회에서 자주 강연을 해주었다. 2008년경 하원장이 PDS봉합사를 이용한 매선침 강의를 우리들에게 해줄 때만 해도 매선침이 이렇게까지 커질지는 몰랐다.

이전에도 약실요법으로 중국에서 유행하던 羊腸絲를 이용한 埋線요법을 들어본 적은 있었지만 녹는실 PDS봉합사를 이용한 매선요법은 후배 하원장을 통하여 처음 접하게 된 것이 사실이다.

이후 하원장을 통하여 PDO매선을 사용하는 법을 익히게 되었고 나 또한 한의원 임상진료에서 동통분야에 응용하여 좋은 시술결과를 보게 되었다.

하원장은 한의학뿐만 아니라 서양의학의 조직학과 생리학에 조예가 깊으며, 서울의 중심 강남에서 오랜기간 실전 임상시술경험이 많고 남다른 연구를 많이 한 것을 동문 선배로서 잘 알고 있다.

현재는 나 또한 매선치료에 많은 관심을 가지게 되어 여러 동료 한의사들과 통증매선학회를 창립하여 임상에서 많은 매선침 시술을 하고 있다.

어쨌든 최초로 PDO매선침을 하원장이 알려준 것은 나의 임상진료에 굉장히 큰 영향을 끼친 것이 사실이다. 매선침을 이용한 통증치료는 한의사로서 아주 유용하면서도 편리한 시술법이며 한의계에서 더욱 발전할 분야라고 생각한다.

대한민국 매선의 역사에 있어서 2007년 하원장이 의료계 최초로 PDS봉합사를 이용한 PDO매선침을 고안하고 강의한 것은 중요한 일의 하나이며, 반드시 한의학계에서 인정해야할 사안이라고 생각한다. 아울러 2007년 강의교재를 보완하여 이렇게 정식으로 멋진 책으로 출판하게 된 것을 진심으로 치하하며 앞으로도 한의계에 발전적인 기여를 하기를 기대한다.

– 대한통증매선학회 기획이사 홍이한의원 원장 **이 탁 진**

(경희대한의대 78학번)

서 문

필자는 2006년부터 비침습 성형세미나를 기획하였고, 2007년 필자가 직접 한방성형세미나를 강의할 때부터 PDO매선강의는 비침습 성형세미나에서 중요한 부분을 차지하였다. 2007년 정해(丁亥)년 필자는 토털 한방성형세미나와 PDO매선강의를 위해서 직접 강의 본교재와 참고교재를 만들었다.

그러나 정작 강의교재를 책으로 출판할 인연은 생기지 않다가 12년이라는 긴세월이 지난 2019년 기해(己亥)년에 군자출판사의 큰 도움으로 예전 강의교재를 기초로 그동안 많은 발전을 이룩한 임상매선시술법과 현재의 최신매선기법 트렌드를 추가하여 이렇게 책을 만들게 되었다. 참으로 무척 감격스러운 심정이다.

책 출판에 아낌없는 도움을 준 군자출판사와 김도성 차장님 그리고 안경희 사원님, 힘든 일러스트 작업을 멋지게 해주신 일러스트 선생님께 진심으로 감사의 말씀을 드리고 싶다.

복수면허 의료인으로서의 생각

필자는 면허가 두개인 의료인이다. 복수의료기관 개설 지침에 의거하여 같은 장소에 면허에 따른 각각의 의료기관개설을 하였다. 내원하시는 환자분들께 필요에 따라 항생제나 진통소염제등의 처방도 내고 수면마취를 하고 수술을 하기도 한다. 외과적인 술식과 봉합사를 이용한 봉합술도 익혔으며 보톡스를 치료에 사용하기도 하며 수술후에는 때로는 한약처방을 의뢰하기도 한다. 또한 개인적으로 한의학 애호가로서 나보다 실력이 훨씬 더 뛰어나신 한의사 원장님께 정기적으로 침뜸 시술을 받고 있기도 하다.

누가 나에게 한의학과 서양의학의 우열을 묻는다면 그것은 마치 부모님이 두분중 누가 더 중요한가 묻는것과 같은 우문이다. 한의학에서 배운 지식과 서양의학에서 배운 지식은 각각 대단히 훌륭하며 서로 융합되어 나에게 많은 영감과 임상에 도움을 준 것이 사실이다.

만약 대한민국의 한의학과 서양의학이 긴밀히 연구 협력한다면 세계에서 최고가 되는 대한민국의 의료기술이 앞으로 탄생할 것이라고 확신한다. 특히 한의학의 매선침과 화침 그리고 한약의 위력은 언제가는 전세계적으로 더욱더 인정받으면서 보다 새로운 형태로 발전할 것이라고 기대한다.

앞으로 21세기 한민족이 세계에 공헌할 분야가 바로 의료분야라고 생각한다. 대한민국 한의학과 양의학이 서로 발전적으로 융합되어 세계시민들 특히 미국과 같은 선진국에 많은 영향을 미치는 날이 반드시 오리라 믿고 있다. 5천년 한민족 역사에서, 최근 백여년간은 선진국에서 많은 의료지식을 받았지만 이제는 오히려 대한민국이 선진국에게 의료지식을 나눠주고 인류애로서 인류에 공헌을 하는 훌륭한 민족으로 세계 시민들에게 존경받기를 진심으로 소망한다.

감사한 분들

먼저 사랑하는 가족과 의료인으로서의 삶에 큰 의지가 되는 훌륭한 종교적 성인분들의 은혜에 감사드린다.

그리고 필자의 부족한 매선강의를 들어주셨던 모든 분들께 깊은 감사를 드린다.

졸저에 과분한 추천사를 써주신 이병직회장님 최병일회장님, 이탁진원장님, 아미율한의원 김현갑원장님과 후한의원 하지훈원장님께 진심으로 깊은 감사의 말을 올리고 싶다.

또한 원고집필을 적극 도와주신 서지영원장님의 도움으로 책을 완성할수 있었다.

그리고 학문적인 교류를 해주신 최선엽원장님, 조승래원장님, 나성훈원장님, 이길우원장님, 송영길원장님, 권충경원장님, 황성구원장님, 김정근원장님, 서상수원장님, 한계원원장님의 도움도 잊을수 없다. 논문번역과 원고 작성을 도와준 동국대한의대 본과4학년 김명수 학생에게도 큰 감사의 말씀을 드린다.

마지막으로 토털매선의학책 집필을 위해서 매선을 아낌없이 공급해주신 동방메디컬 김근식대표이사님과 육기훈과장님, 노블메디컬 하서원부장님, 매선을 협찬해준 21세기메디컬 사장님 등, 여러 의료기 메디컬 사장님들께도 깊은 감사의 인사를 드리고 싶다.

필자의 원고 집필을 도와주신분들

대구한의대　서지영 원장님

동의한의대　나성훈 원장님

대구한의대　조승래 원장님

경희한의대　이길우 원장님

동국한의대　본과4년 김명수

– 강남라인한의원 원장 **하 세 현**

토 털 매 선 의 학

Contents

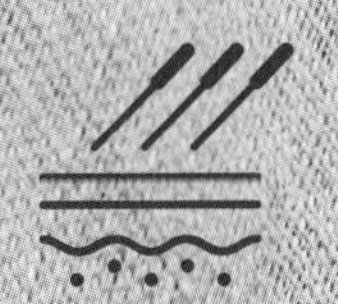

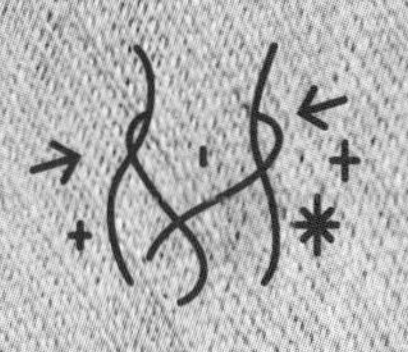

제 3 부 매선리프팅의 이론적 배경 85

제 4 부 안면부 미용매선 임상시술 117

Contents

제 5 부

체형 미용매선 임상시술 151

통증매선침의 이론적 배경 169

제
7
부

매선

Chapter 01 PDO매선은 한의계에서 공식적으로 시작되었다.

Chapter 02 PDO매선침 탄생과 배경

Chapter 03 국내 매선의학의 연혁

Chapter 04 매선실 봉합사의 종류와 분류

Chapter 05 현재 임상에 사용되고 있는 PDO매선의 종류

Chapter 06 매선침의 게이지와 니들

Chapter 07 매선의 현황과 미래

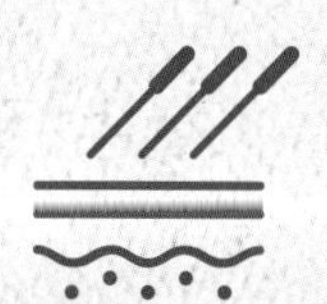
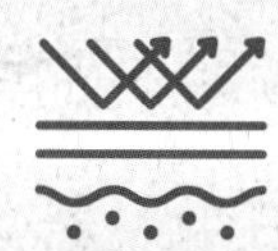

Chapter 01

PDO매선은 한의계에서 공식적으로 시작되었다.

PDO매선, 즉 PDO녹는실을 현재와 같이 멸균주사침에 넣어서 인체에 삽입하는 방식은 2007년 대한민국 한의계에서 공식적으로 발표되고 강의되었다.

혹시 2007년 이전에 서양의학계나 중국을 포함한 외국 의학계에서 지금과 같은 'PDO실을 27~ 29게이지 멸균주사침에 넣어서 만든 PDO매선침으로 인체에 삽입하는 방식'을 공식적으로 발표하거나 강의한 사실이 확인되면 사진이나 근거 자료를 첨부해서 필자에게 알려주길 바란다.

필자가 알고 있는 사실을 정확히 알리는 것이 학문적인 면에서도 중요하다고 생각한다.

2007년 5월 시점에서 PDS녹는실을 멸균주사침에 넣어서 사용하는 PDO매선시술에 대한 강의나 발표는 우리나라에 존재하지 않았다. 왜냐하면, 그때 필자는 매선과 실리프팅에 관한 거의 모든 서적과 자료, 논문을 수집하

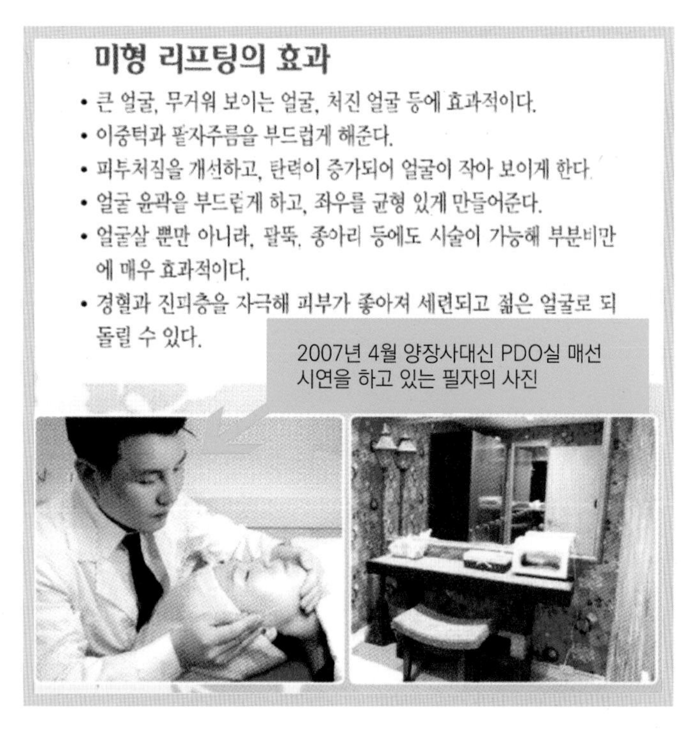

그림 1-1. 양장시 대신 PDO매선실을 이용한 필자의 매신시연 사진

종 합

국군포로를 국군포로라 부를 수 없다는 통일부

국이 부담

얼굴안올生 얼굴밖을生
얼굴의 안과 밖을 동시에 탱탱하게
미형 리프팅!

원자바오 '노회한 외교술' - 일본 펄펄했다

그림 1-2. **2007년 4월 중앙일보에 나온 필자의 PDO매선 시연사진**

였고, 한의계에서 나오는 양장사 약실자입요법, 중국의 매선요법에 관한 모든 자료를 확인하였으나, 2007년 그 시점에서 'PDS 의료용봉합사 녹는실을 27~29게이지 가는 멸균주사침에 넣어서 만든 PDO매선침으로 인체에 삽입하는 방식'과 PDO리프팅에 관한 공식적인 발표나 강의는 전혀 존재하지 않았음을 그 시점에서 확실하게 확인하였다.

그래서 필자는 2007년 대한민국 의료계에서 의료인으로는 최초로 기존의 양장사실 대신에 PDO실을 사용하는 PDO매선침 즉 멸균주사침에 양장사봉합사 대신 PDO봉합사를 넣어 사용하는 PDO매선을 공식적으로 발표하고 강의하게 되었다.

또한 2007년 초에 토털한방성형 매선시술 강의교재를 제작하면서, 강의교재에 의료용 PDS봉합사 부분을 명확히 기재하여 강의하였다. 무엇보다도 매선강의를 하면 흡수성봉합사의 물성에 대한 강의를 자세하게 하였다(물론 초기에는 PDS 와 Vicryl 기타 다른 흡수성 봉합사도 설명하였으나 PDS의 물성이 가장 뛰어나서 나중에 즉 2008년 이후로는 PDS실만 쓰도록 권유했다).

2007년 봄부터 공식적으로 동료 한의사분들에게 매선시술을 강의하면서, PDS녹는실을 멸균주사침에 넣어서

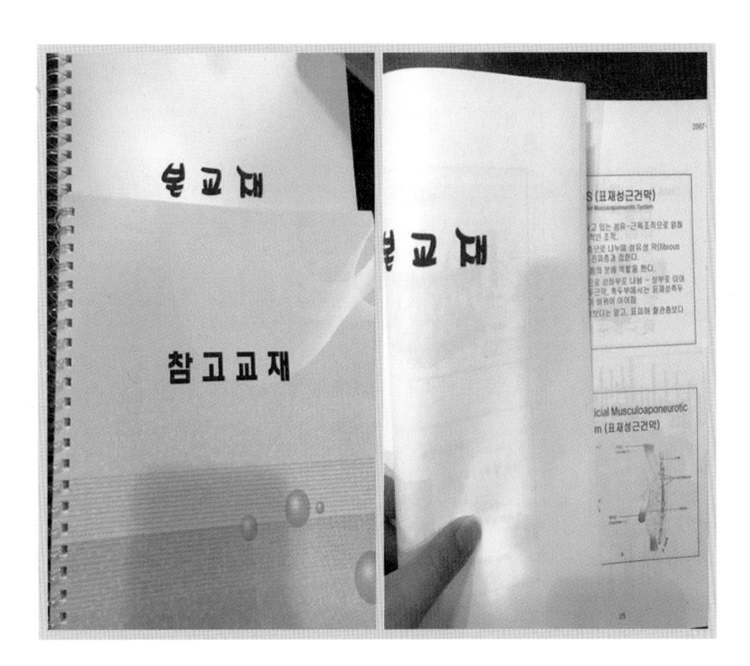

그림 1-3. 2007년 필자가 만든 PDO매선시술 교재사진

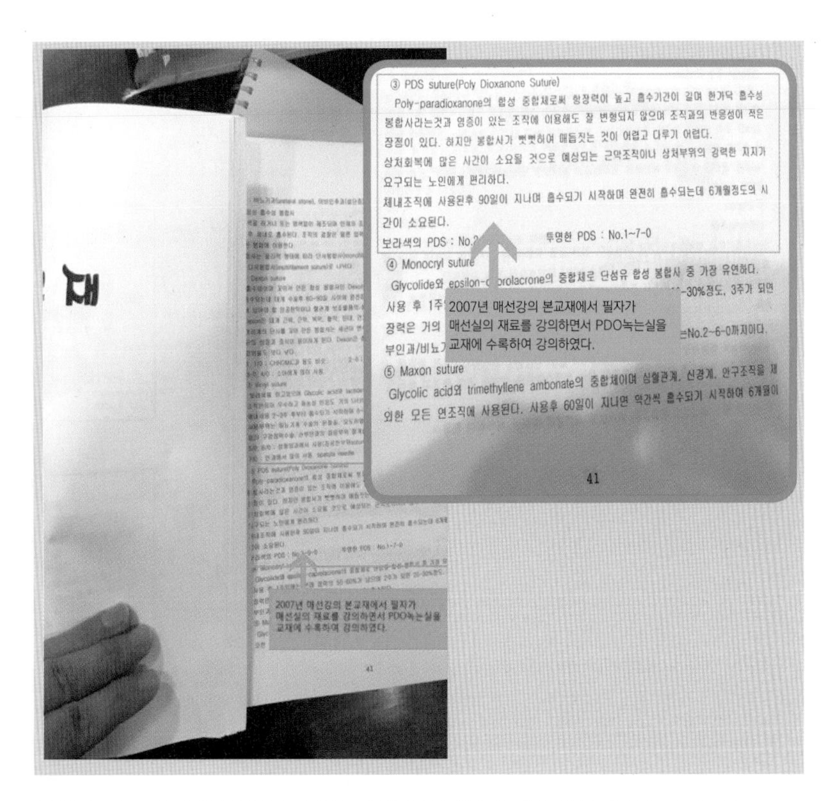

그림 1-4. 2007년 필자가 만든 교재에서 매선재료로 언급된 PDO녹는실

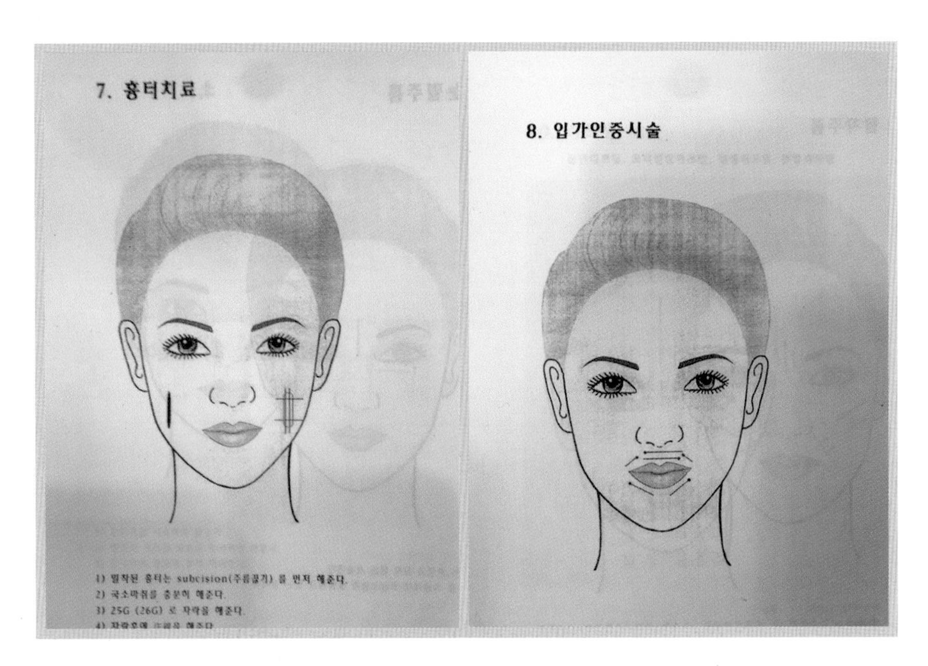

그림 1-5. **2007년 매선 리프팅 교재 사진**

사용하는 PDO매선 제작법과 시술법을 한의계에 알렸고, 2007년 가을 11월경에는 그 당시 한의계에서 유명한 피부미용특화 네트워크 20여분 한의사분들께 단체 세미나를 통해서 PDO매선 시술을 강의하였으며, 특화 네트워크에 한방미용매선 시술이 2008년 이후부터 특히 2010년대 이후로 자리 잡아서 미용매선시술을 한의계에서 주도하고 그 이후 2010년대부터 서양의학계에서도 한방 녹는실 시술이 퍼져나갔다.

다시 한번 강조하지만 현재 양방에서도 많이 사용되는 PDS실을 27~29게이지 가는 멸균주사침에 넣어서 만든 PDO매선침, 즉 PDO녹는실리프팅은 2007년 대한민국 한의계에서 한의사에 의해 공식적으로 강의로 발표되었다. 지금 사용하는 PDO녹는실리프팅은 2007년 대한민국 한의계에서 공식적으로 시작되었다는 사실을 양방의료계에서도 인정하고 명확히 밝히는 것이 학문적으로 올바른 태도라고 생각한다.

필자의 강의를 들으신 원장님들의 글과 강의평가

이 책의 저자이신 하세현 원장님과 저는 원장님이 주관하신 2007년 매선 강의를 통하여 인연을 맺게 되었습니다.

2007년 초 저는 처음으로 PDS봉합사를 이용한 PDO매선침 강의를 접하게 되었으며, 그 당시에 양·한방 의료계를 막론하고 PDS 봉합사를 이용한 매선침의 강의는 존재하지 않았기 때문에 그때 강의하신 하세현 원장님이 처음이신 걸로 알고 있습니다.

무엇보다도, 한방성형이라는 개념조차 생소하고, 미용성형목적으로 가볍게 침을 이용한 자락술 밖에 없었던 시절에 하세현원장의 토털한방성형이라는 강의를 통하여 매선침을 이용한 안면리프팅, MTS, 카복시, 메조테라피 등 비침습적인 미용성형의 원리와 술기를 이해하기 쉽게 알려주셨습니다.

그리고 강의를 통하여 2007년 수강한 여러 원장님들이 모여서 이듬해 2008년 8월 24일 코엑스에서 "대한한의피부성형학회"를 출범하게 되었으며, PDO매선침 시술을 한의계에 널리 알리게 되었습니다.

개인적으로 하세현원장님의 토털한방성형과 미용매선강의는 2000년대 후반 우리나라 한방미용성형에 큰 획을 그은 일이라고 생각합니다.

2007년 강의 이후에도 지속적인 교류를 하고 있으며, 2019년 현재까지도 강의를 포함하여 친목을 꾸준히 이어가고 있습니다.

한의사 한계원

한의사통신망 AKOM에 올라온 수강자분들의 강의평가글

서OO

2007년 강의 듣고, 주기적으로 모임에도 참여하고 있습니다. 한방미용의 초기부터 내용을 계속 업그레이드해오는 강의이고... 미용쪽을 공부해보시는 분께는 권해드릴 수 있을것 같습니다. 일반적인 술기내용도 그렇고,,, 연관된 조직학, 생리학적 내용과 임상에 적용에 연결고리등이 비교적 잘 설명되어지는 강의라고 느껴집니다.

류OO

2008-04-06 (일) 15:15

개인적으로 유익한 강의였습니다. 추천합니다...^^

정OO

2009-10-13 (화) 17:00

2008년초에 수강했습니다. 조금더 일찍 수강했더라면 이라고 생각합니다. 피부, 비만, 성형, 매선, 필러에 관심있는 원장님들에게 강추합니다. 수강료대비 100배 이상의 매출 올린 것 같습니다.

Chapter 02

PDO매선침 탄생과 배경

2006년 필자는 비침습성형 쁘띠성형에 대한 강의를 준비하면서(그때는 한의사들도 히알루론산 필러를 사용하였던 시절) 미용성형에 대한 연구를 하고 있었고 얼굴성형에 대한 세미나와 관련 서적들을 열심히 탐독하고 있었다.

마침 그때 양방 성형계에는 녹지않는 실, 폴리프로필렌을 이용한 압토스리프팅이 소개되었다. 현 시점에서 본다면 그 당시 압토스실은 가격도 고가이고 시술 가격도 매우 비쌌다. 압토스실의 조직학적인 작용에 대한 이론을 보면서, 필자는 한의계에서 사용하는 양장사매선도 유사한 조직학적인 작용을 나타낼 것으로 생각했다.

필자는 양방의 녹지않는 실, 압토스 리프팅을 대체하기 위한 한방 압토스실로서 어떤 것이 가장 적합한 것인가 고민하였고, 압토스리프팅의 SMAS 거상개념과 경락과 혈위 개념을 결합한 한방 미용 매선시술이 유망할 것으로 봤다.

당시 나는 한의계에서 널리 알려진 양장사 catgut 매선을 이용하여 유사한 효과를 낼 수 있을 것으로 생각했다. 양장사 자입법은 한의계에는 약실자입요법으로 알려져서 주로 통증치료에 이용되고 있었다.

그러나 양장사매선은 동통치료에는 매우 훌륭하였으나 그 반면 이물반응이 아주 강하였다.
양장사는 혈관과 신경이 밀집된 얼굴 부위에 사용하기에는 이물반응 염증반응이 강했고, 시술 시에 통증과 출혈 부종이 매우 심하여 필자는 얼굴에 몇 번 시술을 시도해보다가 그만두었다.

국산 양장사 대신에 독일제 catgut을 이용하여도 시술 통증이 조금 덜할 뿐, 이물반응과 염증반응은 여전하여 안면부에 사용하기에는 부적합하였다.

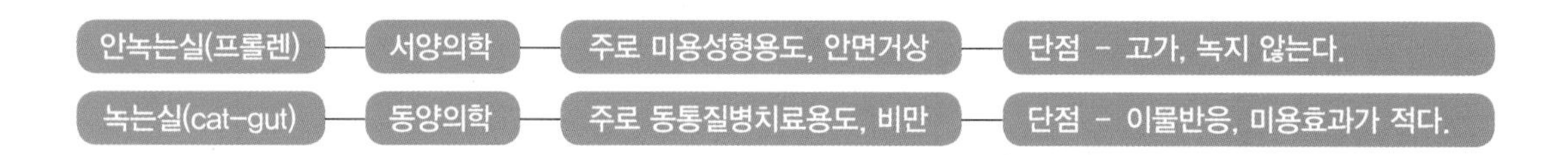

2006년 한의계의 상황, 매선실에 대한 나의 고민과 선택

2006년 한의계는 한방성형시술로 자락술, 주름제거침술, 미세다륜침, 매선침이 알려지기 시작했다.

그 시점에서 알려진 매선은 혈위매선침, 한약액을 묻힌 매선침, 봉독을 묻힌 봉독매선침, 돌팔이들이 쓰는 나비매선침등이 있었다.

매선실은 양장사매선, 떡갈나무로 만들었다는 매선실, 한약액을 묻힌 약실, 단백질로 만들었다는 실, 비의료인(돌팔이)들이 쓰는 바이오원액으로 만들었다는 실 등이 있었다.

봉독이나 약액을 묻힌 매선에 대해서는 개인적인 거부감이 있었고, 돌팔이들이 사용하는 나비침매선 또한 바이오원액이라고 하는 매선실 성분이 불분명하였고, 무엇보다도 허가받은 의료용품이 아닌 돌팔이들의 나비침을 사용한다는 것은 법적으로도 윤리적으로도 의료인으로서는 문제가 될 수 있는 일이었다.

약액이나 봉독을 묻히는 약실, 봉독 매선에 대한 거부감이 컸던 이유는 식약청 승인을 받은 양장사를 이용한 매선 시술만으로도 적지 않은 이물반응과 염증을 야기하는데, 약액이 항원이나 염증유발물질로 작용할까하는 걱정과 매선실의 변성이 우려되었다. 물론 치료의 목적으로 순간적으로 염증세포들과 사이토카인을 리쿠르팅하는 용도로 사용될 수도 있겠지만, 얼굴에서의 염증반응을 좋아하지 않는 나로서는 안전한 흡수성 봉합사를 찾지 않을 수가 없었다.

실제로 그때 비의료인(돌팔이)들 사이에서도 약액을 묻히거나 봉독을 묻힌 매선시술들이 자주 있었고, 그들의 무면허 의료행위로 인한 시술 후 염증반응과 육아종등의 부작용이 학계에 보고되기도 하였다.

일단 한국식약청의 허가나 미국 FDA승인을 받은 정식 의료용 봉합사에서 후보를 정해야 했으며 안 녹는 비흡수사는 제외했다. 한의학의 유침효과를 노리면서도 이물반응 없이 깔끔하게 체내에 분해되는 식약청의 허가를 받은 정식 의료용 녹는실흡수성 봉합사에서 매선실을 골라야 했다.

필자가 매선실로 에치콘 PDS실(PDO)을 선택하게 된 부분에서는 사실을 그대로 정직하게 말하는 것이 학문적인 면에서 옳다고 생각한다. 2006년에 강남K성형외과 김원장님께서 녹는실 봉합사에 대해서 자세하게 설명해주셨고 필자가 최종적으로 PDS실을 선택하는데 영향을 주셨다.

2006년 그때 강남 K성형외과 김원장님과 비침습성형 세미나를 같이 준비하면서 흡수성봉합사와 매선실에 대하여 많은 이야기를 나눴다. 김원장님은 봉합사에 대해서 병원에서 실제로 사용하는 제품(silk, cat-gut, vicryl, prolene, PDS)등의 봉합사들을 필자와 같이 직접 보면서 조언을 해주셨다.

괴사나 염증을 최소로 하기 위해서는 multi실보다는 mono실(단선)을 쓰기로 하였으며 이물반응이 큰 양장사와 같은 동물기원성 녹는 실은 배제하고 합성흡수성 봉합사에서 후보를 고르기로 하였다.

dexon, vicryl, maxon 등이 있었지만 단선이면서도 조직반응성이 적으며, 염증조직에서도 변형이 적은 PDS (poly dioxanone suture)가 가장 적합한 것으로 판단되었다.

K성형외과 김원장님께서도 타이가 힘들긴 하지만 모노 흡수사인 PDS실이 원장님의 경험상 써보신 것 중에서 가장 안전하고 조직반응이 적은 봉합사라고 추천해주셨다.

그때부터 필자는 에치콘사에서 나오는 PDS봉합사를 구입하여 초기 형태의 녹는실 PDO매선을 만들어 보았다. 그리고 예상대로 PDS녹는실 매선은 내몸에 수십 수백개를 자입하여도 부작용이 발생하지 않았다.

2007년에 PDS실을 27~ 29게이지 가는 멸균주사침에 넣어서 만든 매선침으로 인체에 삽입하는 방식을 강의하면서 다른 합성흡수사와 비교해보다가 다른 녹는실에 대한 미련은 버렸다. 즉 PDS실이 가장 부작용이 적고 적합하다는 결론을 내렸다.

2006년도에 에치콘 PDS를 멸균주사침에 넣어서 만든 초기 형태의 PDO매선을 고안하였고 2007년 말에는 현재의 모노매선과 똑같은 형태의 29게이지 가는 멸균주사침에 넣어서 만든 PDO매선침을 만들게 되었다.

다시 한번 말하지만 필자가 2006년도에 에치콘 PDS를 멸균주사침에 넣어서 만든 초기 형태의 PDO매선을 생각하고, 2007년 의료계 최초로 PDS실을 27~29게이지 멸균주사침에 넣어서 만든 PDO매선침으로 인체에 삽입하는 방식을 고안하고 공식적으로 강의한 것은 필자가 천재이거나 뛰어나서가 아니라 그 시점에서 공교롭게도 안면성형과 압토스실리프팅 그리고 매선에 대해서 관심과 정보를 갖고 있었으며, 마침 그때 외과수술용 의료봉합사에 대해서 한의사중에서는 심도 높은 관심과 나름 전문적인 깊은 지식을 갖고 있었기 때문일 뿐이다.

양장사매선 즉 약실자입요법을 접하고 나서 다른 동료 한의사들보다, 좀더 매선의 재료 즉 수술용녹는실봉합사에 대해서 연구와 관심 그리고 임상고민이 매우 컸기 때문이다. 무엇보다도 2006년 그 시점에서 개인적으로 형제같은 성형외과 전문의 김원장님과 공동연구와 친밀한 교류가 있었던 덕분이라고 생각한다(그림 1-6, 1-7, 1-8).

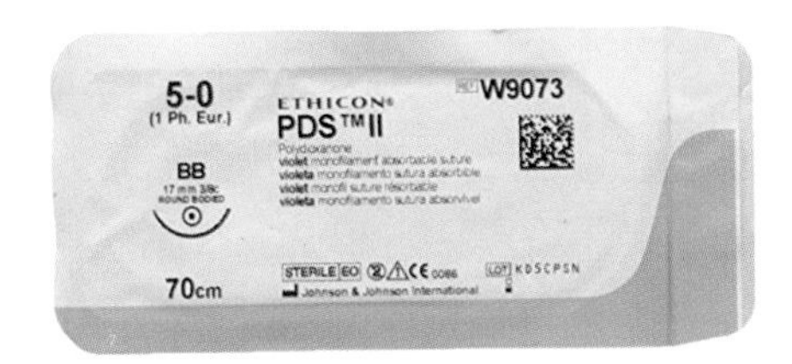

그림 1-6. **초기에 필자가 PDO매선에 사용 하였던 에치콘 PDS녹는실**

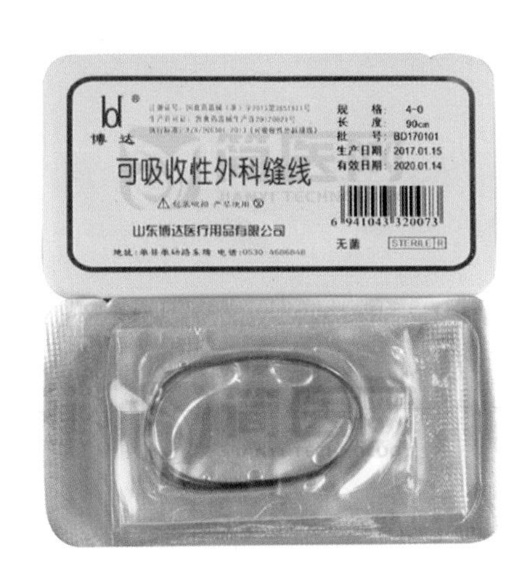

그림 1-7. **중국에서 매선요법으로 많이 사용하던 양장사**

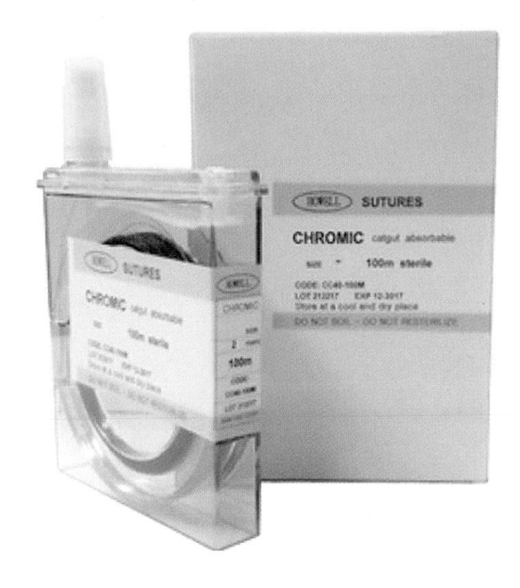

그림 1-8. **독일제 롤 형태의 양장사**
독일제 양장사도 안면부위에 시술하기에는 염증반응이 너무 강하였다.

Chapter 03

국내 매선의학의 연혁

표 1-1. **국내 PDO 매선시술의 연혁**

1980년대	중국에서 양장사 혈위매선 시술 확립
2003년	양장사를 이용한 약실자입요법 국내소개
2006년	10월에 비침습한방성형 세미나 개최. 하세현원장, 양장사대신 에치콘PDS실을 멸균주사침에 넣은 현대적 매선침 최초 고안
2007년	한국 의료계 최초로 에치콘PDS실을 명시한 PDO매선요법을 한의사들에게 공식강의 (토털한방성형강의) 토털한방성형 강의교재에 에치콘PDS실을 명시한 PDO매선강의록 제작 최초로 29, 30게이지 주사침으로 만든 29게이지 PDO매선 발표
2008년	서울 코엑스에서 한의피부성형학회 창립총회와 PDO매선성형 연수강좌 실시 그림 1-9, 1-10, 1-11
2009년	PDO매선시술 한의계에 널리 확산
2010년	동방메디컬 PDO매선 공식 대량생산
2013년	한의피부성형학회총회에서 PDO코그 매선리프팅 강의 그림 1-12, 1-13
2019년	토털매선의학책 저술

필자는 매선강의를 수강하신 동료 원장님들과 2007년 한의피부성형학회를 결성하여 지금까지도 학문적 교류와 임상연구를 같이 하고 있다.

초기 강의를 들어주신 동료원장님들께 드리는 감사의 말씀

지금 돌이켜보면 초기(2006년)부터 몇 년간 부족한 필자의 강의를 들어주고, 매선시술 연구모임을 함께하고 한의피부성형학회에서 같이 해준 동료 한의사 원장님들께 정말 감사하고 고맙다는 인사를 드리지 않을 수 없다. 초기에 PDS말고도 여러 가지 흡수성 봉합사를 이용해서, 각자의 몸에 실험하다가 염증반응을 일으켰던 기억도 생생하며 부족한 강의를 경청해주시고, 교학상장이라고 강의를 통해서 오히려 필자가 더 성장할 수 있도록 해준 동료 원장님들께 진심으로 감사의 말씀을 드리고 싶다.
2006년~2008년 초기 강의때 필자 하세현에게 강의를 들으신 한의사분들은 여기 적힌 이메일로 꼭 한번 연락을 주시길 바랍니다. 직접 감사의 인사를 드리고 싶습니다.

psomd@hanmail.net

그림 1-9. **2008년 한의피부성형학회 창립총회**

그림 1-10. **2008년 창립총회 PDO매선강의 사진**

그림 1-11. **2008년 한의피부성형학회 창립총회 및 연수강좌 기념사진**(필자는 앞줄 오른쪽 2번째)

그림 1-12. **2013년 한의피부성형학회 8주년 기념 세미나**

그림 1-13. **2013년 한의사협회 강당에서 코그매선리프팅 강의를 하고있는 필자 하세현**

Chapter 04
매선실 봉합사의 종류와 분류

표 1-2. **봉합사와 녹는실의 역사**

기원전 1100년	이집트에서 인체에 봉합사를 사용
기원전 500년	고대 인도에서 산스크리트어로 기록된 Sushruta Samgita가 외과수술의 방법과 봉합을 기록
기원전 400년	의학의 아버지인 히포크라테스에 의해서 봉합 기록
서기 2세기	그리스의 외과의사 Aelius Galenus 또는 Galen은 로마의 검투사들의 상처를 봉합
서기 10세기	외과 수술의 아버지로 불리는 Al-Zahrawi가 흡수성 봉합사 양장사(Catgut)을 발명하고 사용
1881년	영국의사 Joseph Lister는 carbolic acid를 사용하여 멸균한 장선(Catgut)을 사용해서 성공적으로 혈관 문합 수술을 시행
1970년대	최초의 합성 흡수성봉합사인 PGA녹는실 등장
1980년대	중국 한의계에서 양장사를 이용한 매선요법 확립
1990년대	기존보다 조직반응이 부드러운 PDO녹는실 등장
2000년대 초	약실자입요법과 약실자입기가 한국 한의계에 알려짐
2002년	슐라마니체 녹지않는실 폴리프로필렌barbed실 Aptos 발표
2007년	대한민국 하세현 PDO실을 29게이지 멸균주사침에 넣어 EO가스로 소독하여 인체에 삽입하는 현대적 매선침을 의료계 최초로 공식적 강의발표
2010년	PDO매선 허가, 동방메디컬에서 공식 대량생산

양장사(Chromic catgut)

매선의 역사에서 가장 오랫동안 사용되어 온 것은 양장사이다. catgut(장선, 腸線)은 양(羊)의 장점막하층으로 만들어진 것으로 고양이(cat)장선으로 만드는 것은 아니다. 19세기 당시에 동물의 장선을 가지고 바이올린 줄을 만들기도 했는데 바이올린을 뜻하는 kit에서 비롯되었다는 설이 있다.

장선을 오래가게 하기 위하여 크롬산(Chromic Acid)용액에 처리하였는데 그래서 나온 명칭이 Chromic –catgut이다.

Joseph Lister (1827-1912)

필자는 2007년 PDO매선 강의 때부터 Joseph Lister 이 분에 대한 언급은 꼭 하였다. 현대적인 녹는실을 임상에 활용한 훌륭한 의료인이며 소독과 멸균에 관한 큰 역할을 하신 분이다.

특히 매선요법의 재료가 되는 현대적인 양장선을 개발하여 매선의학이 탄생하는 계기가 되었다.

19세기만 해도 외과의사들은 내과의사에 비하여 천대를 받아왔고 외과의사를 학문적 소양이 부족한 이발사의 후예로 보는 시각이 있던 시절에 Lister는 내과의사 못지 않은 공부를 하였으며 외과수술의 성공률을 획기적으로 개선시켰다.

1876년 필라델피아 센테니얼 전시회(Philadelphia Centennial Exhibition)의 의학 의회에서 리스터의 멸균에 대한 강의를 들은 청중들은 대부분 시큰둥하였으나 외과용 석고 제작자 Robert Wood Johnson은 큰 감동을 받았다. 그 후 Johnson이 Johnson & Johnson 회사를 만들어 최초의 멸균 수술 드레싱 및 멸균 봉합사를 만들어 의학계에 지금도 큰 공헌을 하고 있다.

필자가 처음 PDO매선의 재료로 쓴 것도 한국 Johnson & Johnson 사에서 만든 Ethicon PDS실이었다. Lister나 Johnson이나 그 당시 주류에서의 무관심을 딛고 큰 공헌을 하였다. 의학은 이들과 같은 융합과 창조적인 인재들에 의해서 발전된다. 필자는 우리나라의 우수한 한의학과 서양의학이 이처럼 창조적으로 융합 발전하면 얼마나 좋을까 하는 바램을 가지고 있다.

PDO 폴리디옥사논(polydioxanone, PDS)

PDO는 에스터기와 에테르기를 동시에 갖는 생분해성고분자이다. 흡수성봉합사에 일반적으로 사용된다. 인체에 무해하며, H_2O, CO_2로 깔끔하게 가수분해되어 소변과 호흡으로 배출된다. 또한 인체 조직 내에서 잘 변형되지 않고, 6개월 정도면 완전히 분해된다.

폴리파라디옥사논(poly(para-dioxanone))은 파라디옥사논을 중합하여 만들어지는 고분자이다.

단섬유(monofilament)로 만들어지는 봉합사는 3주~4주 내에 강도의 50%가 감소하며 6개월쯤에 거의 다 흡수된다. PDS는 분해는 가수분해에 의해 진행되며 분해가 일어나는 곳은 에스터기이다.

염증반응이 적으며 필자의 임상사용결과 현재까지는 가장 이상적인 인체용 매선실의 재료이다(그림 1-14).

PDO의 물성

- Polydioxanone
- 인체에 무해하며 , H_2O CO_2로 깔끔하게 가수분해된다.
- 조직내에서 잘변형되지 않으며 6개월 정도면 완전히 분해

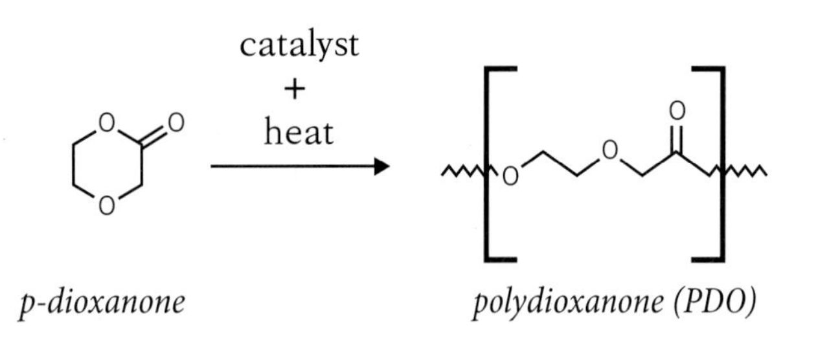

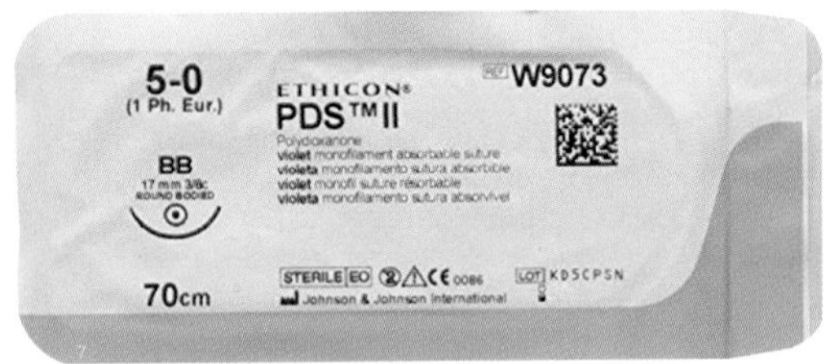

그림 1-14. **PDO의 물성**

기타실

PGA (polyglycolic acid)–Dexon

최초의 합성 흡수사이나, PDO에 비해서 장력이 약해서 필자는 쓰지 않는다.

PGCL (polyglycolide & trimethylene carbonate)

PDO와 물성이 유사하나 가격이 비싸서 적합하지 않다.

그 외에 PGLA (polyglactic acid)–Vicryl등의 녹는실이 있으나. 필자는 PDO이외의 실은 현재는 사용하지 않고 있다. 또한 녹지않는 실 즉 폴리프로필렌 압토스실 같은 비흡수사도 사용하고 있지 않다.

이상적인 매선용 녹는실의 조건

- 조작의 용이함과 유연성
- 멸균 용이성
- 적절한 탄력성
- 이물반응이 적거나 무반응성

- 적절한 인장강도
- 깨끗하게 분해되는 생분해성
- 경제성
- 멀티실보다는 모노실(염증반응이 적음)

표 1-3. **매선실의 규격과 굵기**

USP designation	Metric	합성흡수사(mm)	비흡수사(mm)
12-0	0.01		0.001
11-0	0.1		0.01
10-0	0.2	0.02	0.02
9-0	0.3	0.03	0.03
8-0	0.4	0.04	0.04
7-0	0.5	0.05	0.05
6-0	0.7	0.07	0.07
5-0	1	0.1	0.1
4-0	1.5	0.15	0.15
3-0	2	0.2	0.2
2-0	3	0.3	0.3
1-0 or 0	3.5	0.35	0.35
1	4	0.4	0.4
2	5	0.5	0.5
3,4	6	0.6	0.6
5	7	0.7	0.7
6	8		0.8
7	9		

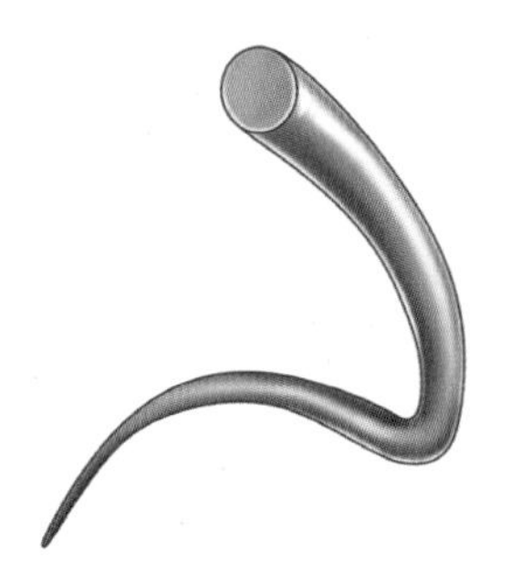

모노실은 세균이 잘 붙을수 없어, 조직 반응을 적게 일으켜서 안전하다. 그러나 미끄럽고 knot가 잘 풀려서 여러 번 tie가 필요

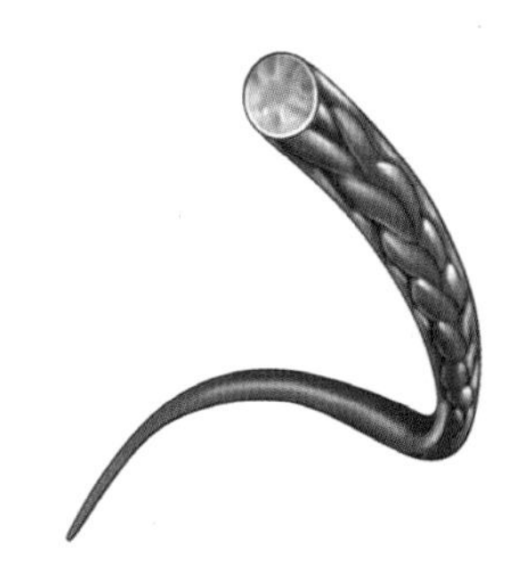

멀티실은 세균이 자라기 쉬워 abscess가 생길 수 있으나 매끄럽지 않고 노트가 잘풀리지 않는다.

그림 1-15. **모노실과 멀티실**

표 1-4.

		모노	멀티
흡수사	자연	Chromic-catgut	
	인공	Polydioxanone (PDSII) PolyGlyconate (Maxon) Poliglecaprone (Monocryl)	Polyglycolic Acid (Dexon) Polyglactin 910 (Vicryl)
비흡수사	자연	GOLD, Metal wire	Silk (Mersilk)
	인공	Polyamide (Nylon) Polypropylene (Prolene)e-PTTE (Gore tex)	Polybutylate (Ethibond) Polyester (Dacron, Mersilene)

Chapter 05

현재 임상에 사용되고 있는 PDO매선의 종류

모노매선

PRODUCT			APPLICABLE PART	DESCRIPTION
MONO			전체적인 얼굴	가장 기본이 되는 매선
TWIN			이마와 미간, 볼	두 가닥을 꼬아서 만든 매선
MULTI			팔자주름, 볼채움	10여개의 가닥으로 조직을 채우고자 하는 것
SCREW			이마주름, 목주름, 미간	나사모양으로 촘촘히 감은 제품
DOUBLE SCREW			턱라인	스크류를 두 번 꼬은 것
SCREW COG			눈가주름, 이마주름	가시모양의 COG봉합사를 나선 형태로 꼬은 매선
COIL SPRING			이마주름, 마리오네트, 턱라인, 팔자주름	채움 매선의 일종으로 필러의 효과를 목표

PRODUCT		APPLICABLE PART	DESCRIPTION
캐뉼러 COG	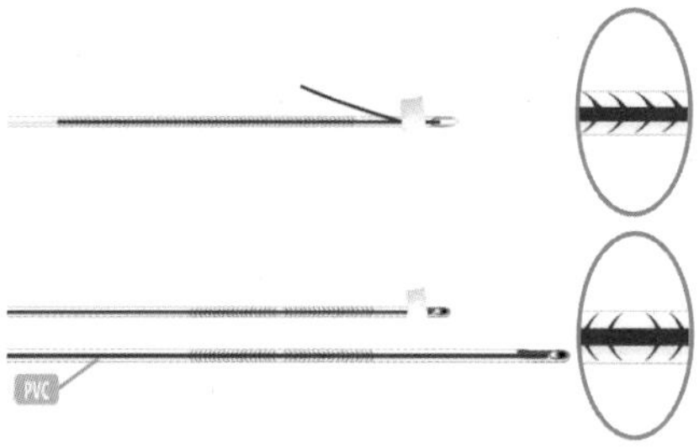	얼굴 V Line, 뺨	한 방향 또는 양 방향으로 COG가 있는 제품
LEECH COG	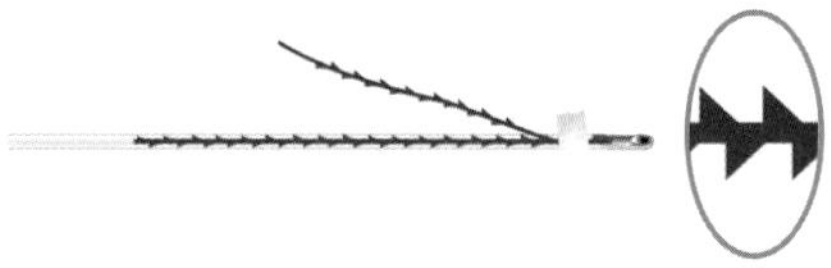	얼굴 V Line, 뺨	열을 가하지 않았고 인장력이 강하다.
NOSE COG **캐뉼러**		코	코성형을 위하여 나온 코 전용 캐뉼러 매선
EYE		다크서클	가는 코그매선 탄력성 향상 눈 부위의 미세한 주름 개선

캐뉼러 코그매선

코그매선은 커팅- 프레스- 몰딩의 형태로 발전하고 있다. 몰딩의 방식으로 갈수록 물성은 좋아진다.

현재 매선 제조사에서는 코그매선 개발에 혼신의 힘을 다하고 있으며 현재 대한민국이 세계에서 가장 우수한 품질을 보여주고 있다. 캐뉼러 코그실은 발전을 거듭하기에 임상에서는 최신의 실을 쓰는 것이 유리하나 굳이 너무 비싸거나 굵은실을 고집할 필요는 없다고 생각한다.

표 1-5. **Molding 코그의 종류**

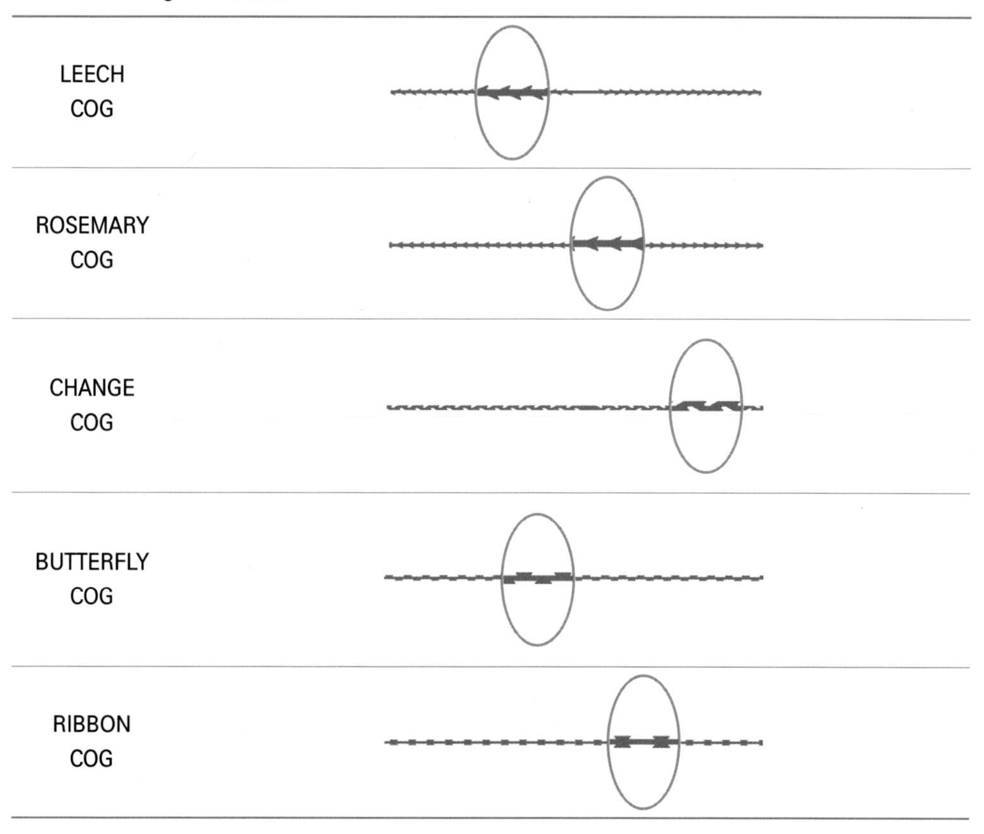

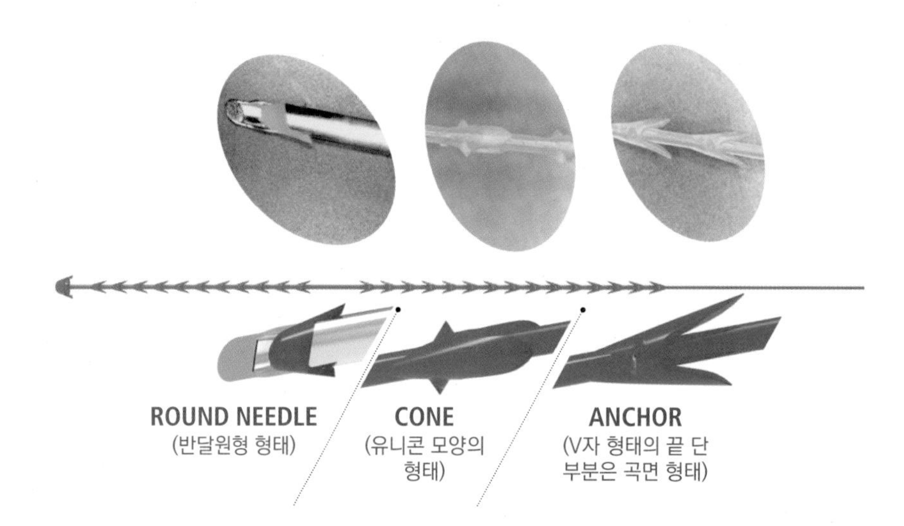

그림 1-16. ROUND NEEDLE, CONE NEEDLE, ANCHOR NEEDLE

그림 1-17. **왼쪽은 과거의 COG실, 오른쪽은 업그레이드 된 COG실**

그림 1-18. **코그 매선실의 발전 상황**

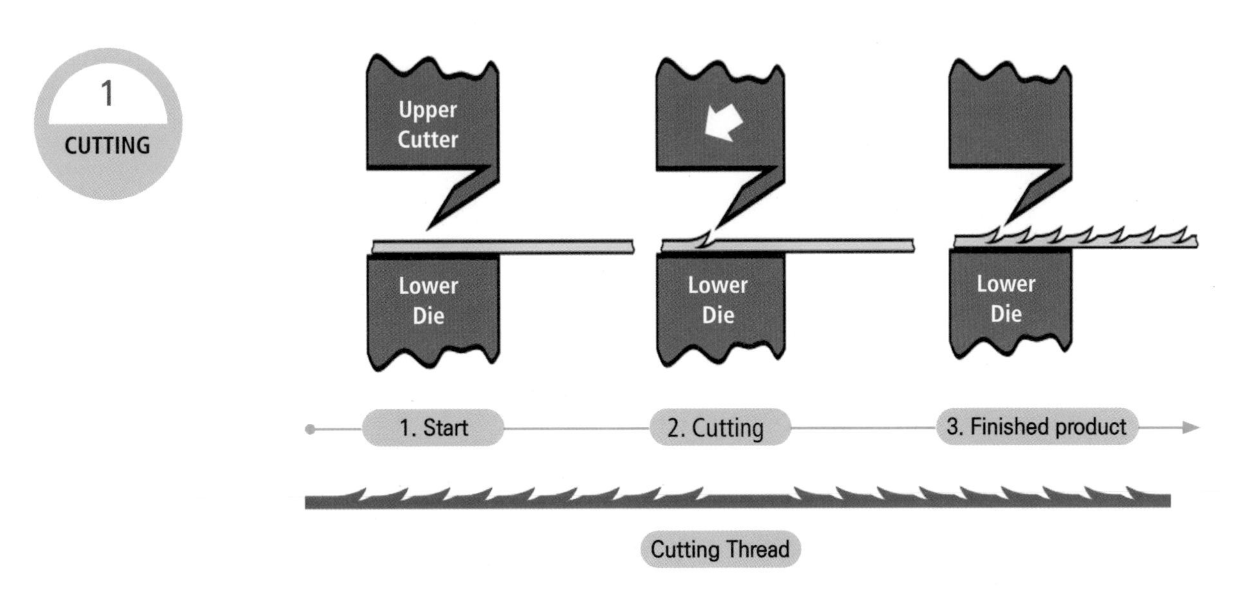

그림 1-19. CUTTING 방식의 코그실 제작법

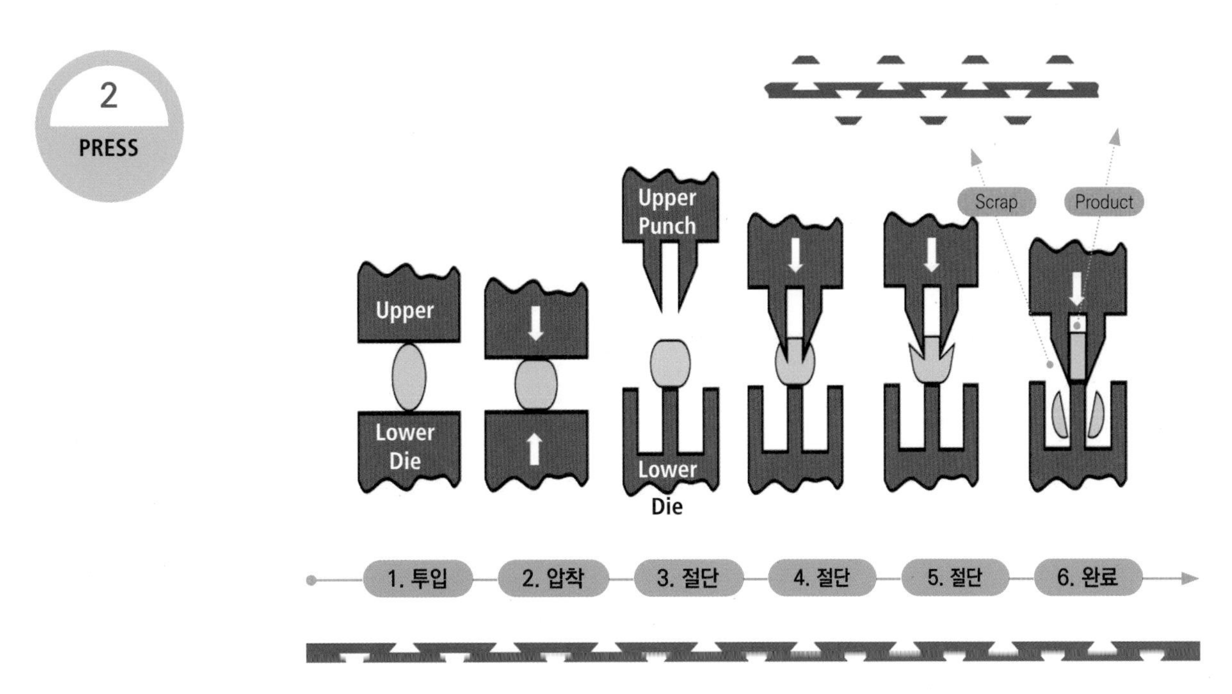

그림 1-20. PRESS 방식의 코그실 제작법

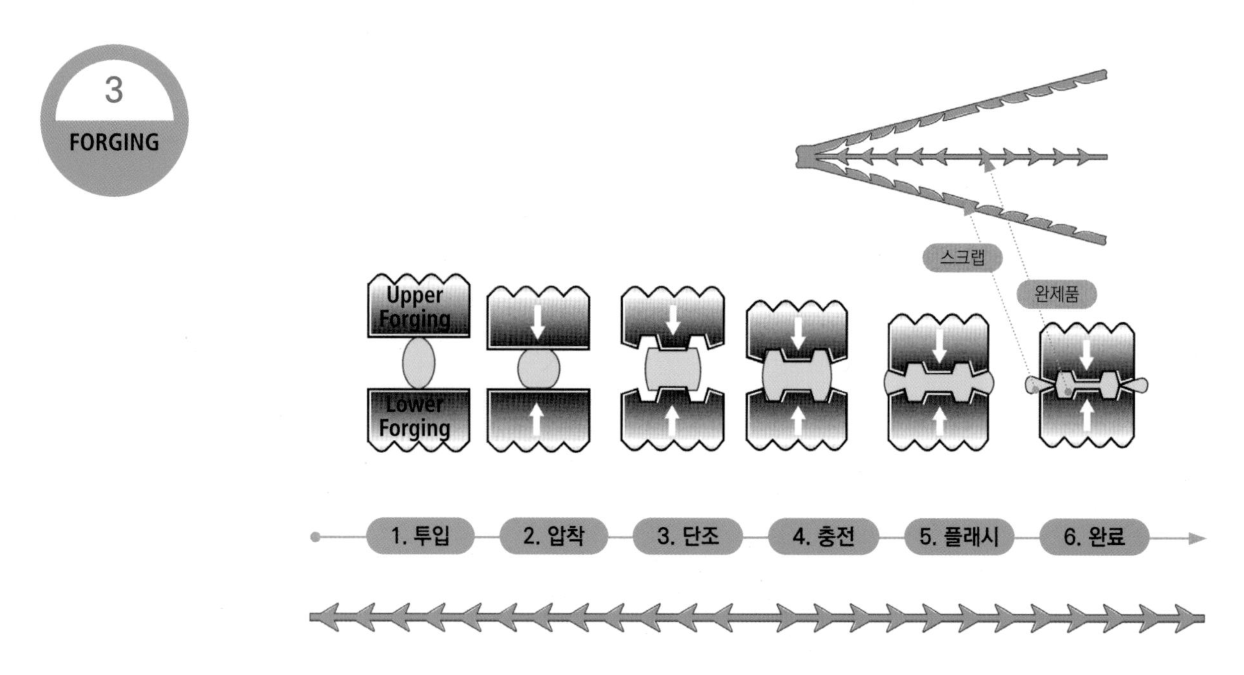

그림 1-21. **FORGING 방식의 양방향 코그실 제작법**

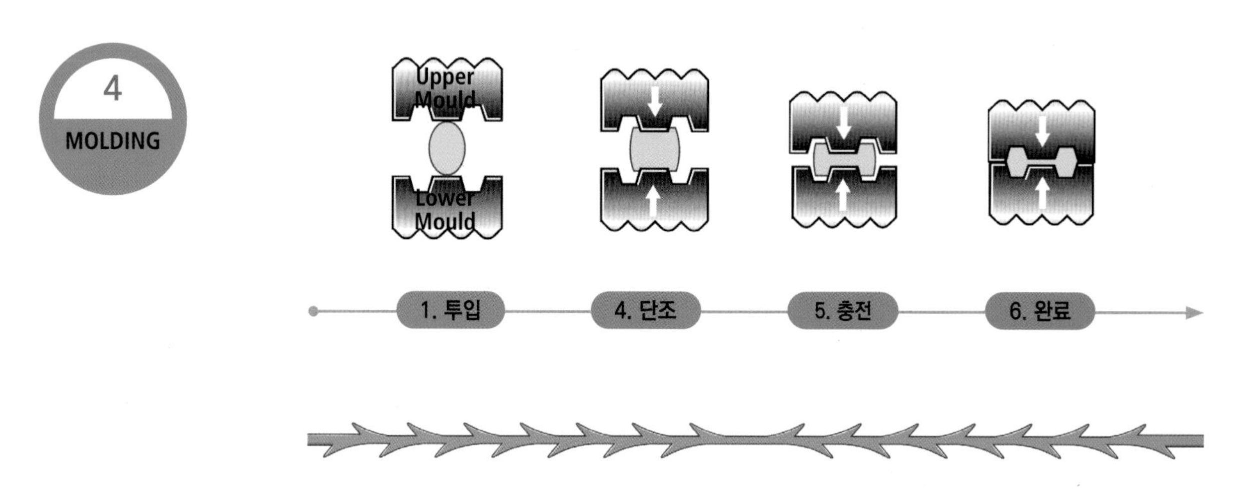

그림 1-22. **몰딩 방식의 양방향 캐뉼러 코그 제작 방법**

Chapter 06
매선침의 게이지와 니들

표 1-6. **주요 매선 니들의 색깔과 게이지-반드시 암기 요망!**

Gauge	Outer diameter (mm)	Inner diameter (mm)	Color
18	1.27	0.84	Pink
19	1.07	0.69	Cream
20	0.91	0.60	Yellow
21	0.82	0.51	Deep green
23	0.64	0.34	Deep blue
25	0.51	0.26	Orange
27	0.41	0.21	Medium grey
29	0.34	0.18	Red
30	0.31	0.16	Yellow
31	0.26	0.13	White
34	0.18	0.08	Orange

니들의 굵기

매선시술에서 재료인 실만큼 중요한 것이 니들이라고 생각한다.

누군가 만약 필자에게 매선의학 역사에 기여한 것이 무엇이냐고 묻는다면 필자는 29게이지와 30게이지 멸균주사침 같은 아주 가는 니들로 PDO매선침을 만든 것이라고 하겠다.

2007년 말에 29게이지-50 mm 멸균주사침에 PDS 5-0실을 넣어서 매선침을 만들고 30게이지 1과1/2인치 멸균주사침에 PDS 6-0실을 넣어서 최초로 30게이지 매선침을 만들었고 그 장점을 강의하였다.

2006년 시점에서 매선침, 즉 매선실의 캐리어로서 니들의 굵기는 너무 굵었다. 약실자입기는 스파이널 니들(spinal needle), 즉 척추 천자침을 사용했기에 얼굴 부위에는 마취 없이는 도저히 사용이 힘들었고, 돌팔이들이 쓰는 나비침매선 또한 니들자체가 너무도 굵어서 얼굴에 다량 사용하기에는 적합하지 않았다.

필자는 PDO실의 캐리어로서 기존의 스파이널 니들이나 굵은 니들 대신, 2006년 최초로 26게이지 멸균 소독된

정림 주사침을 사용하였다 26게이지라 하더라도 기존의 매선침에 비해서는 훨씬 가늘었고 그 후에 27, 29, 30게이지 주사침을 캐리어로 사용하였다.

2007년 말에는 얼굴시술에 29게이지 일회용 멸균주사침 5센티 니들에 PDS실을 잘라서 EO가스에 소독하여 사용하는 것을 원칙으로 하여 시술 시 멍, 출혈, 통증이 획기적으로 줄어들었고 보다 간편하게 대량으로 PDO매선시술을 할 수 있게 되었다. 또한 이마, 눈가, 눈 밑 등 피부가 얇은 부위는 6-0실을 30게이지 니들을 이용하여 출혈과 조직손상이 최소로 하게 하였다.

필자는 개인적으로 2007년에 필자가 매선실로 에치콘 PDS실을 사용한 것보다 29게이지, 30게이지의 가늘고 통증이 적은 멸균주사침에 PDS실을 넣어서 사용한 것이 매선의 역사에서 획기적인 계기가 되었다고 생각한다.

29게이지에 5-0의 PDO실을 넣고, 30게이지의 가는 주사침을 사용함으로서 미세하고 정밀한 얼굴 시술은 물론 다량의 매선 시술이 가능해졌으며 이것이 2008~9년 이후로 폭발적으로 녹는실 매선시술을 증가시킨 실질적인 이유가 아닐까?

처음에는 에치콘사에서 나오는 PDS 봉합사를 사서 사용하였으나 강의 중 한의사들끼리 수십, 수백 개의 매선을 사용해야 하는데 실습재료비로 단가가 너무 비쌌다. 국내에 PDS 생산업체를 알아보니 삼양사와 메타바이오메드사가 있었는데 국내산이 수입산보다는 저렴하게 PDS실을 생산하는 것을 알게 되었다.

현재 매선 제조사들은 국내산 PDS실을 사용하고 있으며 국산실의 수준도 세계적인 것으로 알고 있다.

캐뉼러와 일반니들

미용 성형 시술에 있어서 캐뉼러니들은 매우 중요하다. 캐뉼러는 미세혈관과 조직의 손상을 줄여주고, 멍과 부종을 적게 해주어 다운타임을 감소시키는데 큰 역할을 해주고 있다. 또한, 환자의 통증과 시술에 대한 두려움을 감소시키는 역할을 하며 결과적으로 성공적인 미용성형시술에 도움을 준다.

필자는 개인적으로도 캐뉼러니들을 굉장히 즐겨 사용하는데, 통증과 출혈, 부종을 최소화하는데 큰 도움을 주기 때문이다. 필자는 매선 초기부터 캐뉼러니들에 PDO실을 넣어서 사용하면 참 좋겠다고 생각해왔는데 최근 들어서 기술의 발달로 캐뉼러코그 PDO실이 다양하게 많이 출시되었다. 그래서 실리프팅에 일반 커팅니들대신 캐뉼러니들을 사용하는 것이 대세이며 특히 코에 쓰는 실의 경우는 반드시 캐뉼러 니들을 쓰는 것이 좋다.

캐뉼러와 일반니들의 차이는 blunt니들과 sharp니들의 개념으로 이해하면 된다.

Chapter 07

매선의 현황과 미래

필자와 친한 매선 제조사의 말을 들어보면, 최근에는 한의계보다 양방에서 PDO매선을 훨씬 더 많이 소비하고 있다고 한다. 매선 제조사들도 몇 년 전부터는 양방미용 성형계가 원하는 매선 제품을 개발하고 공급하는데 더욱 주력하고 있는 것이 솔직한 상황이라고 말했다.

어차피 매선 제조사들은 이윤을 목표로 장사를 하는 사람들이니 그런 부분에 대해서 섭섭하다고 할 수도 없는 노릇이다.

양방에서는 저가 미용의원들이 많이 생기면서 한 번에 수십, 수백 개의 PDO실을 쓰는 시술 광고가 난무할 정도로 마케팅과 저가 대량 공세에서 PDO매선의 사용량이 양의계가 한의계보다 많은 것이 현실이다.

또한, 2010년대 초반만 하더라도 한국의 PDO 매선침을 수입해서 쓰던 중국이 현재는 한국보다도 훨씬 더 많은 PDO 매선실을 직접 제조하고 판매하고 있는 실정이라고 한다.

초기에 중국에 진출한 한국 PDO매선 제조업체들이 최근 몇 년 사이에 중국시장에서 거의 도태되고 물량으로만 따지면 현재 중국이 세계에서 가장 큰 PDO매선 생산국이자 소비국이 되었다.

PDO매선 종주국으로서의 한국의 모습은 몇 년 사이에 지워지고 마치 중국이 원래부터 PDO매선의 종주국인 것처럼 한국을 무시하지 않을까 걱정된다.

특히 미용성형 관련해선 매선제조사와 양방 성형외과가 co-work을 통하여 특수매선이나 고가의 리프팅용 새로운 PDO매선을 양방 미용성형의원을 타겟으로 제조 판매하고 있는 실정이다.

그래서 한국 한의계에서 처음 활성화된 PDO매선 시술이 현재는 오히려 한의계에서 좀 주춤한 경향이 있다. 하지만 자침에 익숙한 한의사들의 장점에 힘입어 현재도 활발하게 우리나라 한의사들에 의해 매선침이 시술되고 있으며 특히 근골격 동통매선과 난치성 질환 치료 부분에서는 한의계에서 많이 연구개발되고 있다. 특히 경혈, 경락에 의거하는 경혈매선 분야에 대해서 여전히 한의계에 대한 국민들의 선호도는 절대적이다.

미용매선에 있어서도 점점 좋은 PDO매선들이 나오고 있으며 21게이지 정도의 캐뉼러코그는 마취 없이도 한의원에서 부담 없이 안전하게 시술할 수 있다.

또한, 경혈과 경락의 전문가인 한의사들에 의해서 경혈과 경락 진단에 의한 올바른 시술은 효과가 좋으며 각자의 체질과 얼굴 형태를 바로잡는 올바른 한의학적 치료로서 매선침을 활용한다면 아직도 한의사들의 영역은 크다고 생각한다. 특히 추나요법과 결합하여 안면과 체형의 비대칭에 매선이 큰 효과를 나타내고 있으며 전통 한의학 침술의 하나로서 매선침의 발전은 앞으로도 크게 주목받을 것이다.

앞으로도 PDO매선실 자체의 물성 즉 굵기와 강도는 더욱 향상될 것이다. 가시의 돌기나 커팅 방법 또한 다양하게 나올 것이며, 커팅이 아니라 금형에 찍어나오는 몰드실 등 많은 방법들이 다양하게 발전하고 있다.

앞으로도 한의계는 매선의 변화에 대해서 지속적인 관심을 가져야 할 것이다.

토털매선성형의 이론적 배경

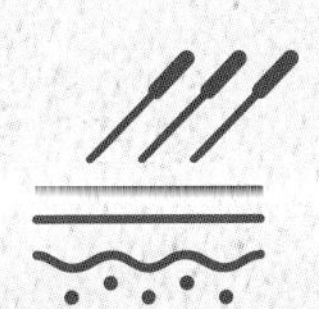

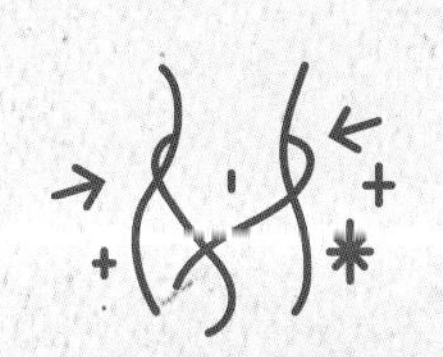

Chapter 01

피부와 매선

매선의학은 유침기능을 강화한 침술의 연장인 동시에 결합조직에 대한 자극을 통하여 ECM을 증가시키고 인체 여러 조직에 건강과 미용상 유익한 효과를 거두는 새로운 의학이라고 할 수 있다.

녹는실 매선에 대한 이해와 비침습 피부미용성형의 발전을 위해서는 최신 현대생리학, 조직학, 해부학에 대한 이해가 필수적이라고 필자는 생각하고 있다. 양·한방 피부미용성형을 높은 곳에서 내려다보며 그 각각의 장단점을 살펴서 한의학이 가진 장점을 잘 살리고 현대과학의 최신연구 성과를 잘 받아들여서 발전시켜 나가는 것이 바른 길이라고 생각한다.

매선은 표피, 진피, 피하 등 피부의 모든 층에서 놀라운 기능을 수행한다. 현존하는 피부미용 시술 중에서 매선만큼 안전하면서도 폭넓고 효과가 확실한 시술은 드물다.
건강과 아름다움이라는 의학의 이상향에 가장 근접한 것이 PDO매선 시술이라고 생각한다.

현재 비침습적으로 피부를 자극하여 혈류를 좋게 해서, 피부를 밝게 하고 콜라겐을 증식시켜 탄력과 젊음을 유지시켜주는 가장 좋은 방법이 PDO매선침, 미용침, 미세다륜침(MTS, 도장침, 엠톤)이다.

문제는 신경이 많이 분포된 안면부의 특성상 발생하는 매선 자침시의 통증인데 앞으로 21세기 내로 첨단기술과 결합하여 더욱더 통증과 부종이 적은 매선침 시술법이나 시술 장비가 더욱 발전할 것으로 기대된다. 또한, 얼굴과 피부의 건강과 젊음을 유지하는데 있어 미용침과 매선침이 필수적인 시대가 올 것으로 생각한다. 궁극적으로 필자가 생각하는 이상적인 자극 방법인 침자극과 열자극을 동시에 하는 火針을 과학화하는 현대적인 한의학 기기나 PDO매선침의 자입을 개선시키는 제품의 출현을 기대하고 있다.

피부매선과 혈액순환

간단하게 생각한다면, 피부는 심장에서 가장 멀리 떨어져 있는 기관이며 심장에서 멀면 멀수록 혈관의 공급은 적어질 수밖에 없다. 근육 – 피하 - 진피 – (표피) 순으로 혈액공급이 적으며 표피층에 있어서는 아예 혈관이 존재하지 않는다.

피부는 무혈관 조직인 표피로 둘러싸여 있기에 피부 상층부는 혈액의 공급이 매우 중요하다.
혈액의 공급은 영양분의 공급일뿐 아니라, 수분의 공급이기도 하다.

MTS나 다륜침을 이용한 피부의 인위적인 출혈이나 자락을 일으키는 이유 또한 피부로의 혈행을 좀 더 원활히 하고자 하는 것이며, 혈액을 이용한 PRP나 바스티유 등 많은 테크닉들 또한 혈액순환과 혈액 그 자체가 피부에 있어서 매우 중요하다는 것을 입증해 주는 것이다.

매선침과 안면침의 피부에서의 큰 역할 중 하나가 이와 같은 혈행을 도와주는 것이다.
매선은 혈관신생(angiogenesis)을 돕고 기혈순환을 원활하게 해주는 것을 임상에서 많이 경험하고 있다.

필자가 좋아하는 PDO매선 시술중 하나가 짧은 모노매선을 마치 마른 사막에 파이프를 심어서 지하수를 끌어올리듯이 피부전층을 直刺나 斜刺 또는 본터치 bone-touch 하는 시술인데 메마른 대지에 청정수를 뿌려주는 듯한 좋은 효과를 볼 때도 많다.
또한, MTS나 다륜침을 이용한 피부출혈 시술을 할 경우에도 미리 매선을 깔아놓고 할 때 더욱 좋은 시너지 효과를 볼 수 있는 것도 이 때문이다.

진피내 약물 송달 DDS (drug delivery system)과 녹는실 매선

2019년 현시점에서는 기술의 발달로 가늘고 통증이 적은 34G 니들과 적절한 약물들이 많이 개발되고 있다. 진피내 주사의 경우 과거보다도 뛰어나게 발전하고 있고 기타 한방 피부 약침들이 인기리에 시술되고 있다. 진피내 주사 또한 매선을 함께하여 시술할 경우 좋은 시너지 효과를 보여준다.

피부조직은 항상 물을 바라는 사막의 건조지역처럼 보다 많은 혈액의 공급과 원활한 혈행을 원하고 있으며 표피와 진피 사이의 유두구조는 이를 대변해준다.

매선은 혈액순환을 도와주어 건조지역에 지하수를 끌어당겨주는 파이프와 같은 역할을 함으로서 촉촉하고 젊고 건강한 피부를 유지하는데 큰 역할을 해주는 것이다.

필자가 항상 강조하는 것은 매선은 단순히 얼굴의 주름을 펴주고 이목구비를 변화시켜주는 것보다도 혈관신생과 콜라겐과 ECM 합성을 촉진시켜주고 표피조직을 위한 혈행을 도와주어서 얼굴을 보다 밝게 하고 피부부속기에도 도움을 주어 전체적으로 피부의 쇠퇴를 막아주며 젊음을 유지해주는 것이 가장 중요하고도 놀라운 매선의 역할이다.

녹는실 모노매선을 이용한 기본 안면탄력매선의 효과(제4부 내용참조 요망)

1. 피부톤의 개선 – 피부결이 좋아진다.
2. 피부미백 – 유두진피의 강화로 피부를 밝게 해준다.
3. 피부탄력 – 피부 탄력증가로 인한 리프팅효과
4. 피부의 미세주름치료
5. 얼굴의 과도한 피하지방을 감소시켜 얼굴라인과 이중턱을 개선
6. ECM을 강화시켜 촉촉하고 건강한 피부
7. 혈류순환과 림프순환을 강화시켜 피부 방어력과 면역력을 증가

Chapter 02

피부의 구조

피부는 인체에서 가장 큰 기관이다. 피부는 외부를 방어하는 최전선이며 또한 인체의 건강상태를 외부로 알려주는 지표이다. 몸에서 가장 바깥쪽이므로 안정적인 혈액공급이 중요하다.

또한 피부와 피하는 PDO매선이 주로 주입되는 곳이므로 정확한 조직학적인 이해는 필수 불가결하다.

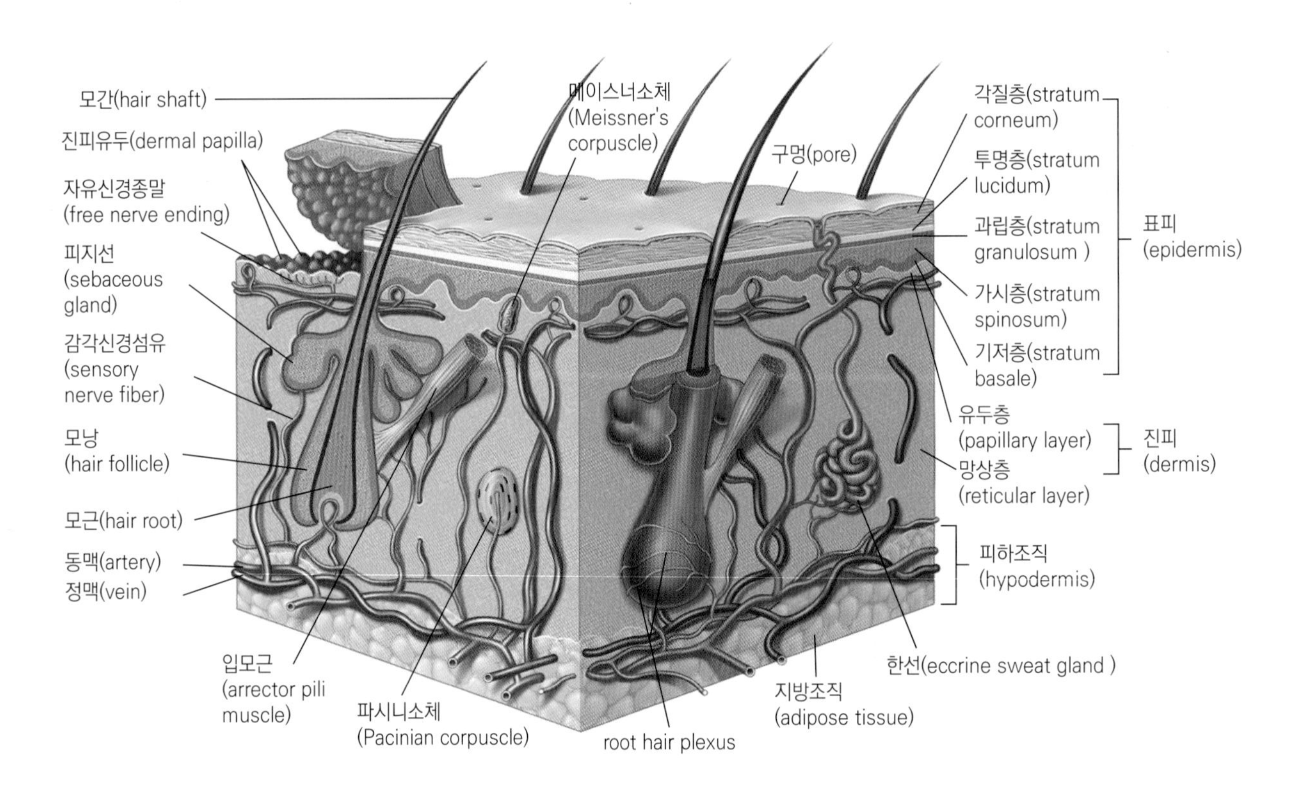

그림 2-1. **피부의 구조**

피부의 구조 : 3층 구조 & 피부부속기

1. 표피 : 각질형성세포, 멜라닌세포, 랑게르한스세포
2. 진피 : 섬유모세포, 대식세포, 비만세포, 림프구, 형질세포, 미세순환혈관(모세혈관, 미세림프관)
3. 피하지방 : 지방세포
4. 피부부속기 : 모발, 피지선, 조갑, 에크린한선, 아포크린한선

표피층의 손실은 erosion(미란), 진피층까지의 손실은 ulceration(궤양)으로 구분된다.

피부의 기능

1. 방어기능

A. 기계적 방어 – 외부에 대한 성벽과 같은 방어, 각질이 담당
벽돌로 쌓은 성벽과 같은 각질이 기계적 방어를 담당한다.
담당하는세포 – 각질형성세포(keratinocyte)가 담당
* 기계적 방어 – 각질

표피의 각질 방어막은 아주 치밀하기 때문에 사실상 아무리 좋은 성분의 화장품이라도 진피 내로 침투시키는 것은 어려운 일이다. DDS의 필요성!
그래서 PDO녹는실을 진피 내로 침투 시키는 것이 굉장히 의미가 있다!

B. 광학적 방어 – 자외선에 대한 세포의 보호, 멜라닌
담당하는 세포 – 멜라닌세포(melanocyte)가 담당
* 광학적 방어 – 멜라닌

C. 면역적 방어 – 외부항원에 대한 일차적인 면역적 방어를 피부에서 담당
담당하는 세포 – 면역세포, 랑게르한스세포 등이 담당
* 면역적 방어 – 피부상피조직에서는 랑게르한스세포, 피부결합조직에서는 다양한 면역세포들이 담당

2. 감각기능

3. 체온조절

4. 비타민D합성

5. 미적기능

피부를 구성하는 표피와 진피에서 표피의 평균 두께는 0.1 mm, 진피는 1.6 ~ 4.0 mm이다.
이 두께는 MTS로 이해하면 이해하기가 쉽다.

MTS종류는 보통 0.2 / 1.0 / 2.0 mm가 있다.
0.2 mm – 표피용, 출혈이 거의 없음. 통증도 없음.
1.0 mm – 진피용, 출혈이 있다.
2.0 mm – 두꺼운 진피용, 바디용(만약 얼굴에서 피하로 깊게 들어가면 피하출혈이 발생할 수 있다.)

우리가 주목할 점은 표피에 비해서 진피가 굉장히 두껍다는 것이다.
실제로 표피의 20배 이상으로 표피에 비해서 굉장히 두껍다. 말 그대로 眞皮가 진짜 피부이다.
전체 피부에서 표피의 두께는 굉장히 얇은 편이다. 그렇다고 표피가 중요하지 않은 것은 아니다.
표피의 특성은 혈관이 없다(무혈관조직)는 것이다. 표피의 4개 층은 혈관이 없어서 0.2 mm MTS를 사용해도 거의 출혈이 없다.
2.0 mm MTS는 얼굴에 사용할 때 조심해야 한다. 2.0 mm은 피하층으로 들어갈 수 있어서 심한 피하출혈이 생길 수 있다. 바디 튼살용으로 나온 것이 2.0 mm MTS이다.

Chapter 03

표피(표피와 매선)

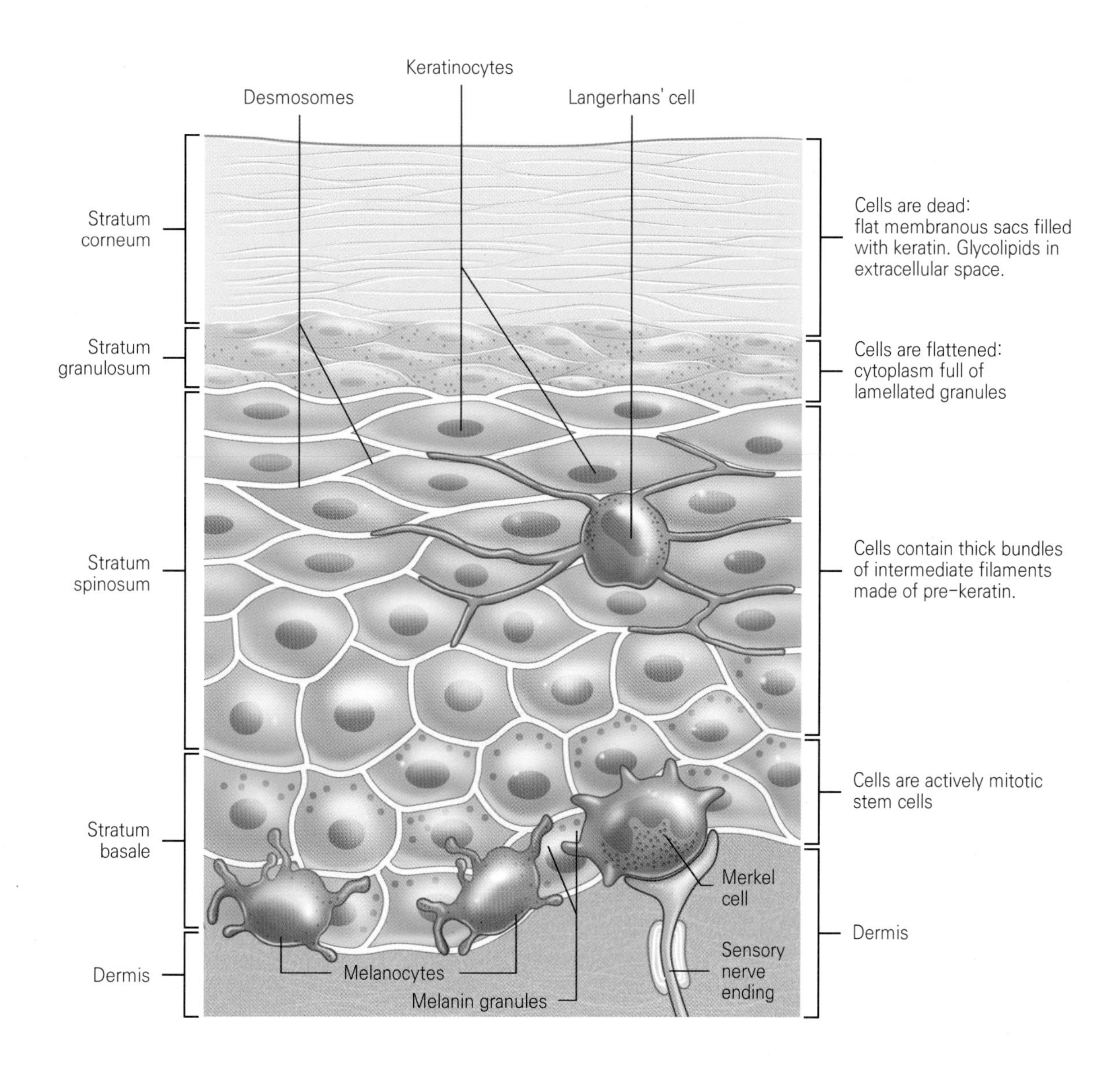

그림 2-2. **표피의 구조**

표피구조(각,투,과,유,기)

5층(투명층을 포함해서, 투명층이 없는 곳은 4개층)

표 2-1. **표피의 5층**

기저층(stratum basale, basal layer)	세포분열을 하는 곳. keratinocyte, melanocyte 존재
유극층(stratum spinosum, squamous layer)	혈관이 없는 표피는 세포사이의 확산을 통해서 양분을 공급받는다.
과립층(stratum granulosum, granular layer)	각화과정이 시작되는 곳
투명층(stratum lucidum, clear layer)	손, 발바닥에 많이 분포.
각질층(stratum corneum, horny layer)	20여개 층의 각질들이 성벽의 벽돌처럼 쌓여진 구조이다.

NMF (Natural Moisturizing Factor) – 각질층에서 스펀지처럼 수분을 간직하고 머금는 천연보습인자. 아미노산, 지방산, 콜레스테롤, 인지질, 히알루론산, 요소, 중성지방 등을 포함하고 있다. 표피의 과립층 세포 내의 단백질이 각질화 과정에서 NMF로 변화한다.

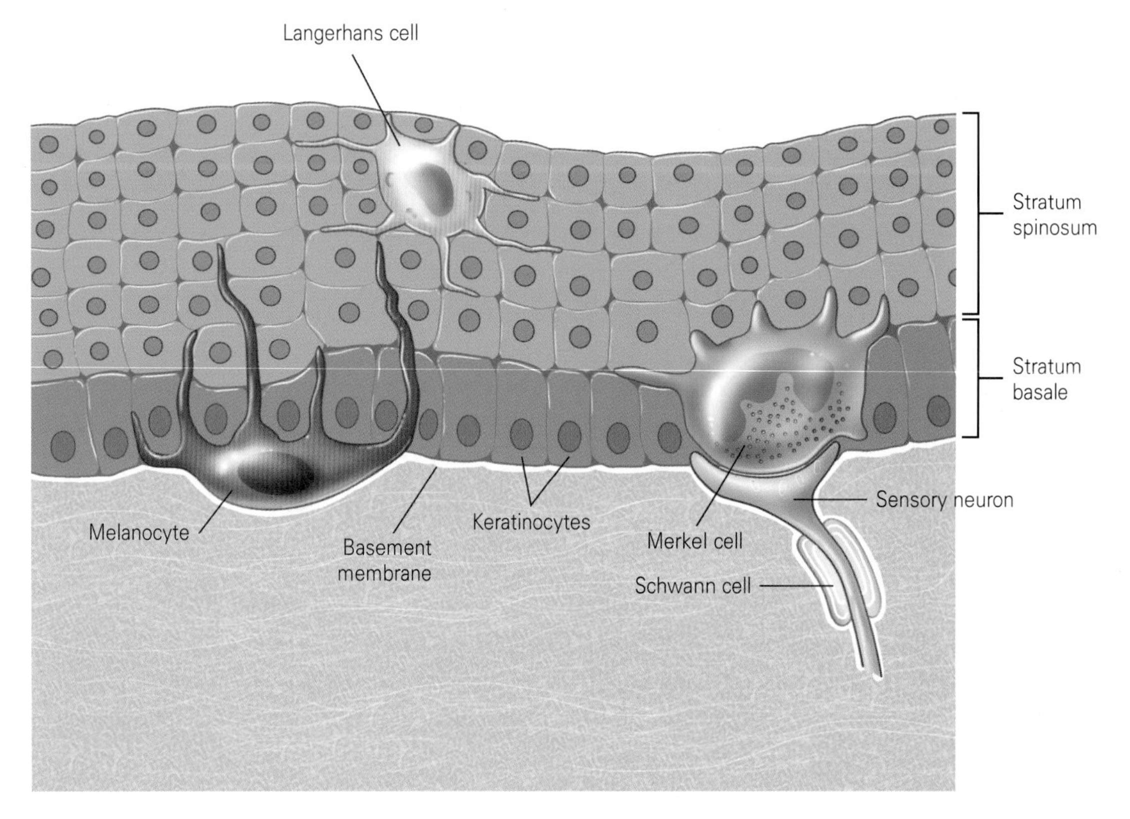

그림 2-3. **표피의 주요 세포: 각질형성세포, 멜라닌 세포, Merkel 세포, 랑게르한스세포**

각질형성세포

각질형성세포는 표피가 보호기능을 갖도록 하는 섬유성 단백질인 '각질'을 생성하는데 그 아래에 있는 새로운 세포들의 생성에 의해 계속 피부표면으로 밀려 올라간다. 각질세포가 피부표면에 도달할 때쯤에는 각질세포는 죽어서 비늘같은 구조물이 된다. 표피의 성장은 EGF에 의해 조절된다.
필자는 2007년 강의때부터 피부에 침이나 PDO매선시술을 하면 표피의 재생에 도움이 된다고 말했다. 왜냐하면, 임상에서 약한 화상을 입은 피부 주변에 침이나 매선을 자침하면 화상이 훨씬 빨리 치유되는 것을 관찰할 수 있기 때문이다.

멜라닌세포

기저층에 있으며 긴 나뭇가지 같은 돌기를 가진 樹枝상세포이다. 멜라닌 세포 내의 소기관인 melanosome에서 멜라닌이 만들어져 나뭇가지 같은 돌기로 이동한다.

멜라닌세포와 각질형성세포의 비율은 1 : 9~12 정도로 기저세포 사이에 존재한다.

멜라닌 과립은 각질세포 표면이나 햇빛이 비치는 부위에 모여 있으면서 UV로부터 피부세포 손상을 막아서 피부를 보호한다.

모든 인종은 거의 같은 수의 멜라닌세포를 가지고 있다. 피부 색깔의 차이는 멜라닌 세포활성 혹은 각질세포 내에서 멜라닌이 파괴되는 속도의 차이에 기인한다.

햇빛에 노출되면 멜라닌세포가 활성화되며 호르몬에 의해서도 자극을 받는다.

피부의 색소질환은 주로 기미, 주근깨, 점, 반점 등을 말한다.

멜라닌세포는 UV 자외선 방어를 위하여 멜라닌을 만들어 낸다. 마치 문어발처럼 위아래로 멜라닌을 침착시킨다. 넓게 퍼지면 기미, 좁게 있으면 점이다.

점과 모반은 경계모반, 복합모반, 진피내모반으로 나누는데 멜라닌세포가 위치하는 곳이 표피와 진피의 경계선 위의 기저층이기 때문이다.

1. 경계모반 – 초기에 멜라닌이 표피와 진피의 경계에 침착되어 생기는 것
2. 복합모반 – 경계모반에서 진행된 상태
3. 진피내모반 – 멜라닌이 점점 진피 내로 침착해서 심해진 상태

쉽게 이해하자면 진피 내로 시술하여 반영구적으로 지워지지 않는 문신을 생각하면 된다. 표피는 신경과 함께 외배엽 기원성이므로 기미나 색소질환 또한 스트레스에 민감하다. 그리고 임신이나 호르몬 변화에 영향을 받는다.

표피의 기저층은 한층의 세포층으로 되어있다. 비율로 따지면 10개가 있으면 8~9개는 각질형성세포이며 1개정도가 멜라닌세포이다.

- 랑거한스세포 – 피부의 면역에 관여하며, 표피로 침투한 외부 항원을 진피 내에 있는 면역세포에 전달하는 항원제시(antigen presenting)기능을 담당한다(APC). 유극층에 주로 존재한다. 수지상 세포이다.
- 머켈세포 – 기저층에 위치하며 자극에 대한 촉각 수용체로 생각된다.

필자는 PDO매선과 이들 표피세포와의 관계에 대한 연구가 활발히 이루어지길 기대한다.

피부부속기(epidermal appendage)

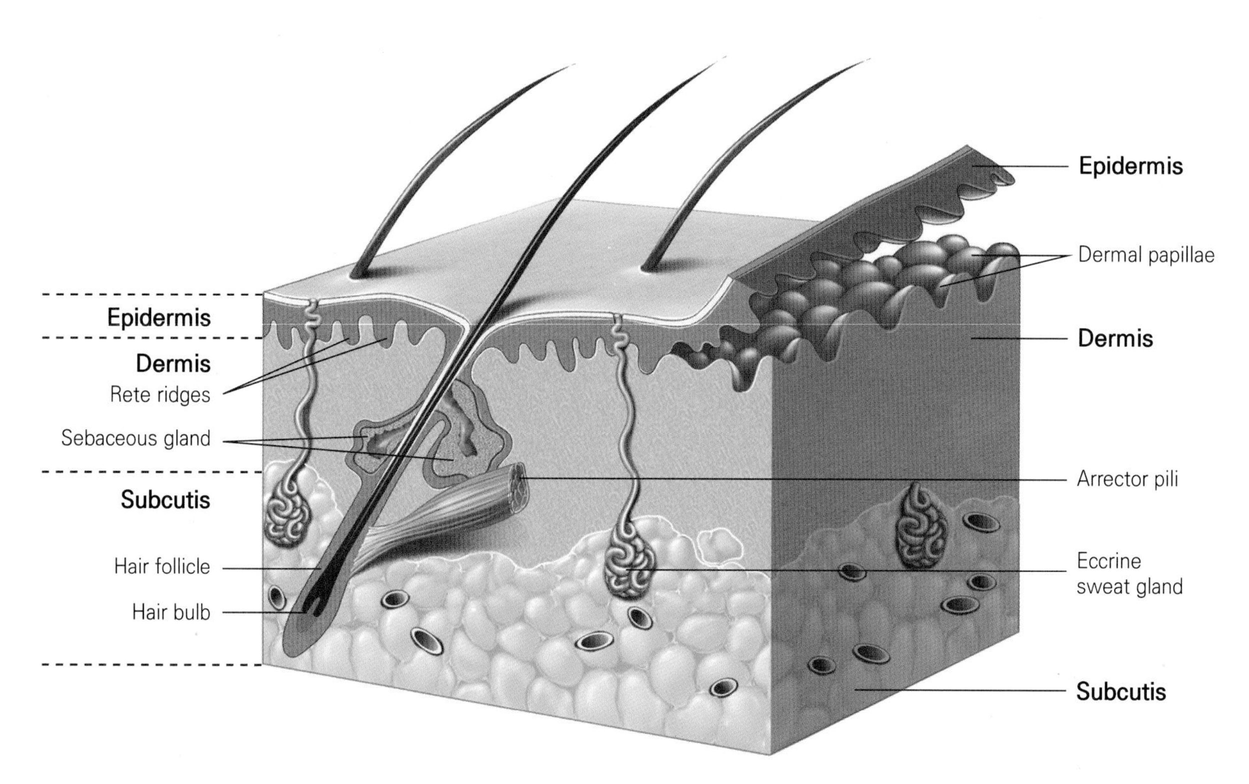

그림 2-4. **피부부속기**

피부에는 2개의 구멍이 있다.

1. 땀구멍(汗공)
2. 털구멍(毛공)

가끔 여자환자분들이 땀구멍이 넓어졌다고, 미용침이나 매선으로 효과를 볼 수 있냐고 물어보시는데 한공은 넓어지는 곳이 아니다. 수분인 땀을 많이 흘린다고 해서 한공이 커지지는 않는다. 그러나 모공은 넓어진다. 반고체인 피지가 나오기 때문에 넓어질 수 있다.

한선은 2가지가 있는데 한공에 있는 에크린 한선, 모공에 붙어있는 아포크린이 있다.

- Eccrine gland

  : 체온상승시에 피부 온도센서에 의해 시상하부로 전달되면 체온조절을 위하여 아세틸콜린에 의해서 땀을 분비한다.

- Apocrine gland

  : 모-피지-아포크린단위로 이해하는 것이 좋다. 모낭과 피지선 sebaceous gland, apocrine gland는 같이 붙어있다. 다시 말해서 털이 있는 곳에 피지가 있고, 아포크린에서는 암내가 난다.

손바닥처럼 털이 없는 곳은 손바닥에서 땀이 날지언정, 털이 있는 곳처럼 피지가 분비된다거나 암내가 나진 않는 것이다.

피부부속기는 발생학적으로 표피와 같으며 외배엽성 기원이다.
털, 손톱, 모발, 한선 등의 피부부속기들은 표피와 마찬가지로 스트레스에 민감하다.
스트레스를 많이 받으면 땀과 피지 분비가 많아지고 머리털이 빠지는 스트레스성 탈모가 생긴다.

표피는 스트레스에 민감하게 반응한다. 학생 때 밤을 새우며 정신적 육체적 스트레스에 시달리면 바로 피부가 초췌해지는 것을 느낄 수 있고, 기미와 같은 얼굴의 색소문제도 스트레스와 관련이 깊다.

결국은 정신적인 스트레스가 탈모와 여드름과 연관되며 기미와 같은 색소성 질환과도 연결되기 때문이다. 따라서 표피질환의 치료에 있어서 필요하면 의학적 변증과 적절한 처방을 통하여 심신적인 부분을 잘 치유해주면 좋은 결과를 얻을 수 있을 것이다.

피부부속기의 문제인 탈모의 경우 PDO매선을 이용하여 두피를 강화하는 법이 탈모를 어느 정도 막아주는 임상 결과를 보여주고 있다. 피지 질환인 여드름에도 매선을 쓰는 경우도 보고되고 있는데 매선이 피부부속기에 미치는 영향에 대해서도 앞으로도 많은 임상연구가 필요하다고 생각한다.

표피와 매선의 관계

표피는 상피조직으로 혈관이 없으므로 확산을 통하여 영양을 공급받는다. 확산에 의한 영양분의 공급이 줄어들면 노화가 시작되는 것이다.

또한, 표피는 얼굴 미용에 있어서 색소의 의미에서 중요하다고 할 수 있다. 표피는 유두진피를 통한 확산을 통하여 영양을 공급받으며 특히 멜라닌 색소의 대사가 중요하다.

매선시술의 가장 큰 장점 중 하나가 얼굴이 밝아지는 것이다. 이는 매선이 혈류순환과 림프순환을 좋게 하고 혈관신생 angio-genesis을 돕기 때문이라고 할 수 있다.

주의

- 표피를 좋게 하겠다고 매선을 표피층으로 얇게 자입할 필요는 전혀 없다는 것이다. 진피 중간층에 자입하여도 충분하다. 표피는 너무도 얇기 때문에 매선이 들어가기 힘들고 지나치게 상부로 자입하는 것도 임상에서 컴플레인을 야기할 뿐이다.

허즉보기모라는 말처럼 상부진피를 튼튼하게 하고 진피의 유두구조를 잘 유지시켜주면 표피는 자연히 좋아지는 것이다. 같은 이치로 모발과 두피 관계에서 매선으로 두피를 튼튼하게 하면 탈모를 어느 정도 막을 수 있는 것도 같은 이치이다.

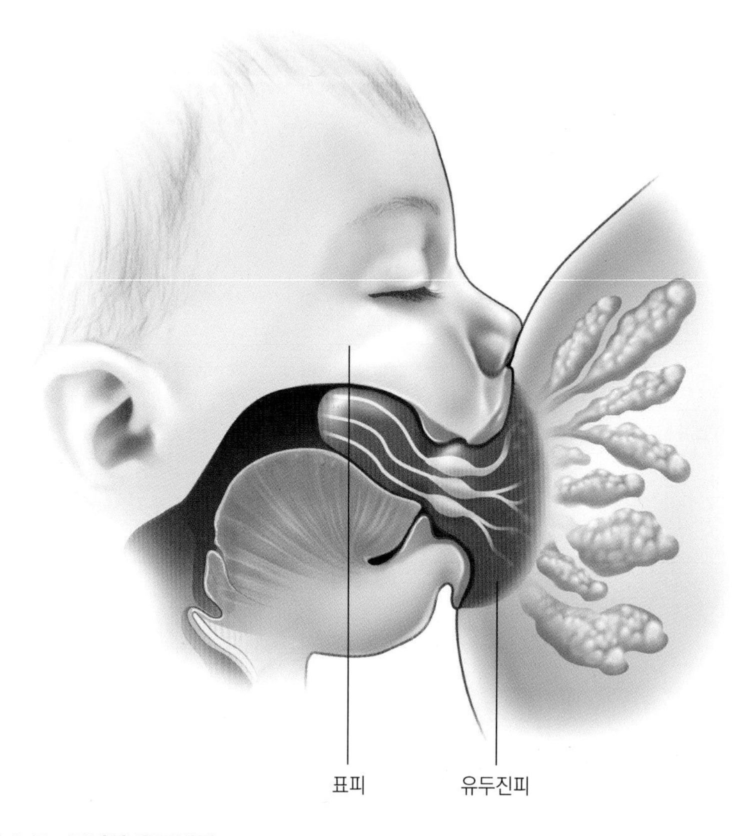

그림 2-5. **표피와 유두진피**

표피강화 매선(제4부 내용 참조 요망)

피부톤을 좋게하기 위한 표피강화매선은 진피 상층부위, 즉 유두진피 바로 아래를 목표로 30게이지 가는 PDO 매선을 이용하고, 될 수 있는 한 통증이 적은 자침법을 시행하도록 한다.

얼굴은 특히 피부가 비교적 두껍고 통증이 적은 볼과 하악부위에서 얼굴 중심부로 매선을 자입하면 비교적 멍과 부종에서 유리할 수 있다. 약침 주입 또한 얼굴 중심부보다는 피부가 두터운 얼굴 가장자리 부분에서 주입하는 것이 좋다.

녹는실 매선을 피부에 자입하면 피부의 미용적인 면만 좋아지는 게 아니라, 여러 번 강조했지만 피부의 방어 기능이 좋아진다.

표피를 강화할 때 매선과 함께 자하거약침등을 병행하면 좋은 효과를 낼 수 있다.

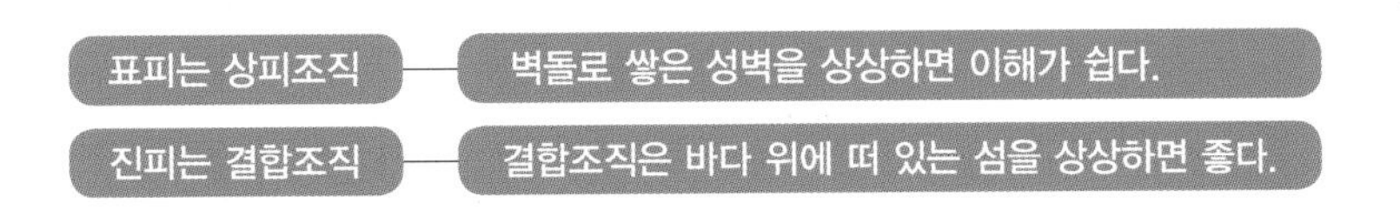

표피는 성벽과 같이 굳건한 방어벽이 되어야 하기에 세포와 세포 사이가 단단히 결합되어 있다. 상피조직은 세포가 다닥다닥 붙어 있기 때문에 전이가 쉽다. 상피암이 쉽게 세포끼리 전이되는 것도 이것 때문이다.

표피의 유극층은 말 그대로 가시와 같이 옆의 세포와 spike를 박은 것처럼 단단히 결합되어 있는 것이다.

이와 같은 세포간 결합은 desmosome이라고 하는데 이런 결합력에 문제가 생기면 질병이 된다(데스모좀 문제로 발생하는 피부 질환이 천포창 Pemphigus).

필자는 진피에 자입한 PDO매선침이 혹시 desmosome과 hemi–desmosome에 영향을 미치는가도 궁금하다. 왜냐하면 진피에 탄력매선을 한 피부의 경우는 피부가 보다 치밀하게 결합한 듯한 느낌을 받기 때문이다.

기저막(basement membrane zone)

상피조직 표피와 결합조직 진피사이의 경계부는 기저막(basement membrane zone)으로 이루어져 있는데 표피와 진피를 접합시키는 해부학적 기능단위이다.

기저막은 표피와 진피 사이에서 액상의 물질은 투과시키고 염증세포나 종양세포의 통과는 막는 방어막 역할을 한다. 기저막은 표피세포의 부착을 용이하게 하고 지지대 역할을 한다. 표피의 형성을 조절하며, 상처치유과정에도 관여한다.

종양세포가 상피조직에서 결합조직으로 전이를 할 때 기저막을 파괴하며 침입한다. PDO 녹는실 매선침에 의한 유두진피의 강화가 기저막의 강화에 영향을 줄 것으로 생각되는데 이에 관한 연구 또한 앞으로 이루어지길 바란다.

Chapter 04

진피(진피와 매선)

진피구조

진피

표피 바로 아래. 두꺼운 섬유성 결합조직으로 된 질기고 탄력성이 많은 부위이다. 아교섬유와 탄력섬유로서 불규칙하고 촘촘하게 짜여진 치밀결합조직으로 되어있고 혈관, 림프관, 신경, 모낭, 한선, 피지선 등이 진피 속에 묻혀있다.

- 유두진피(papillary dermis, 乳頭眞皮) — 표피 바로 아래의 얇은 부위
- 망상진피(reticular dermis, 網狀眞皮) — 유두진피 아래 피하지방층 상부(두터운부위)

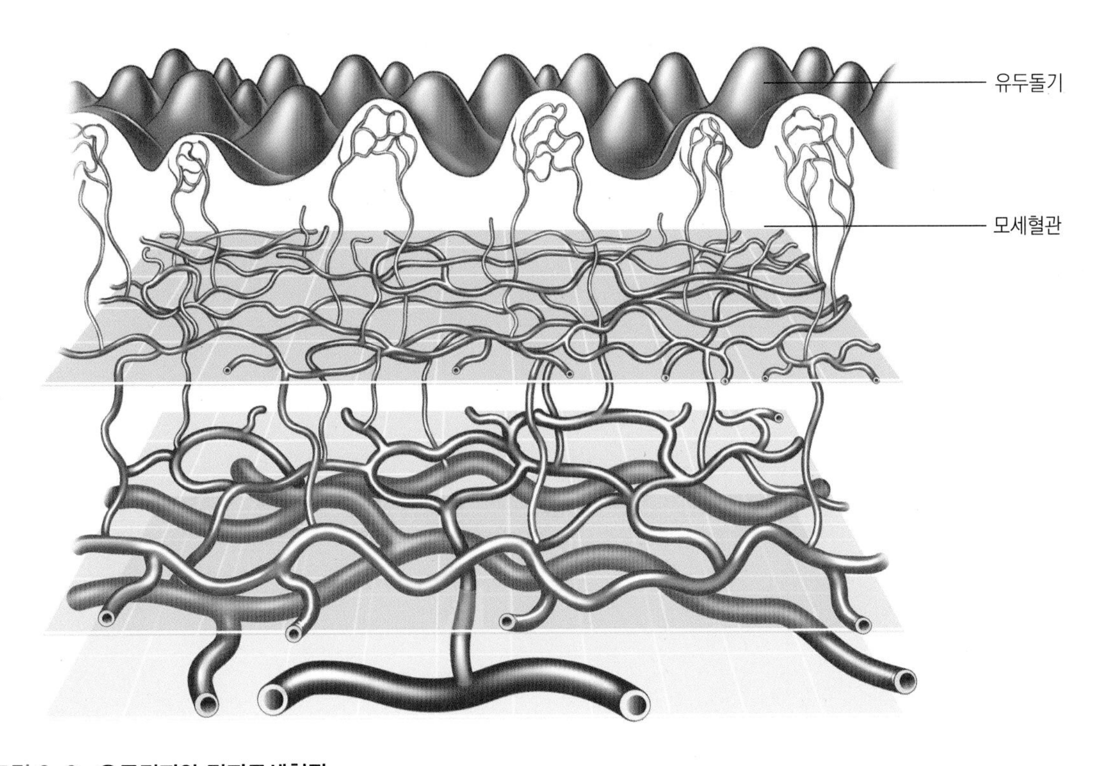

그림 2-6. 유두진피와 진피모세혈관

유두진피는 乳頭라는 말처럼 계란판을 뒤집은 모양 같은 유두돌기 구조인데 이는 최대한 표면적을 넓혀 혈관이 없는 상피조직으로 영양 공급이 힘든 표피조직에 확산을 통하여 될 수 있는 한 최대의 공급을 하기 위한 것이다. 허즉보기모라는 말처럼 표피조직이 상태가 좋지 못할 때는 유두진피조직의 혈관구조와 혈액공급을 원활히 하는 것이 중요한 방법이다.

표피와 유두진피와의 관계는 아기와 모유를 주는 어머니와의 관계로 많이 표현된다(그림 2-6).

또한 계란판같은 유두구조는 표피조직과 진피조직 결합력증가에도 도움을 준다.

치밀하게 구조화된 유두진피 구조가 무너지면서 표피와 진피의 노화는 심각해지는 것이다(그림 2-7).

PDO매선의 가장 중요한 역할 중 하나가 이와 같은 유두구조의 무너짐을 막아주는 것이다.

PDO녹는실 그 자체가 scaffold (飛階)의 역할을 하면서 구조의 붕괴를 막는 동시에 구조를 형성하는 ECM의 분비를 증가시켜서 노화와 질병에 의한 유두구조의 붕괴를 어느 정도 보수할 수 있다.

유두구조를 PDO매선으로 최대한 유지하는 것은 진피와 표피에 대한 훌륭한 임상결과와 직결된다.

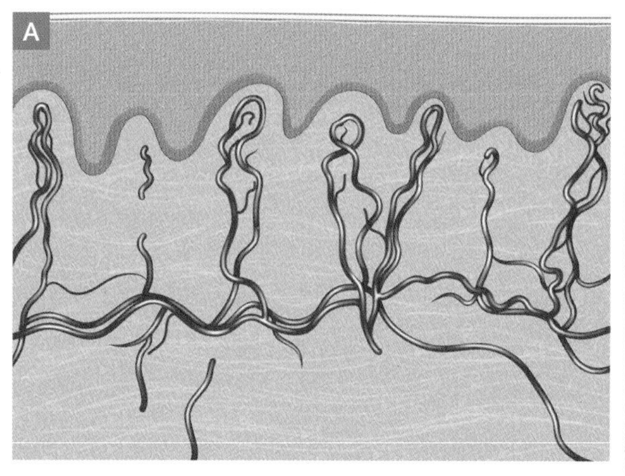

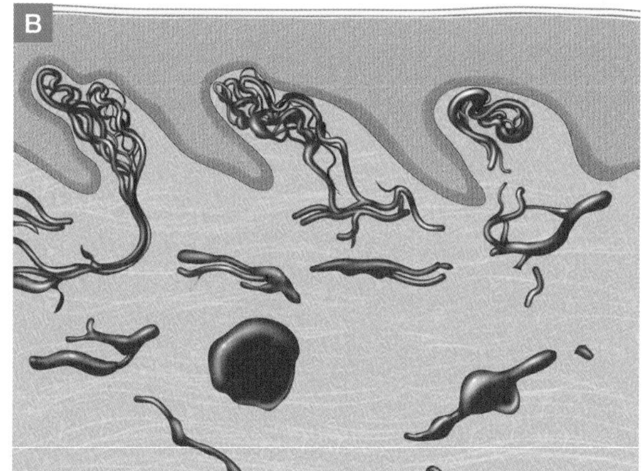

그림 2-7. A: **건강한 유두진피와 모세혈관**, B: **유두진피의 모세혈관의 노화**

진피의 구성성분

세포 : 섬유모세포, 비만세포, 대식세포, 림프구, 형질세포

섬유 : 교원섬유, 탄력섬유, 망상 섬유 – 피부에 저항성과 유연성과 탄력성을 제공

바탕질 : GAG (hyaluronic acid, 수분을 흡수하는 성질을 가지고 있음), 프로테오글리칸, 당단백질, 진피내 혈관, 림프관

피부에 존재하는 수용체

필자의 임상경험상 PDO매선은 이들 수용체의 활성화에 기여를 하는 것으로 판단된다.

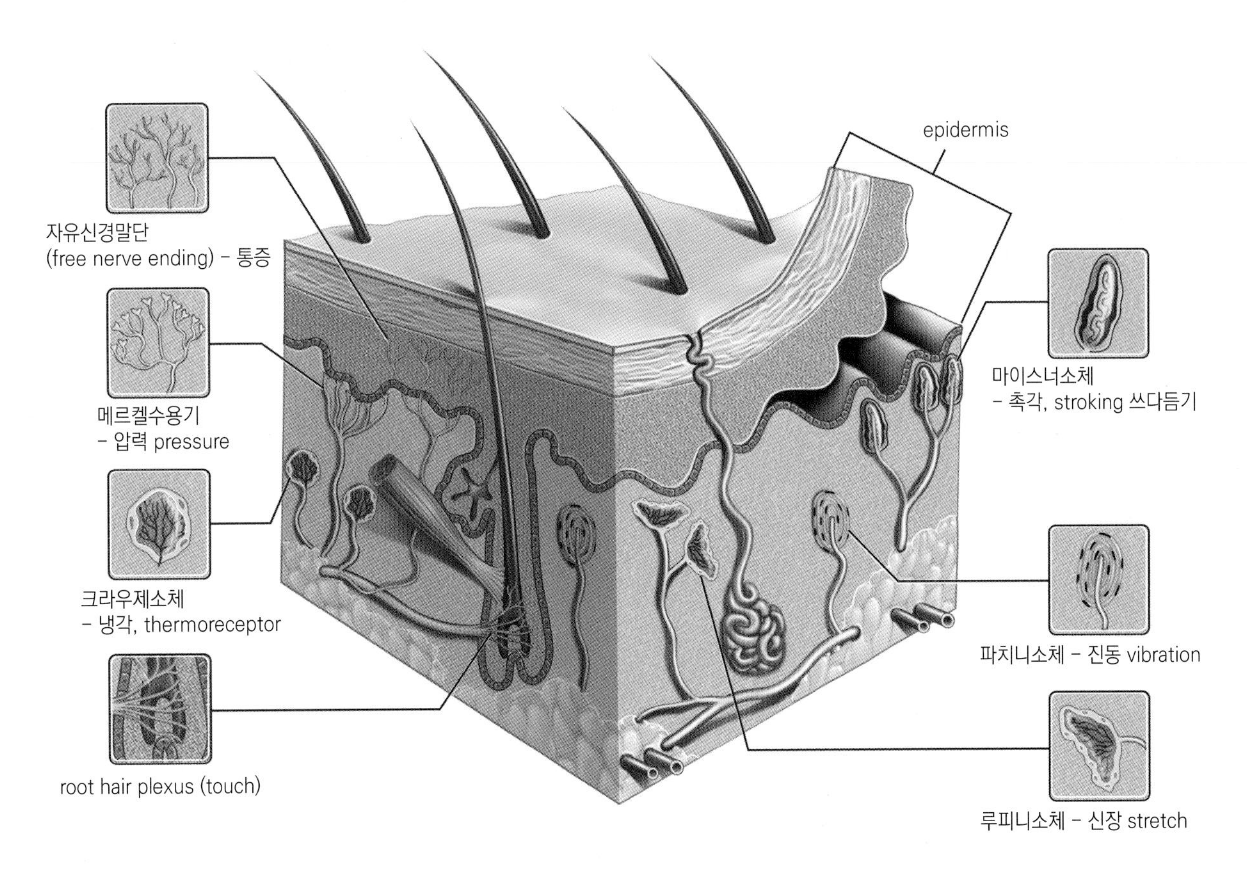

그림 2-8. **피부에 존재하는 수용체**

진피 – 결합조직

진피는 결합조직이다. 결합조직은 바다 위에 떠 있는 섬을 상상하면 좋다.
섬유모세포라는 세포는 섬처럼 외롭게 있으며, 섬유모세포 자기가 만들어낸 콜라겐 섬유와 바탕질이라는 바다(ECM)로 둘러싸여진 그림을 연상하면 이해하기가 쉽다.

피부에서 표피를 제외한 진피조직은 전형적인 결합조직이다.
이에 대비되는 표피의 상피조직은 세포들이 벽돌처럼 층층이 쌓여진 구조로서 기저층의 각질형성세포가 위로 올라가서 각질이 되어 벽돌처럼 성벽을 형성하는 구조이다.

또한 표피는 외배엽성 유래조직이지만,
결합조직은 중배엽성 유래의 기본적인 조직으로서 사실상의 혈관을 이용한 순환계와 조직사이의 대사 영양에 관여하며 요즘은 지지조직으로 불려지기도 한다.
다시 한번 강조하지만 모든 결합조직은 크게 세포(cells)와 세포외기질(extracellular matrix)로 이루어져 있다. 표피의 상피조직은 세포가 주인공이라면 결합조직은 ECM이 주인공이다.

ECM = 바탕질(ground substance) + 섬유(fiber)

물론 섬유모세포가 ECM을 합성하고 유지하지만 ECM이 각각의 결합조직의 물리적인 특성을 결정하는 것이다.
지방의 대사와 저장에 관여하는 세포들을 지방세포(adipocyte)라 하며 이들이 구성하는 조직을 지방조직(adipose)이라 한다.
중간엽에서 유래된 세포가 방어능력과 면역기능을 가진 것을 쉽게 볼 수 있다. 모든 형태의 백혈구세포와 비만세포, 큰포식세포가 여기에 속한다.

바탕질(ground substance) = GAG, 프로테오글리칸, 당단백질

바탕질(ground substance)은 일정한 형태없이 투명한 반 액체상태로서 특성을 가진 물질이다.
바탕질은 조직액과 결합하여 결합조직에서 대사물질의 교환을 위한 배지역할을 한다.
바탕질은 이당류가 반복되어 구성된 긴 다당류로 이루어져 있다. uronic acid와 amino sugar가 이당류를 구성하는 단위가 된다. N-acetylglucosamine 같은게 대표적이다. 예전에는 점액다당류로 명칭되었지만 지금은 glycosaminoglycan (GAG)라고 호칭된다. GAG는 친수성이 강하다.

히알루론산 또한 바탕질중에서 풍부한 GAG이다.

GAG 글리코사미노글리칸(glycosaminoglycans)

길고 가지를 갖지 않는 반복되는 다당류(2당 구조)로 이루어진 중합체

- 황산화 sulfate 된 것 : chondroitin-황산염,
- 황산화 sulfate 되지 않은 것 : hyaluronic acid

콘드로이틴 황산염(chondroitin sulfate)

- 연골, 뼈 각막, 피부 등에 분포

히알루론산(hyaluronic acid)

- 성긴결합조직과 연골, 혈관, 관절에 많이 존재. 특히 피부에서는 물 분자를 끌어당겨서 보습효과가 있다. 기질의 점도를 높여주고 윤활제 역할을 하며, 박테리아나 외부물질의 침투에 대한 방어작용을 한다.

필자는 PDO녹는실이 GAG의 분비를 촉진시켜서 피부의 수분유지에 관여하는 것으로 판단한다.

섬유(fiber)

Collagen

나선형의 아교질은 3가닥 알파 사슬이 결합하여 길이가 300mm, 지름이 1.5nm인 tropocollagen의 형태로 세포외 바탕질로 분비된다.

Elastin

Elastin은 구조단백질로서, 피부, 혈관 등에서 탄력을 가지게 한다.

휴식상태 : Quiescent fibroblast; fibrocyte
- Small Golgi, a little rER

자극된 상태(상처 치유, 성장)의 세포 : Active fibroblast(침의 자극, PDO매선의 자극)
- Many Golgi, extensive rER

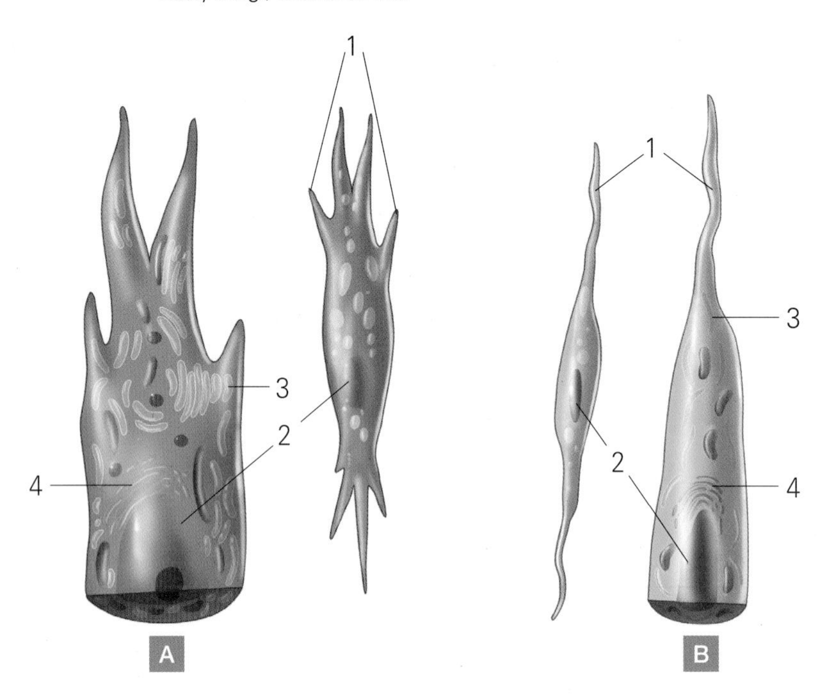

그림 2-9. A: **Active fibroblast,** B: **Quiescent fibroblast**

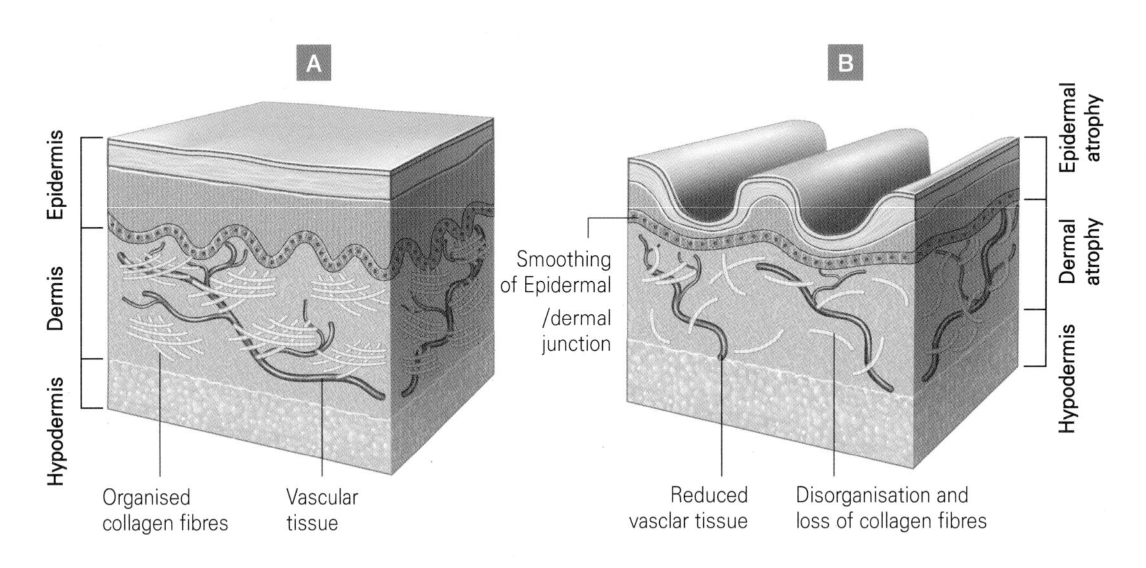

그림 2-10. A: **Young Skin,** B: **Elderly skin**

섬유모세포가 휴식상태에서 자극을 받으면 형질세망세포 rER에서 콜라겐과 ECM물질을 생산한다.
섬유모세포를 자극하는 좋은 방법이 녹는실 PDO매선이다. 결합조직 자극에 가장 중요하게 주목받을 것은 녹는 실 PDO 매선에 의한 자극, 침에 의한 염전, 열자극 등이다.

결합조직이 침에 의해서 영향을 받는다는 연구결과는 많다(Langevin et al). PDO매선침 또한
앞으로 많은 연구결과에 의해서 결합조직에 대한 아주 중요한 작용을 하는 것이 계속 밝혀질 것이다.

만약 수술용 메스처럼 날카로운 자극으로 인해 켈로이드가 생기기 쉬운 사람에게 상처가 생기면 섬유모세포에서 지나치게 많은 섬유가 생기면서 떡살, 즉 켈로이드가 발생한다.
이런 경우에는 재빠르게 압박을 해야 심해지는 것을 막을 수 있다(켈로코트와 같은 코팅제).
끝이 둥근 한방침은 결합조직에 적절한 자극을 준다. 자침으로 켈로이드가 발생한다는 이야기는 들어본 적이 없으며 오히려 침으로 켈로이드를 완화한다는 이야기는 들었다.
매선침이 켈로이드를 치료하거나 완화할 수 있을지는 아직 모르며 필자는 켈로이드 치료에 매선을 사용해 본 적은 없다. 추후 이 분야에 관심 있는 동료 의료인들의 연구를 기대할 뿐이다.

결합조직의 여러 가지 문제에 매선침과 화침은 더욱더 연구되어야 할 것이며, 특히 화침이 앞으로 큰 역할을 할 것으로 기대한다. 또한, PDO매선과 결합조직과의 연구는 앞으로 전 세계적으로 활발히 이루어질 것이라고 예상한다.

젊은 피부와 늙은 피부의 차이가 무엇인가? 수분량이 많을수록 젊고 탱탱한 피부이다.

그래서 수분 보습크림이 매우 중요하다. 자외선 차단제만큼이나 중요하다. 수분을 끌어당기는 역할을 하는 것이 GAG 예를 들어 히알루론산 같은 것이다. 매우 중요한 것이다.

일부 세균들이 결합조직을 뚫으면서 침투할 때 히알루론산을 가수분해하는 효소인 히알루로니다제를 분비하면서 히알루론산을 녹이면서 쳐들어온다는 것을 봐도 히알루론산은 결합조직의 방어에도 중요한 역할을 한다. 종양 조직도 전이할 때는 collagen 구조를 녹이면서 전이하는 것이다.

PDO 녹는실 매선을 통해서 콜라겐 분비가 많이 되면, 단순히 피부 미용뿐만 아니라 면역이나 항암 등의 영역에 영향을 미친다. ECM이 건강하게 풍부하며 결합조직이 튼튼할 때 신체는 더욱 건강하고 아름다워질 수 있다.

Chapter 05
매선과 메조주사법

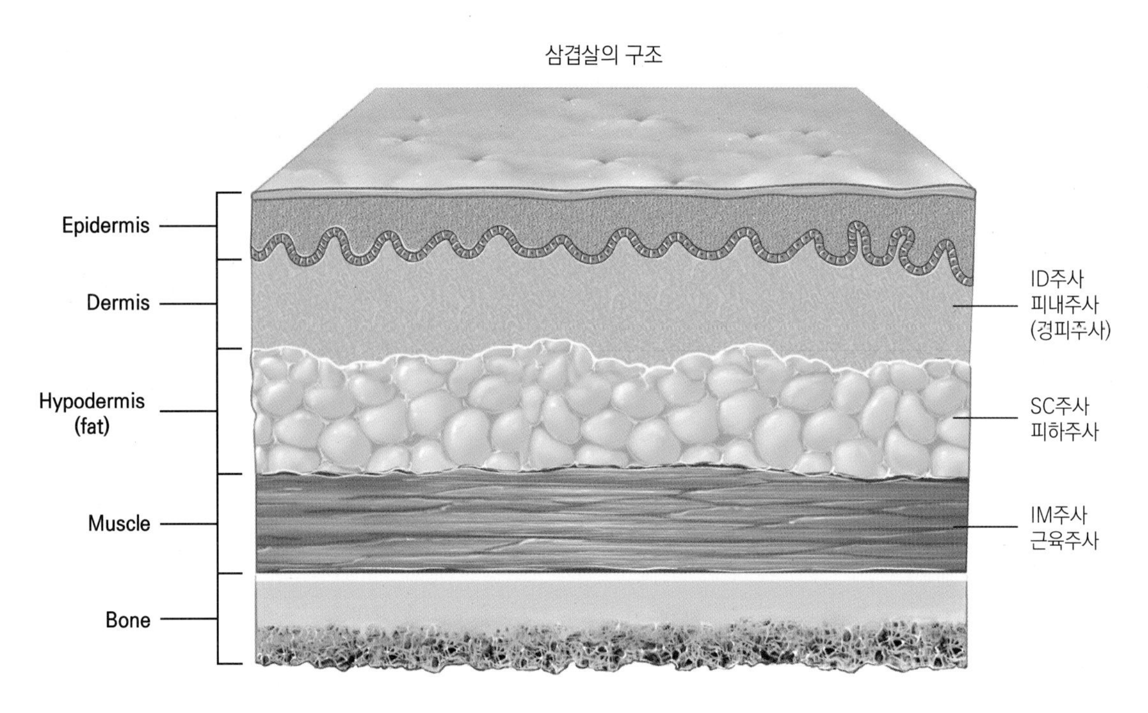

그림 2-11. **연조직 단면도**

연조직의 단면도를 그리면 그림 2-11과 같은 삼겹살 모양이 된다. 원래 삼겹살이라는 말 자체가 진피, 피하지방, 근육의 세 겹을 의미하는 것이다.

중요한 것은 진피–피하–근육의 3개 층을 다시 말해서 삼겹의 구조를 머리에 각인하는 것이다.

표 2-2. **인체 내의 주사의 깊이와 혈관분포**

ID (intra-dermis)	피내주사	혈관발달이 상대적으로 적다	약물이 오래 머문다.
SC (subcutaneous)	피하주사	혈관발달이 상대적으로 중간	중간
IM (intra-muscle)	근육주사	혈관발달이 상대적으로 많다	약물이 빨리 사라진다.

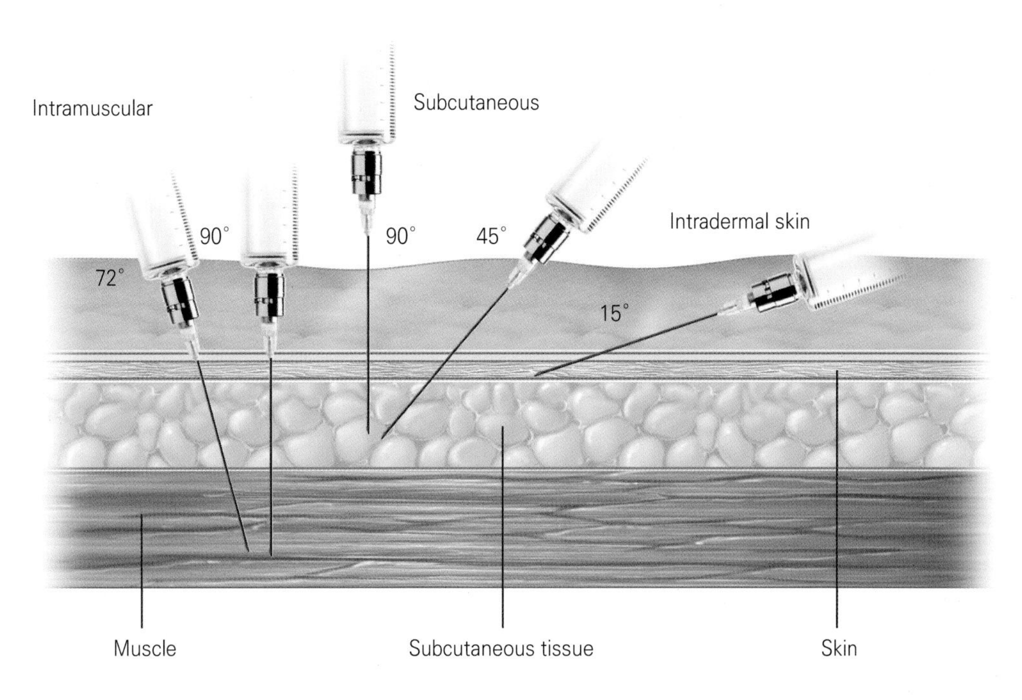

그림 2-12. **ID주사, SC주사, IM주사**

간단하게 생각하면 진피에서 아래로 내려갈수록 혈관이 발달되어 있고, 반대로 올라갈수록 혈관발달이 적다고 생각하는게 이해하기 쉽다. PDO녹는실 매선이나 약침주입 또한 위의 3가지 범위에서 이해하는 것이 좋다.

깊이에 따른 녹는실 PDO매선 주입법의 분류

1. 진피에 넣는게 피내주사 / 피내 매선주입법
2. 피하쪽으로 넣는게 피하주사 / 피하 매선주입법
3. 근육에 매선을 넣는 경우는 / 근육 매선주입법
4. 근막위에 배치하는 / 근막 매선주입법
5. 근육을 관통하여 골막까지 bone contact 하는 / 골막 매선주입법
6. 수직이나 사선으로 여러 층을 관통하는 / 관통 매선주입법
7. 여러 연조직층을 quilting 하듯이 자입하는 / 누비 매선주입법

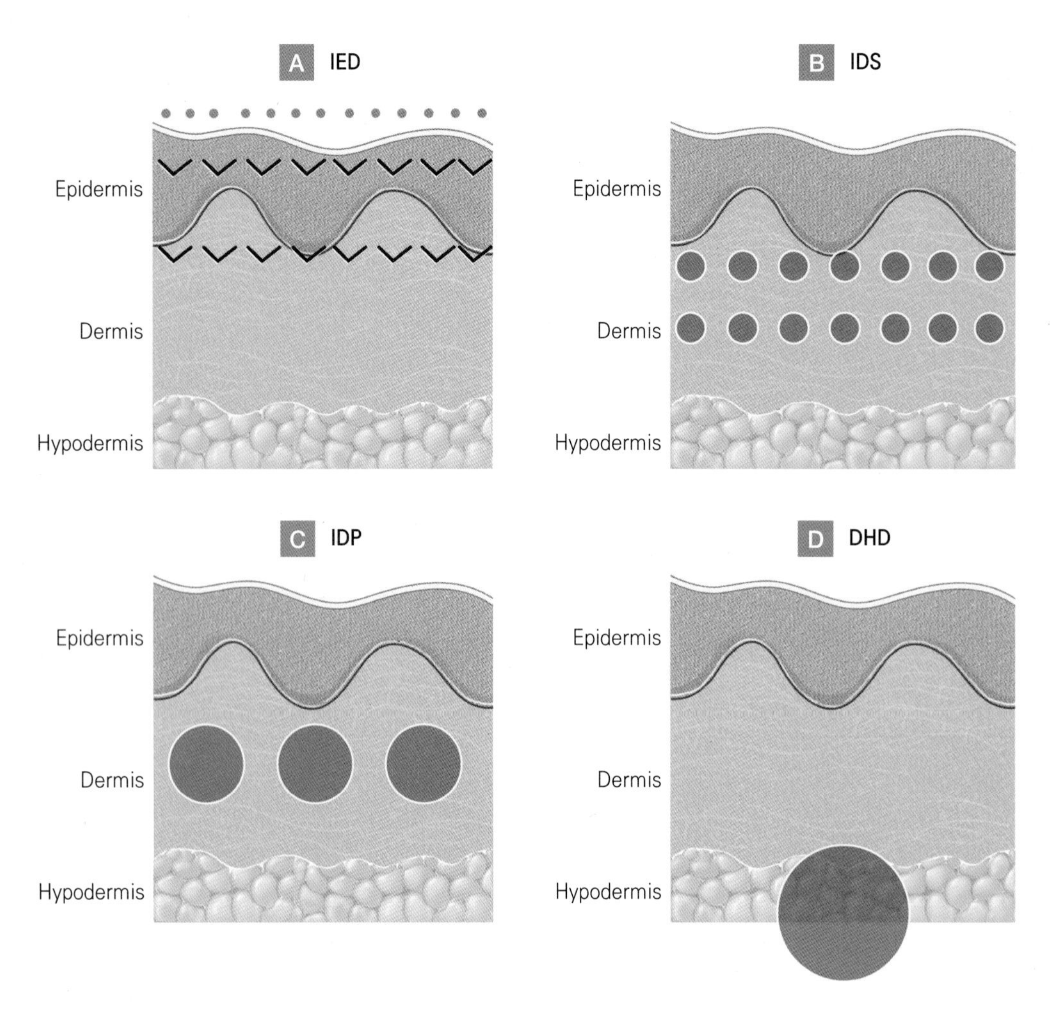

그림 2-13. **메조테라피 주사법과 주입량**

깊이별 메조 주사법

a) 표피 주사(Intra-epidermic, IED)

- 표피를 나빠쥬(nappage)방식으로 주사하는 방법으로 통증과 출혈이 거의 없다. 각질층에 주사한다.
- 필자는 주로 33G 이상 가는 니들을 사용한다. 주로 얼굴의 미백이나 녹는실 보조요법으로 사용한다.

b) 진피 표층 주사(Intra-Dermic Superficial, IDS) - 피내주사(intra-dermis, ID)

- 1-2 mm 정도 유두진피층을 겨냥해서 주사한다. 통증과 출혈또한 크진 않다.
- 표피를 노리는 아주 가는 녹는실 시술 시에 2 mm 층에 매선을 자입한다.

c) 진피 심층 주사(Intra–Dermic Profound, IDP)– 피내주사(intra–dermis, ID)

- 2–4 mm 진피층을 주사하는 것이다. 매선의 주요 자입위치가 된다.
- 통증이 있으나 출혈이 심하진 않다.

d) 피하 주사(Intra–hypodermic, IHD) – 피하주사(subcutaneous, SC)

- 5 mm 이상 깊이로 주사한다. 매선의 주요 자입위치이다. 체형매선이나 지방분해매선
- 출혈과 멍이 발생하기 쉽다.

e) 진피–피하주사(Dermo–hypodermic, DHD)

시술 깊이와 효과의 차이

약물의 반응은 시술 깊이에 따라 달라진다. 삼겹살의 이론처럼 깊이가 얕을수록 반응·효과속도는 느리다. 피내주사(Intra–dermis, ID)는 피하주사(subcutaneous, SC)보다 반응이 늦게 나타난다.

동일용량에서는 주사 깊이가 깊을수록 반응효과가 빠르다.

주사 깊이가 얕으면 느리지만 효과는 더 오래간다. 또한 동일한 용량으로 훨씬 더 넓은 면적에 효과를 나타낸다.

Chapter 06

피하조직(지방조직과 매선)

피하조직은 지방세포가 모여서 집단으로 피하층을 이룬 결합조직에 해당한다.

- 지방세포의 집단이 지방층을 만들어 피하지방 조직을 이룸
- 체온 유지와 에너지대사에 중요한 역할

피하조직의 대표적인 세포는 지방세포이다.

- 지방세포 : 공복시에 지방산 방출로 에너지를 공급하며 글루코스로부터 능동적으로 지방을 합성한다.
  호르몬과 신경자극에 예민하게 반응한다.

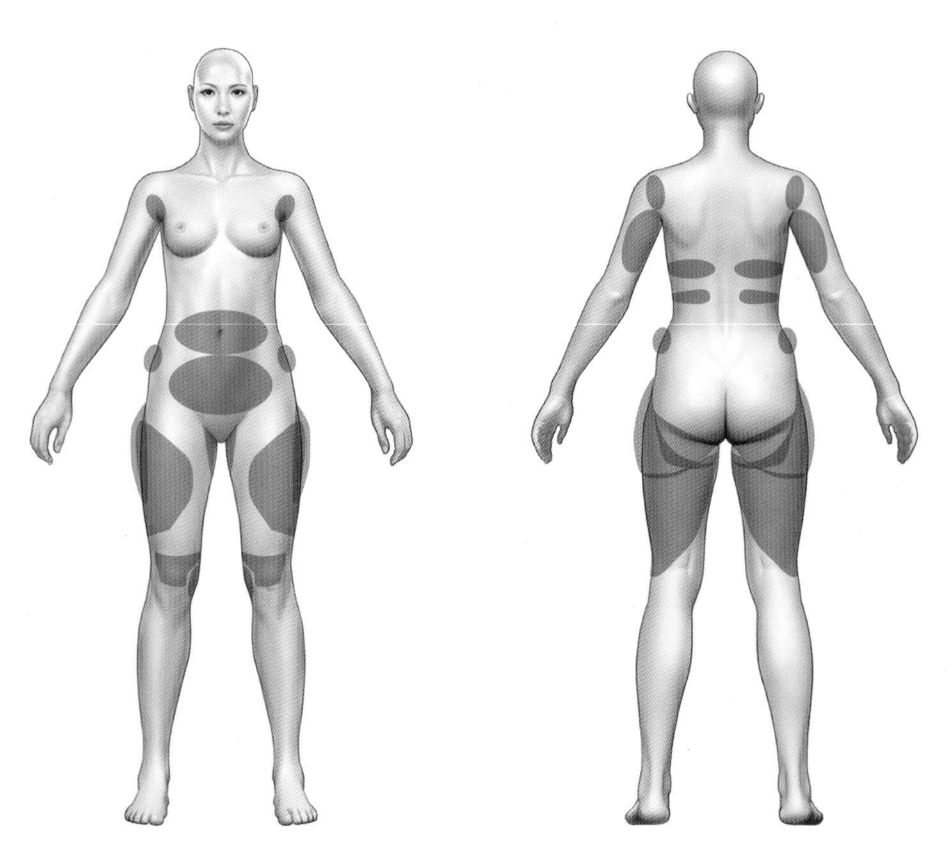

그림 2-14. **체지방의 주요 매선과 약침시술 부위**

- 안면부위의 지방의 축적은 얼굴의 처짐은 물론 주름을 더욱 심화시킨다.
- 체형부위의 지방의 축적은 셀룰라이트 또는 체형피부의 처짐을 유발한다.
- 특히 심한 비만 후에 급격한 다이어트시에는 피부의 처짐과 노화가 유발되는 경우가 많다.
- 이런 경우에도 녹는실 매선시술과 약침시술을 통하여 지방의 부작용을 최소화할 필요가 있다.

피하조직과 매선의 관계

녹는실 매선은 대사를 증진시켜서 지방감소와 셀룰라이트 감소에 효과를 볼 수 있다. 그러나 이때는 직경이 굵은실이 효과적이다.

피하지방의 분해에 관해서만 말한다면 PDO매선보다는 굵은 양장사매선이 효과가 좋다고 할 수 있다. 그러나 과도한 이물반응에 의한 부작용과 시술 후의 통증을 감안한다면 양장사보다는 굵은 PDO실을 이용하는 것이 좋다. 양장사매선을 이용한 비만 시술은 중국에서 많이 이루어져 왔고, 관련 연구와 논문도 많은 편이다.

물론 매선단독 시술만으로 지방흡입 정도의 효과를 내기는 어렵지만 산삼약침이나 지방분해 약침과 함께 시술하였을 때 비교적 좋은 효과를 볼 수 있다. 특히 셀룰라이트나 반복된 다이어트로 인한 피부 처짐에는 quilting으로 누비옷을 봉합하듯이 매선을 시술하여 처진 부분을 꿰매어 지지하듯이 시술하는 것이 좋다.

피하지방의 처진부분에는 quilting 매선

6부에서 다시 언급하겠지만 매선침은 일반침과 같은 소염 진통작용을 한다,

과도한 셀룰라이트와 하체부종의 경우, 적지 않은 경우가 만성염증으로 인한 혈관투과성 증가가 문제의 원인인데 매선침은 소염작용과 혈관의 탄력을 증가시켜 지방분해작용과 동시에 부종치료작용을 한다.

지방분해 매선의 경우에는 바로 피하지방층으로 자입하는 것을 원칙으로 한다.

특히 여성들의 경우는 그냥 자입할 경우에 근육층에 들어갈 우려가 있으니 반드시 손가락으로 피부를 핀칭하여 피하층을 확인하고 자입하도록 한다.

부종과 비만 그리고 PDO매선침

인체에는 혈관과 림프관이 있다 ⇨ 림프는 혈구를 뺀 혈액이다. 즉 혈액 속의 혈장 성분이 모세혈관을 통해 나오면 조직액이 되고 일부는 재흡수되고 일부 조직액은 림프관속으로 들어가 림프순환을 한다.

림프순환의 기능

1) 면역작용, 각종 영양소와 면역항체운반
2) 지방 및 노폐물 운반 – 인체정화시스템으로, 지방과 세포활동으로 생긴 대사물, 죽은세포, 세균 등을 운반하고 지방과 독소를 걸러낸다.

림프순환의 특징(림프는 일종의 정맥이다!)

- 심장의 펌핑에 의해 순환하는 심혈관계와 달리 림프는 따로 밀어주는 힘이 없고 근육의 수축과 흉강내의 음압에 의해 흐른다.
- 그러므로 노화와 운동부족, 비만, 대사저하 등 요인에 의해 림프액의 흐름이 정체되기 쉽다.
- 대사가 저하되고 지방과 노폐물이 쌓이면 지방이 다시 림프관을 더욱 압박하여 림프순환이 더욱 억제되는 악순환이 발생한다.

PDO매선은 소염작용과 순환촉진 작용이 있기에 이와 같은 부종성 비만에 고려해보는 것도 좋다.

셀룰라이트와 녹는실매선

- 피하지방이 과다한 비만환자에게서 비만상태가 지속되면 형성된다(과도한 지방, 지방 때문에 순환이 안됨).
- 피하지방이 많지 않은 환자에서도 몸의 일부에 셀룰라이트 형성가능(순환 그 자체가 아주 안 좋아서 발생)

정상적인 경우는 피하층에 섬유로 이루어진 망상결합조직에 지방세포가 적절히 채워져 있다.

셀룰라이트는 과도한 지방, 혈관투과성 증가, 림프 장애로 인하여 지방세포가 비대해진 만성부종상태로, 뮤코다당질의 과중합으로 결합조직의 점도가 높아지고 미세 섬유물질에 의해 독소배출이 더욱 어려워져서 결국 피부표면이 울퉁불퉁해진다.

단계가 진행되면 정도가 심해지고 섬유화, 경화가 일어나므로 치료가 힘들어진다.

셀룰라이트(cellulite)

귤껍질 모양(orange peel)의 울퉁불퉁한 지방층, 힙, 복부, 허벅지, 러브핸들 등에서 발생하며, 비만 여성에게 호발한다. 과도한 비만으로 지방이 축적되어 있고, 부종과 림프순환 장애로 지방과 노폐물이 울퉁불퉁하게 팽대되어 있는 현상이다. 녹는실과 지방을 녹이는 약침으로 치료하며 만성적인 염증상태를 개선하고 림프순환과 혈관탄력성의를 강화시키는 치료가 필요하다.

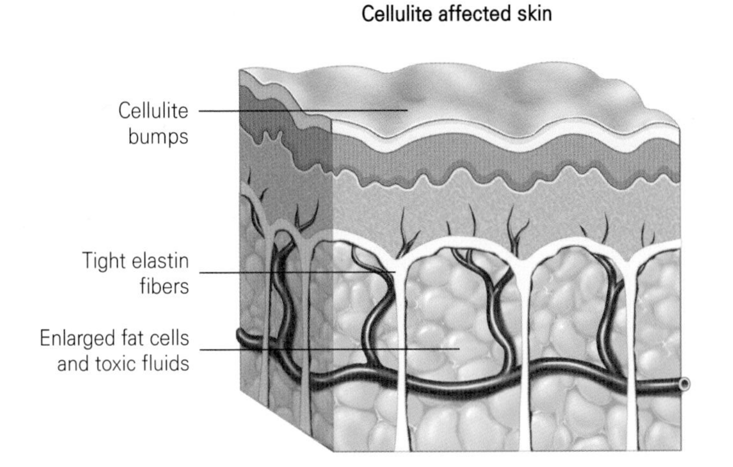

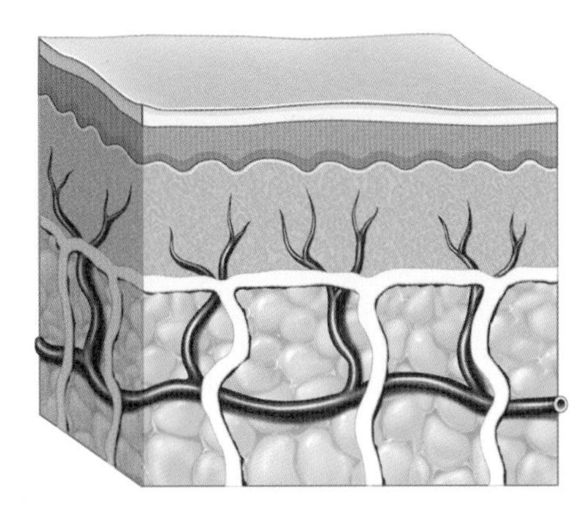

그림 2-15. **셀룰라이트**

셀룰라이트 치료 한의학적 접근법

1. 과잉축적된 지방을 줄이기 위하여 셀룰라이트 부위에 격자모양의 매선 시술, 지방분해 약침
2. 혈관의 부종을 개선하며 천연소염성분이 있으며 혈관을 강화시키는 한약재를 이용한 한약처방과 약침
3. 혈액순환과 림프순환을 도와주는 치료와 결합조직을 회복시켜 피부 탄력성을 회복하는 치료

피하지방 매선시술

- 피하지방은 27게이지 6센티 모노매선이나 회오리 스크류 매선 등을 이용한다.
- 두꺼운 지방의 경우에는 두꺼운 녹는실을 사용한다
- 처지기 쉬운 지방 부위는 메쉬(mesh) 또는 박음질하듯이(quilting) 매선을 넣어준다.

PDO녹는실 매선의 피하조직에 대한 작용 – 항부종, 항염증, 혈액과 림프순환 강화, 지방분해효과

Chapter 07
매선과 조직학

PDO녹는실 매선과 결합조직의 세포와의 연관성은 논리적으로 많은 부분에서 입증되고 있다.

PDO녹는실은 조직공학과 재생의학 관점에서 scaffold의 역할을 함과 동시에 acupuncture로서의 유침 작용으로 미분화 중간엽세포(undifferentiated mesenchymal cells)에서 비롯되는 많은 세포들 즉 섬유모세포, 조골모세포, 연골모세포, 내피세포 등에 적절한 자극을 줄 것으로 예견된다.

PDO녹는실
: fibroblast, osteoblast, chondroblast, pericyte에 조직학적인 자극

PDO녹는실은 이들 세포들에게 많은 영향을 주는 것으로 필자는 판단하며 앞으로 많은 연구가 이루어질 수 있는 분야라고 생각한다.

I. 상피조직 epithelial Tissue

1. 표피의 상피조직으로서의 특징
   1) 무혈관 조직
   2) 세포분열이 왕성 – (피부 표피와 모발은 세포분열이 왕성한 암세포를 치료하는 항암제에 민감하게 반응하여 항암제의 부작용으로 탈모가 생기는 것이다.)
   3) 세포간의 긴밀한 결합
   4) 기저막 위에 놓여있다.

2. 기저막(basement membrane) – 기저막은 상피에서 유래한 basal lamina와 결합조직 에서 유래한 reticular lamina의 결합이다.
3. 상피세포의 결합– tight junction, gap junction, desmosome, hemi–desmosome 등이 있다.

II. 결합조직(connective Tissue)

1. 결합조직의 특성
   1) 결합조직은 조직과 조직 사이 또는 기관과 기관 사이를 결합시키고 지지하여 형태를 유지시킨다.
   2) 결합조직은 세포(cells)와 세포외기질(extracellular matrix)로 구성된다.
      Extracellular matrix = connective tissue fibers + ground substance + tissue fluid.
   3) 구성성분인 결합조직 세포, 섬유 및 기질의 종류 및 성분비에 의해 특성이 달라진다.
      예) Loose connective tissue, bone, tendon and ligaments

2. 결합조직의 분류
   1) 고유결합조직(connective tissue proper) – 녹는실 PDO매선의 영향이 많이 나타나는 부위중 하나
      (1) 성긴결합조직(loose connective tissue) – 진피상부
      (2) 치밀결합조직(dense connective tissue)
         ① Dense irregular connective tissue – 진피하부(일반적인 결합조직)
         ② Dense regular connective tissue : tendon, ligament, aponeurosis

   2) 특수결합조직(specialized connective tissue)
      (1) Adipose tissue
      (2) Blood
      (3) Bone
      (4) Cartilage

3. 고유결합조직
   1) 성긴결합조직(loose connective tissue)
      (1) 섬유성분 : 매우 가늘고 성글게 분포한다.
      (2) 기질성분 : 매우 많다. 산소, 영양분 및 대사산물 교환에 중요
      (3) 세포성분 : transient wandering cells (비만세포, 형질세포, 큰포식세포 등)
      (4) 분포부위 : 표피 아래 진피상부

   2) 비규칙성 치밀결합조직(dense irregular connective tissue)
      (1) 섬유성분 : 아교섬유(collagen fiber)가 매우 많다. 강하다.
      (2) 기질성분 : 적다.
      (3) 세포성분 : 드물고 섬유모세포(fibroblast)만 관찰된다.
      (4) 분포부위 : 여러 방향으로 다발을 이루어 분포하여 힘을 받는 부위에 적당하다.
         진피하부 the reticular or deep layer of the dermis

3) 규칙성 치밀결합조직(dense regular connective tissue)

(1) 아교섬유가 치밀하고 일정한 섬유방향으로 다발을 이루어 짜여짐.

(2) 건(tendon), 인대(ligament), 건막(aponeurosis)에서 관찰됨.

- 건 – fibroblast만 존재하며 콜라겐섬유 배열이 규칙적이다.
- 인대 – 건에 비해서는 콜라겐섬유의 배열이 약간 덜 규칙적이다.
- 건막 – 인대와 성분이 비슷하나 얇고 넓다.

4. 결합조직 섬유

1) 아교섬유(collagen fibers) : collagen은 결합조직 섬유중 가장 풍부하며, 또한 인체를 구성하는 단백질 중에서 가장 많은 비중을 차지한다. 인장강도를 제공한다.

(1) 아교섬유(collagen fiber)는 가는 아교원섬유(collagen fibril)가 모여서 이루어진다.

(2) Collagen molecule은 크기가 300 nm long × 1.5 nm

(3) Tropocollagen 세가닥의 α–chain이 꼬여서 이루어진다.

(4) 콜라겐 합성은 섬유모세포(fibroblast)에서 이루어진다.

2) 탄력섬유(elastic fibers) : 탄력성이 뛰어난 섬유이다.

(1) 탄력섬유는 아교섬유보다 가늘고, branching하면서 3차원적인 세망구조를 형성한다.

(2) 탄력섬유를 생산하는 세포는 섬유모세포(fibroblast)와 민무늬근 섬유세포이다.

(3) 탄력섬유의 주성분은 elastin과 microfibril이다.

5. 바탕질(ground substance)

1) 바탕질은 결합조직세포와 섬유사이를 채우고 있는 물질이다.

2) 바탕질을 구성하는 주성분은 proteoglycans과 hyaluronic acid이다.

3) 7종류의 glycosamino glycan : Hyaluronic acid, Chondroitin 4– and 6– sulfate, Dermatan sulfate, Heparan sulfate, Heparin, Keratan sulfate

6. 세포외기질(extracellular matrix)

세포외기질은 fibrous protein, proteoglycans, ground substance, glycoproteins (fibronectin, laminin) 등이 섞여 있는 복합물질이다.

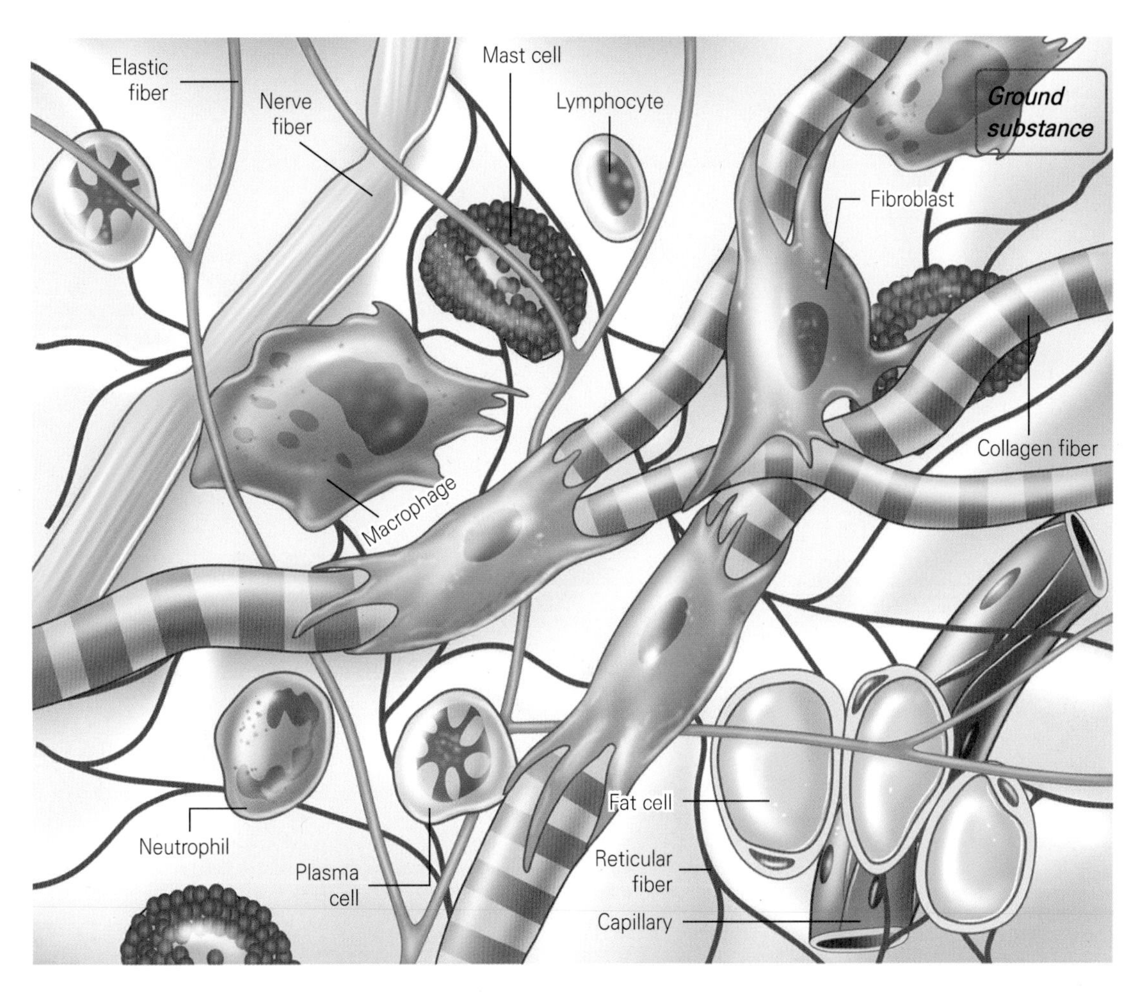

그림 2-16. **세포외 기질 ECM의 모식도**

7. 결합조직세포(connective tissue cells)

- ▶ 고정세포 : fibroblast (myofibroblast), macrophage, adipose cells, mast cells, pericyte, undifferentiated mesenchymal cells
- ▶ 이주세포 : lymphocytes, plasma cells, neutrophils, eosinophils, basophils, monocytes

1) 섬유모세포(fibroblast) 와 근섬유모세포(myofibroblast)

(1) 세 종류의 결합조직 섬유와 무형질을 생산한다.

(2) 세포질은 rER이 많은데 이는 활발하게 콜라겐과 무형질을 합성하고 있다는 것을 의미한다. PDO녹는실매선의 유침기능으로 섬유모세포를 적절히 자극하면 콜라겐과 무형질의 분비를 늘릴 수 있음을 알 수 있다. PDO녹는실매선의 진피강화 시술에서 가장 중요한 세포이다.

(3) 근섬유모세포는 민무늬근육과 같은 기능과 섬유모세포의 특성을 모두 가지고 있다.

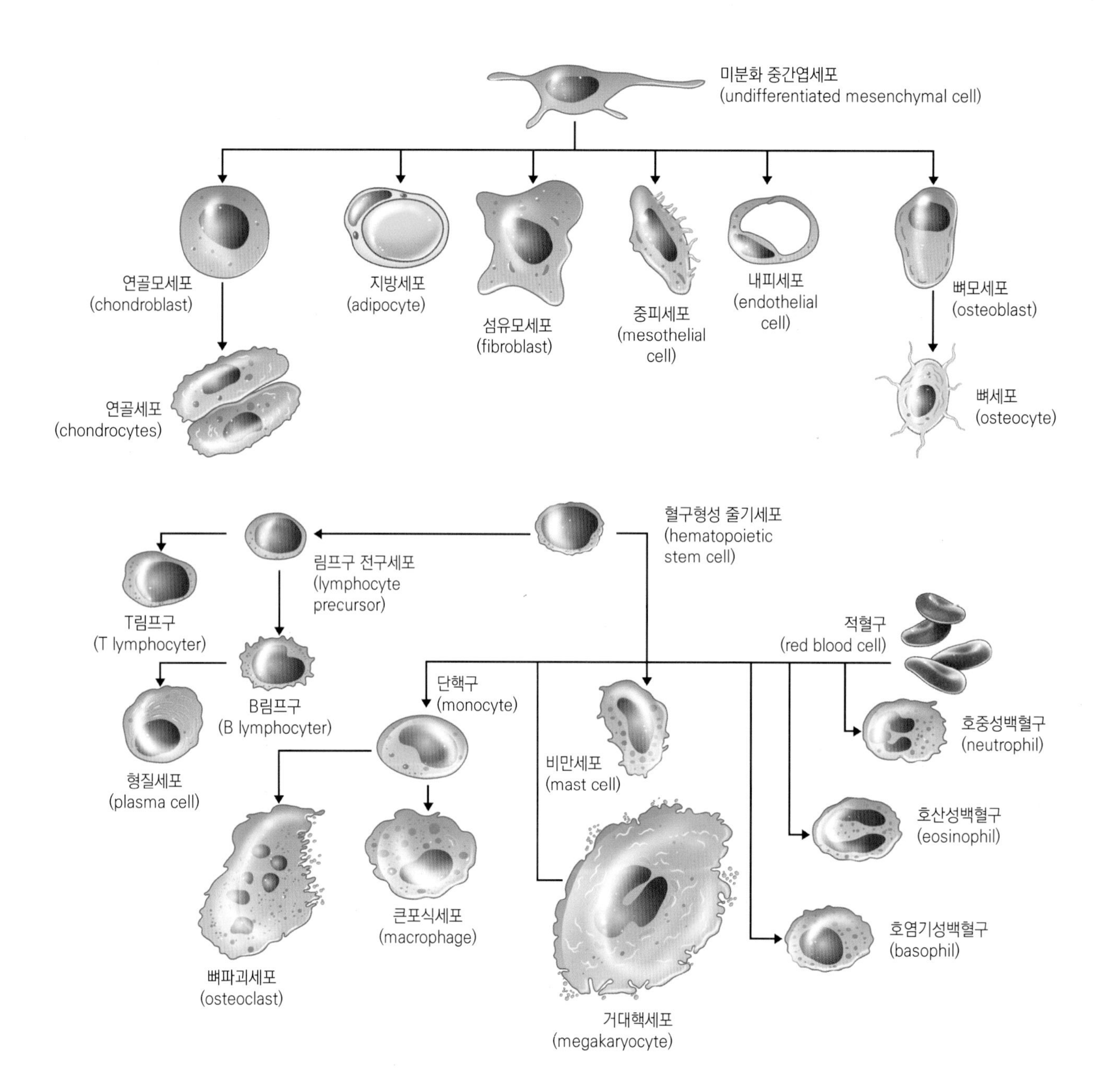

그림 2-17. **결합조직세포**

2) 대식세포(macrophage)

(1) 이주상태에서는 난원형이나 상주세포로 활동할 때는 긴 세포돌기를 가진다.

(2) 주된 기능은 phagocytosis이다. 몸 속에서 방어기능과 청소기능을 담당하는 세포로 면역기능과 관련된 중요한 세포이다.

3) 비만세포(mast cell)

(1) 타원형의 핵을 갖는 둥근모양의 세포(세포내에 많은 granule을 가지고 있어서 세포가 뚱뚱해 보여서 이름이 비만세포일뿐, 지방의 축적인 비만과는 관계가 없는 세포).

(2) Histamine, heparin을 분비한다.

(3) 피부와 점막하 결합조직에서 흔하게 관찰된다.

4) 지방세포(adipose cells)

(1) 몸속에서 생성된 중성지방을 저장하는 세포이다.

(2) 미분화중간엽세포로부터 분화한 세포이다.

① White adipose tissue

② Brown adipose tissue

5) 미분화중간엽세포(undifferentiated mesenchymal cells)

(1) Embryonic mesenchymal cell이다.

(2) 몸에 상처가 났을 때 조직의 재생을 위해 또는 신혈관형성(angiogenesis)시 관찰된다.

(3) PDO녹는실 매선의 자입으로 angiogenesis 효과를 나타내는 데 중요한 역할을 하는 세포이다.

6) 림프구(lymphocyte)

(1) 림프구는 6–8 um의 직경을 갖는 가장 작은 결합조직세포이다.

(2) 염증이 있을 때 숫자가 급격히 증가한다.

(3) 두 종류의 림프구가 있다.

① T–lymphocyte : 수명이 길며 세포성면역을 담당한다.

② B–lymphocyte : 다양한 수명을 보이며 항체를 생산한다.

7) 형질세포(plasma cells)

(1) B–lymphocytes에서 분화된 세포이다.

(2) 항체를 생산하는 세포이다.

(3) 세포질내에 rER 과 Golgi가 많이 관찰된다.

8) 호산구(eosinophils), 단핵구(monocytes), 호중구(neutrophils)

(1) 호중구와 단핵구는 면역반응이나 조직손상시 혈관에서 결합조직으로 이동한다.

(2) 단핵구는 대식세포로 분화한다.

(3) 호산구는 알레르기나 기생충감염에 관여한다.

PDO매선과 결합조직세포와의 관계는 앞으로 연구할 가치가 많다고 생각한다.

뼈조직

특수결합조직중 골조직은 콜라겐과 하이드록시아파타이트 Ca5(PO4)3(OH) 로 구성되어 있다.

뼈는 특수결합조직 = 콜라겐 + Hydroxyapatite(수산화인회석)

뼈의 질환은 콜라겐과 Hydroxyapatite의 문제이다. 콜라겐에 문제가 있으면 뼈의 유연성이 없어서 분필처럼 쉽게 부러지고, Hydroxyapatite가 부족하면 뼈가 엿가락처럼 휜다.

섬유모세포나 조골모세포는 사촌이라고 생각하면 된다. 둘 다 ECM을 만들어 내는 세포이다.

특히 뼈의 문제에 있어서 콜라겐은 굉장히 중요하다.

한약 중에서 조골기능에 깊은 도움을 주는 한약재가 녹각과 녹용이다.

또한 한약 중에서 콜라겐을 이용하는 약재가 아교이다. 출혈성 질환에 아교주를 쓰는 이유도 콜라겐과 혈관과의 관계로 생각된다.

골다공증이 발생하기 전에 뼈와 골막에 적절한 화침자극과 매선침 자극은 유효한 효과를 볼 것으로 생각한다. 특히 열전도를 이용한 화침을 이용한 조골모세포의 자극은 앞으로 재미있는 주제가 될 것으로 생각한다.

앞으로의 연구과제

PDO매선의 장점을 현대의학적 용어로 잘 설명하고 그에 대한 과학적 객관적 결과물을 제시하는 것 또한 중요하다고 생각한다.

PDO녹는실과 acupuncture에 의한 collagen과 hyaluronic acid의 증가, 그리고 fibroblast의 활성화와 dermis의 강화 등은 현재 많은 연구와 실험을 통해서 밝혀지고 있다.

필자의 욕심이라면 자외선, 노화 등 여러 가지 원인에 의한 collagen의 손상과 결합조직의 손상의 회복에 대한 PDO녹는실의 영향, PDO매선과 ECM의 관계 그리고 피부부속기와 수용체 그리고 결합조직세포와의 관계가 좀 더 밝혀지길 바란다.

PDO매선과 acupuncture

1. 면역기능의 활성화와 항노화와의 관계
2. Growth factor들의 변화들, cytokine의 활성화

PDO매선과 화침, 약침을 통한 결합조직의 제반 문제 해결에 대한 연구는 앞으로 큰 발전을 할 것으로 예상한다.

Chapter 08

PDO와 조직공학 & 재생의학

조직공학(組織工學,tissue engineering)과 재생의학(再生醫學, Regenerative medicine)은 21세기 의학에서 가장 빛나고 앞으로도 더욱 빛날 의학분야이다.

선천적, 후천적으로 쇠퇴되거나 결손되는 인체조직을 재생시키는 재생의학은 줄기세포와 성장인자로서 첨단기술과 결합하여 나날이 발전해 가고 있다.

조직재생은 스캐폴드 scaffold (飛階)라는 공간에서 cell이 성장인자나 여러 물질에 의해서 재생하는 것이 일반적인 형태이다.

조직재생 = cell + scaffold + biomolecules

중요한 것은 줄기세포의 중요성만큼이나 scaffold의 역할도 중요하며
어떤 경우에서는 scaffold가 나머지 두 개보다도 훨씬 더 중요한 역할을 할 수도 있다는 것이다.

우리 의료인들이 임상에서 PDO녹는실을 scaffold처럼 이용하여 노화에 의한 진피조직을 일정부분 재생하는 결과를 볼 수 있다.

현재 임상에서 scaffold로 사용되는 폴리머들에는 PLLA, PGLA 등이 있는데 이들은 녹는실 PDO와 유사한 면이 많다.

Scaffold는 그 자체로 세포의 성장을 촉진하는 역할을 할 것이다.

스캐폴드처럼 촘촘히 자입된 PDO실은 자입 부위 세포와 많은 biomolecules들의 분비에 관여할 것이며 onco-gene의 우려가 적은 조직재생의 한 분야가 되지 않을까 예상할 수 있다.

물론 우리가 줄기세포나 PDGF나 BMP 같은 물질을 쓸 필요는 없지만 scaffold로서의 PDO실은 인체 내에서 열심히 조직재생활동을 하고 있다는 것은 분명히 알 수 있으며 앞으로 의학 연구에 의하여 녹는실 PDO의 뛰어난 조직공학적, 재생의학적인 역할이 점점 알려질 것으로 생각한다.

매선리프팅의 이론적 배경

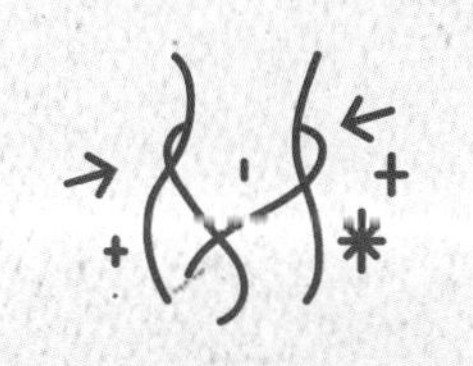

Chapter 01
이상적인 얼굴과 안티에이징

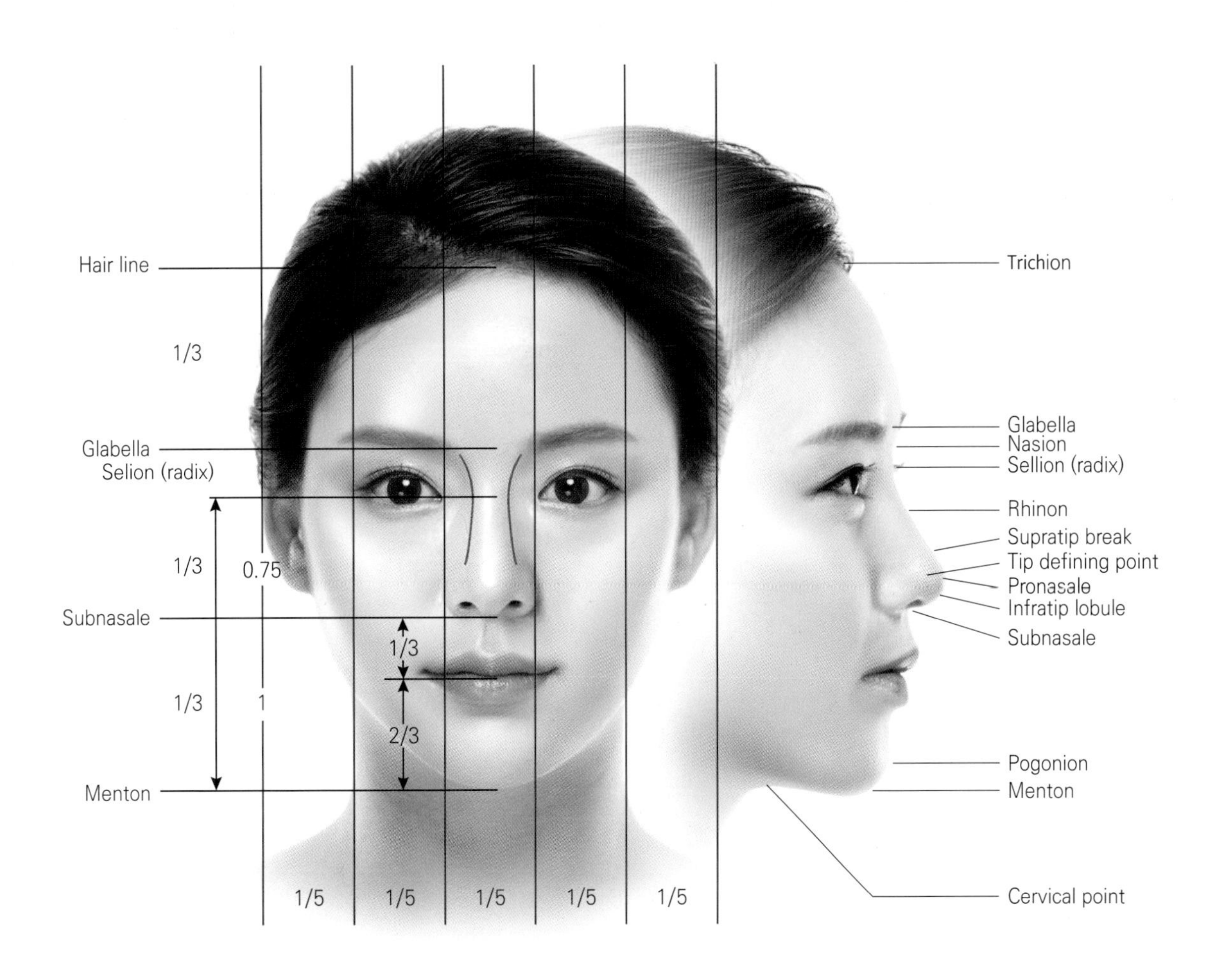

그림 3-1. **얼굴의 이상적인 비율**

얼굴의 노화는 피부 위축과 깊어지는 주름 그리고 얼굴의 처짐을 의미한다. 이는 노화에 의한 진피조직, 피하지방패드, 유지인대와 SMAS등 얼굴을 지지해주는 결합조직 구조물들의 약화에서 비롯된다(Chapter 3 참조). 진피에서 콜라겐과 엘라스틴이 소실되고 또한 히알루론산 역시 적어져서 건조하고 탄력 없으며 주름지게 바뀐다.

깊은 주름과 처진 얼굴은 단순히 노화를 의미하는 것 뿐만 아니라 완고해 보이거나 생기 없는 인상으로 사회생활에 마이너스 요인이 될 수 있다. 점점 젊음의 시간과 사회활동 기간이 늘어나는 100세 시대에 우리 의료인들이 보다 건강하고 젊음을 유지할 수 있는 연구와 노력을 해야 되는 이유이기도 하다. 임상에서 시술해보면 간단한 매선침이나 미용침만으로도 처지고 늘어진 얼굴이 어느 정도는 반듯하게 정돈된 이미지로 만드는데 도움을 줄 수 있는 것을 볼 수 있다. 특히 비침습적인 안티에이징 성형이라는 시대적인 트렌드에 따라서 PDO매선침은 더욱 더 안티에이징에 가장 적합한 술식임이 입증되고 각광을 받을 것으로 예상한다.

PDO매선은 피내에 들어가서 수개월간 유침작용을 통하여 침으로서의 효과를 내는 동시에 실이 녹으면서 녹은 실이 사라지는 곳에 콜라겐과 인체에 유용한 ECM이 증가하게 해준다.

필자는 2007년 한의계에서 PDS매선을 최초로 강의하면서부터 PDO매선침이 피부와 결합조직의 강화에 훌륭한 역할을 할 것이라고 말했다. 매선침은 SMAS와 Retaining Ligaments 같은 안티에이징에 매우 중요한 치밀결합조직 구조물에도 강력한 작용을 하고 있다는 것을 임상에서 계속 느끼고 있으며 앞으로 SMAS와 Retaining Ligaments과 PDO매선과 관련된 많은 훌륭한 논문 연구결과들이 나올 것이라고 기대한다.

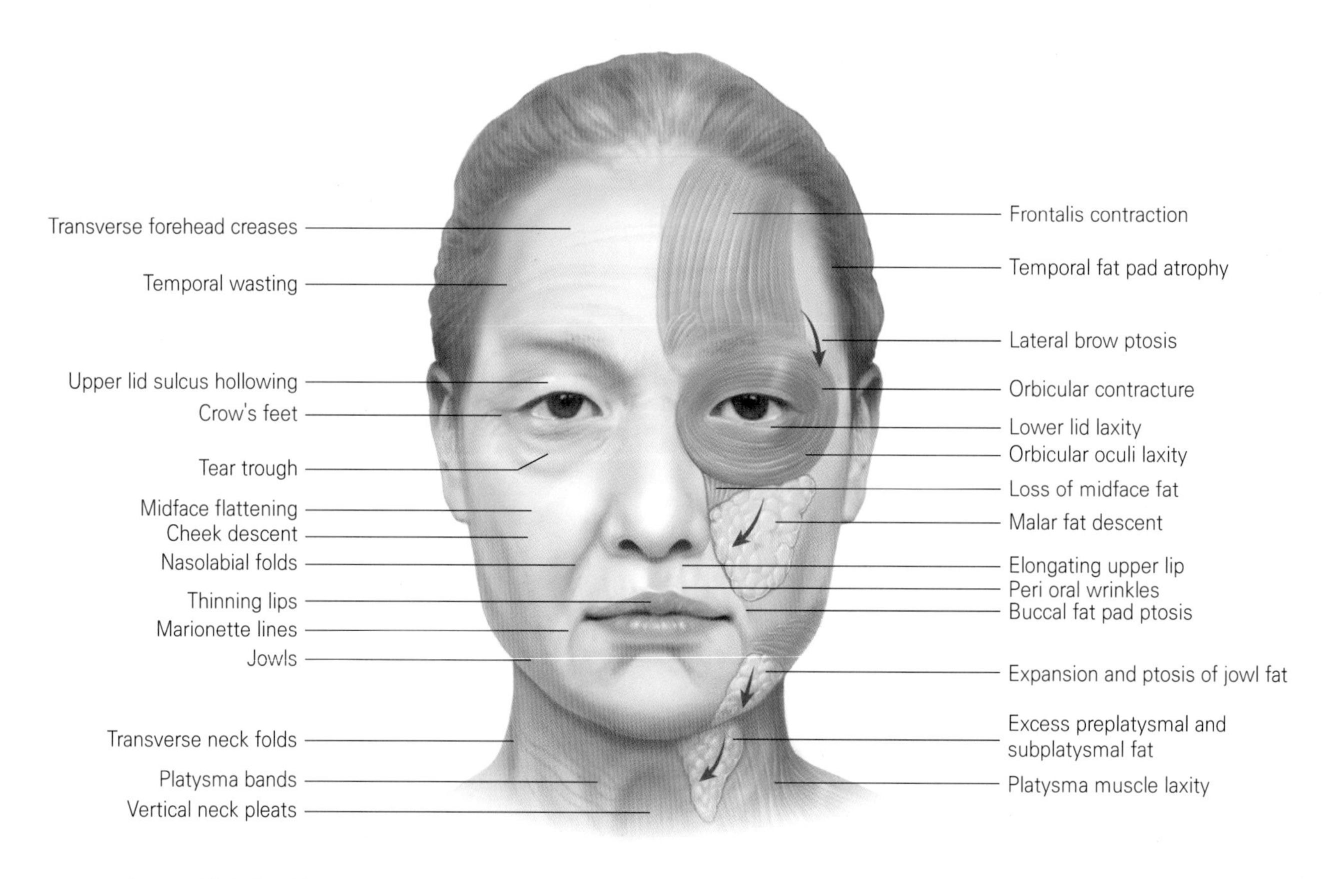

그림 3-2. **얼굴의 노화**

Chapter 02
안면 리프팅의 역사적 배경

리프팅은 동안얼굴 미용시술의 꽃이라고 할 수 있다. 안면 리프팅에 있어서 중요한 해부학적 발견은 외과적 안면거상술에 의해서 발전해 왔다.

문헌상으로 최초의 안면거상수술은 독일의사 Eugen에 의해서 1901년도에 폴란드 귀족부인을 상대로 최초의 수술이 이루어졌다고 한다.

성형외과의 태두라고 할수 있는 Miller는 1903년도 시카고에서 세계최초로 성형클리닉을 열고 안면거상술을 시술하였다.

독일의사 Erich는 귓바퀴 앞으로 흉터를 최소화하는 거상술을 실시하였고, 1927년 Bames는 피부를 박리하여 늘어진 피부를 절개하고 플랩을 근막에 고정하는 피하 안면거상술을 실시하였고, 1970년대까지 이어졌다.

1974년 스웨덴 의사 Skoog에 의해서 안면리프팅은 피부만 당겨서는 효과가 적으며 피하지방과 근막 광경근과 표정근등을 재배치해야 훨씬 효과가 뛰어나다고 발표하였다.

1976년 Mitz vladimir와 Peyronie에 의해서 SMAS 개념이 발표되었다. 얼굴의 진피와 피하 안면근육과 건막구조를 정확히 이해함으로서 이후의 리프팅은 SMAS의 개념이 아주 중요하게 되었다.

1980년 Lemmon은 안면유지인대의 단초를 제공하는 논문을 발표하였고, 1989년 David는 mandibular lig. zygomatic lig. 등의 안면유지인대가 리프팅에 중요하다고 논문을 발표하였다.

표 3-1. **리프팅의 역사표 간단정리**

1900년대초	Miller는 안면거상술을 시행
1974	스웨덴 의사 Skoog 광경근의 재배치
1976	Mitz vladimir와 Peyronie에 의해서 SMAS 개념이 발표
1989	David가 Retaining Ligaments의 리프팅에서 중요성을 발표
2002	슐라마니체 녹지않는실 폴리프로필렌barbed 실 Aptos 발표
2007	대한민국 하세현, 에치콘PDS실을 이용한 녹는실 PDO리프팅 공식발표
2011	대한민국의 PDO 매선리프팅이 전세계로 알려짐

Chapter 03

SMAS, Retaining Ligaments

얼굴의 피부를 모식도로 나타내면 다음과 그림과 같은 5층으로 구성된다.

1. 피부층
2. 피하층(retinacular cutis, 피부지지띠가 존재)
3. SMAS층
4. 성근조직(공간과 유지인대라는 나무의 줄기)
5. 고정된 골막과 깊은 근막

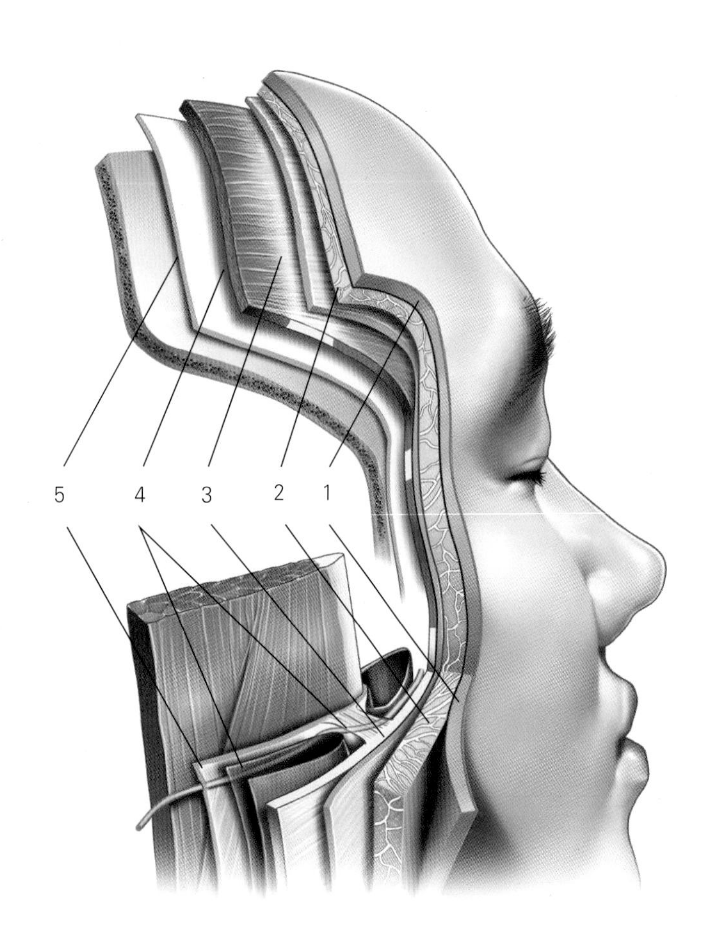

1. Skin
2. Subcutaneous
3. Musculo-aponeurotic
4. Retaining ligaments and spaces
5. Periosteum and deep fascia

그림 3-3. Layers of face

그림 3-4. **나무로 비유한 얼굴의 단면 모식도**

좀 더 이해를 위해서는 다음과 같은 나무 그림으로 이해하는 것이 좋다.

나무 그림의 순서대로 1~5번을 머릿속에 그리며 매선침을 시술하면 좋은 시술 결과를 얻는데 도움이 된다.

- 1번은 피부층(Dermis)
- 2번은 피하층(Sub-Q)이다. 피하층은 얼굴의 부피를 구성하는 피하지방과 retinaculum cutis(피부지지띠)로 구성된다. retinaculum cutis는 진피를 SMAS에 연결하는 섬유성 지지밴드이다.
- 3번은 SMAS층이다. Superficial Musculoaponeurotic System(표재성근건막)
- 4번층은 연조직 공간, 유지인대, 골과 표면 연조직의 연결을 담당하는 고유근육의 깊은층, 깊은층에서 표층으로 이어지는 얼굴신경의 가지 등이 있는 성근조직층이다.

유지인대를 보조해주는 리프팅을 할 때 캐뉼러매선을 선호하는 이유중 하나가 4번층에 존재하는 신경과 혈관들을 보호하는데 적합하기 때문이다.

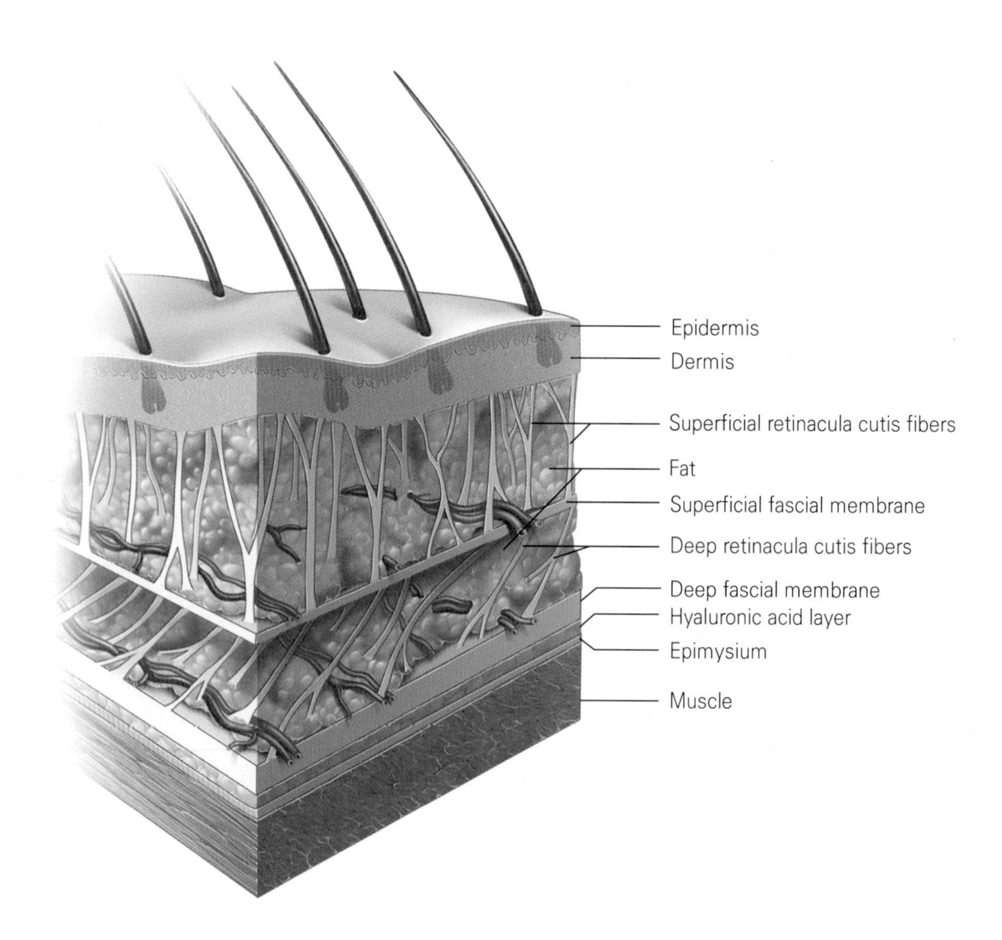

그림 3-5. **Retinacular cutis fiber**

SMAS, Superficial Musculo aponeurotic System(표재성근건막)

SMAS는 두경부를 싸고 있는 섬유-근육조직으로 얽혀있는 넓고 연속적인 3차원적인 구조물이다. 관골궁을 중심으로 상하부로 나누어진다. 주요 혈관, 신경보다는 얕고, 진피 혈관층보다는 깊다.

SMAS 층은 골조직에는 제한된 부착, 연조직에는 광범위한 부착 그리고 뺨의 고유 근육을 갖는 층을 포함하고 있으며 retinaculum cutis fibers에 의해 피부층에 부착되어 있다.

SMAS 두께는 환자와 얼굴의 위치에 따라 다양하다. 이하선에서는 두꺼우며, 안쪽으로 갈수록 얇아진다. 얼굴과 목에 걸쳐 연속적인 3차원 구조를 구성한다. SMAS는 광대 부위, 입술, 코에 걸쳐 있으며 안면표정근들을(mimic muscles)을 감싸고 있다.

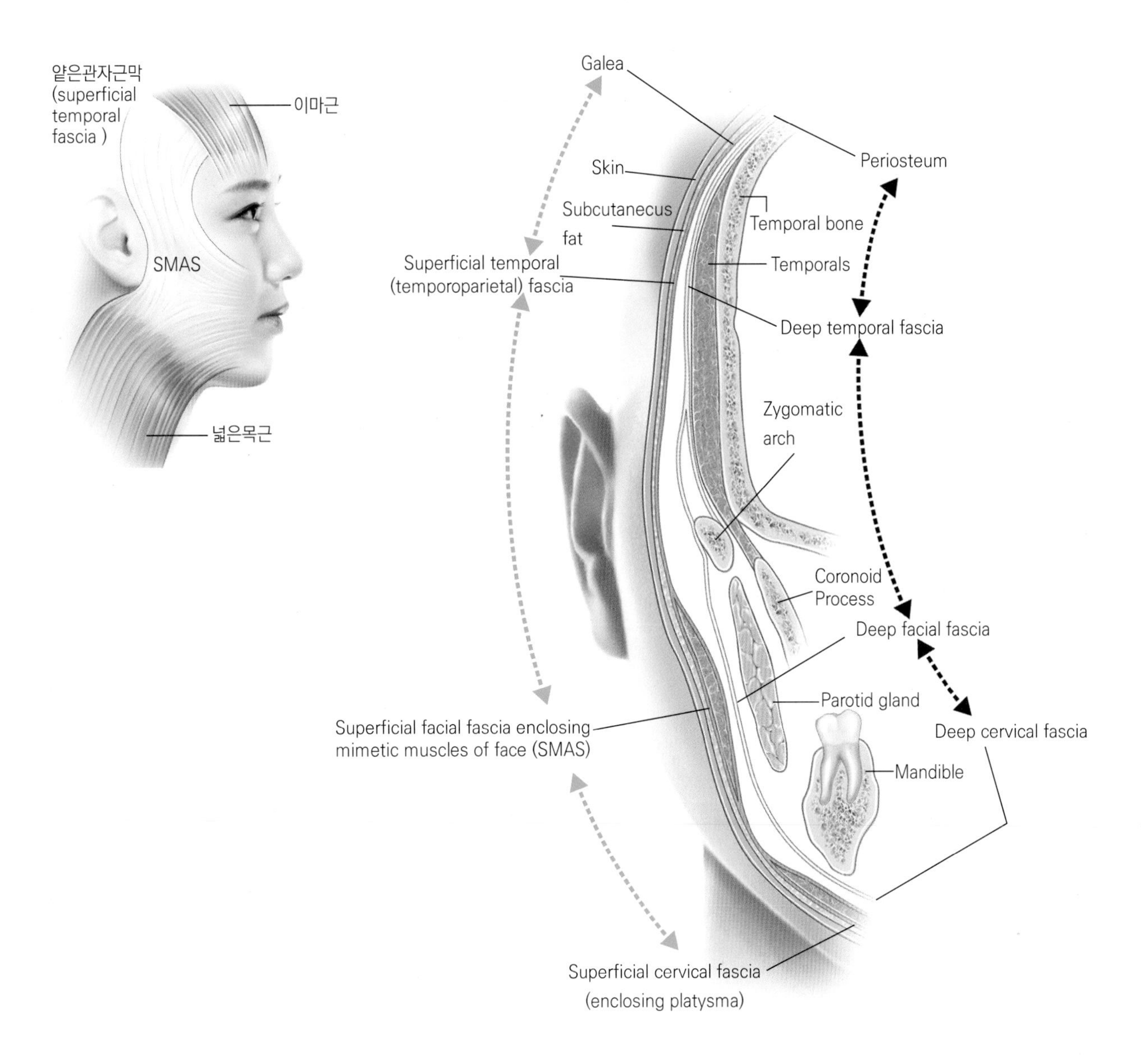

그림 3-6. SMAS

필자가 2007년 PDO매선 리프팅 강의를 하면서 그 당시 한의계에서는 생소한 SMAS개념을 상세하게 강의했던 기억이 난다. 그 임팩트가 강했는지 매선침을 SMAS침이라고 하기도 하고, 여기저기서 SMAS에 대한 많은 언급이 이루어졌다.

임상에서 보자면 SMAS라는 개념은 3차원적인 입체구조 이해하는 것이 좋으며 인체의 모든 것들이 서로 유기적으로 연결되어 상호 작용을 하듯이, 다른 구조물과 긴밀히 연결되어 있다. 상부 SMAS와 sub-SMAS를 굳이 분리하거나 골치 아프게 현학적인 개념으로 이해할 필요없이 하나의 전체적인 입체적인 구조물로 이해하는 것이 좋다고 생각한다.

리프팅의 역사에서 고찰하였듯이 단순히 피부만 리프팅시키는 것 보다 입체적 구조가 붕괴된 SMAS층을 거상시키면 그 위의 피부는 당연히 따라 올라가는 것이므로 리프팅은 SMAS와 유지인대를 고려하는 것이 좋다.

필자는 안면미용매선을 해부학적 의미에서 두 가지로 구분한다.
안면부의 SMAS와 주위의 조직학적인 입체구조를 강화하는 탄력매선–모노매선
유지인대의 안면 연부조직의 유지력을 도와주는 리프팅매선–코그매선

물론 SMAS를 매선침으로 강화시켜주면 콜라겐과 ECM의 증가로 SMAS의 입체적인 구조가 탄탄해지면서 리프팅의 효과가 생기는 것도 사실이기에 모노매선으로도 두 가지 효과를 다 얻을 수 있으며, 2007년에 시작된 필자의 초기 매선 리프팅 강의에서도 이 부분을 많이 다루었다. 2013년 이후로 PDO 캐뉼러 코그매선이 발전하면서, 늘어지거나 유지력이 저하된 유지인대의 역할을 도와주는 물리적인 리프팅 능력이 향상되면서 필자는 모노매선과 캐뉼러매선의 주된 시술목표를 SMAS, 유지인대 두 가지로 구분하는 것이 임상에서 편리할 경우가 있다고 생각한다. 다시 한번 말하지만 모노매선으로도 리프팅 효과는 있고, 캐뉼러코그 매선도 조직강화의 효과도 있다. 하지만 임상에서나 환자분들에게 설명할 경우에 이와 같은 구분은 많은 도움을 주는 것도 사실이다.

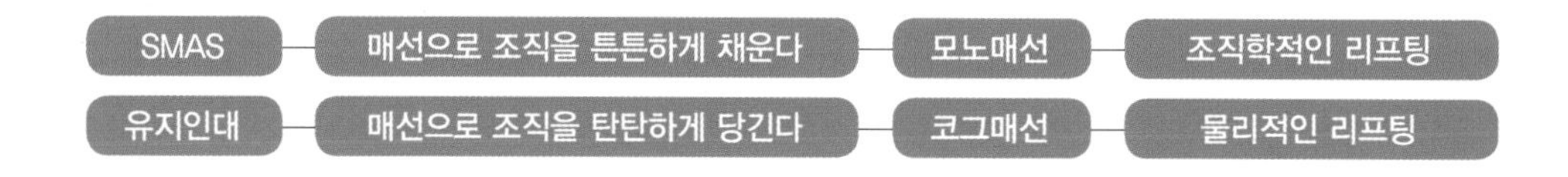

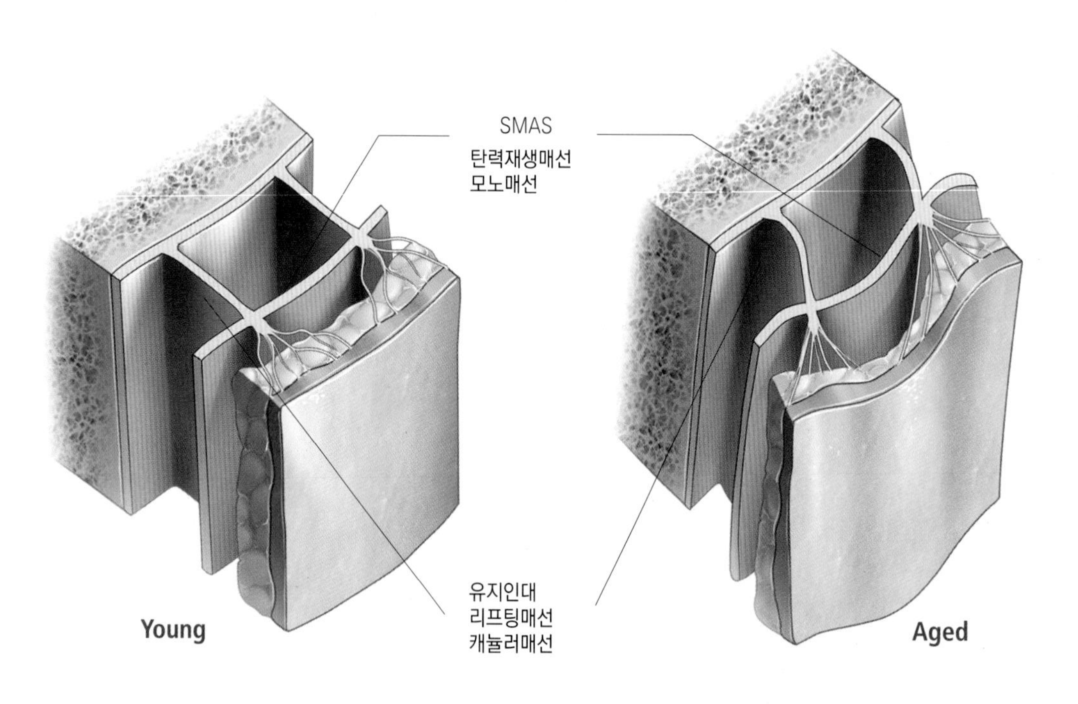

그림 3-7. **노화에 의한 얼굴 연조직 3차원 구조의 변화**

위의 그림과 같이 젊고 처짐이 없는 얼굴은 유지인대라는 나무가 쭉쭉뻗은 멋진 아름드리나무처럼 나란히 반듯하게 세로 격자판의 형태를 유지하면서 튼튼한 기둥이나 대들보의 역할을 충실히 해주고 있으며 SMAS와 결합조직이 가로로 반듯한 형태를 유지하며 튼튼한 가로막의 역할을 수행하여 격자형태 안에 존재하는 내용물들이 반듯하게 유지될 수 있게 하는 것이고 나이가 들고 처짐과 주름이 발생한 얼굴은 그림과 같이 유지인대라는 나무가 굽은 소나무처럼 아래로 휘면서 세로 격자판의 기둥이 휘고, SMAS라는 가로막 또한 휘면서 bulging area가 생기게 되는 것이다.

이러한 얼굴의 입체구조의 찌부러짐과 처짐을 방지하는데 매선은 아주 뛰어난 역할을 해주는 것이다. 필자가 임상에서 느낀 바로는 우리가 건물이나 입체적인 구조물들이 변형 초기부터 잘 관리해주면 아주 뛰어나게 유지되듯이 얼굴 구조의 변형도 젊을 때부터 관리를 한다면 아주 적은 비용과 노력으로도 아름다운 구조를 잘 유지할 수 있다는 것을 느낀다.

적어도 40대 부터는 입체구조를 관리하는 것이 좋으며, 여력이 되면 조금이라고 처짐의 조짐이 나타나는 2~30대 시점부터 매선시술을 통하여 아름다운 얼굴의 입체구조를 소중히 유지하는 것이 중요하다고 말하고 싶다.

또한 화침과 같은 니들조직에 열자극을 주거나, 경혈 경락점에 적절한 약침시술이 매선의 효과에 시너지를 줄 것으로 기대된다.

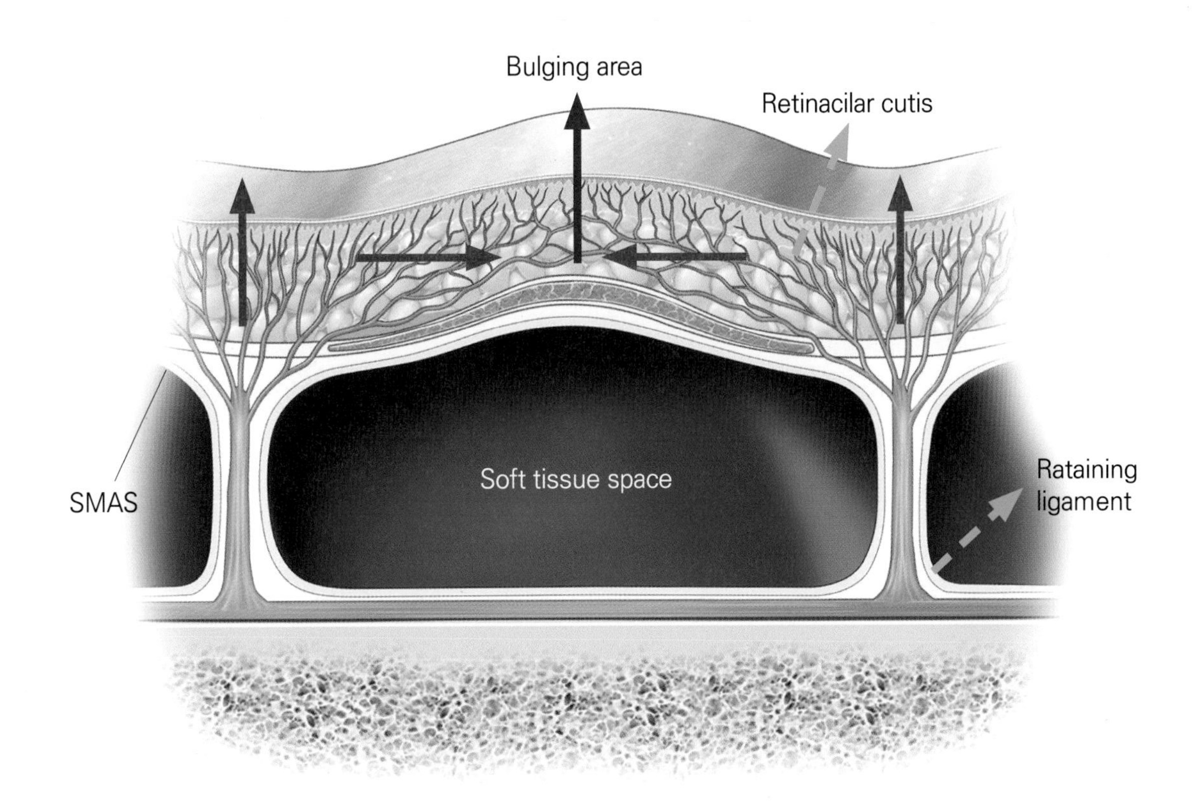

그림 3-8. **노화에 의한 피부의 처짐과 주름발생 그림**

Retaining Ligaments

필자는 임상에서 환자분들에게 설명드리기를 "쉽게 말하자면 우리의 얼굴은 마치 단단한 시멘트벽에 두껍고 부드러운 천을 못으로 박아서 고정하는 것처럼 얼굴뼈에 얼굴피부가 고정되어 부착되어 있습니다. 젊을 때는 잘 고정되어 있으나 나이가 들면서 고정되어 있지 않은 부분에 지방이 처지면서 전체적으로 처져 보이게 됩니다. 처진 부분에 보조못처럼 다시 처진 부분을 위쪽으로 고정시켜주는 것이 캐뉼러 가시매선입니다."라고 자주 말한다. 물론 실제의 우리의 얼굴은 훨씬 더 복잡하지만, 이해를 쉽게 하기 위해서는 "얼굴의 고정을 못이나 바느질로 꿰맨 것"으로 비유한다.

이 못이나 바느질로 꿰맨 것에 해당하는 것이 유지인대이다. 누비 옷을 연상하면 이해하기 쉬울 것이다.

유지인대는 치밀결합조직으로 강하고 질기며 잘 늘어나지 않는다. 피부를 골막 깊은층에 붙어있게 지지하는 유지인대와 그 부착부는 거의 늘어나지 않고, 유지인대가 없는 부위의 피부나 지방조직은 중력에 의해 많이 늘어지고 아래로 처지게 된다.

얼굴의 피부는 입 주변처럼 평소에 많은 운동을 하는 피부도 있으나 광대부위처럼 많은 운동을 하지 않는 부분도 있다. 유지인대가 우리의 피부를 제자리에 고정시켜주는 좋은 역할을 하지만 그렇다고 얼굴피부 전체가 유지인

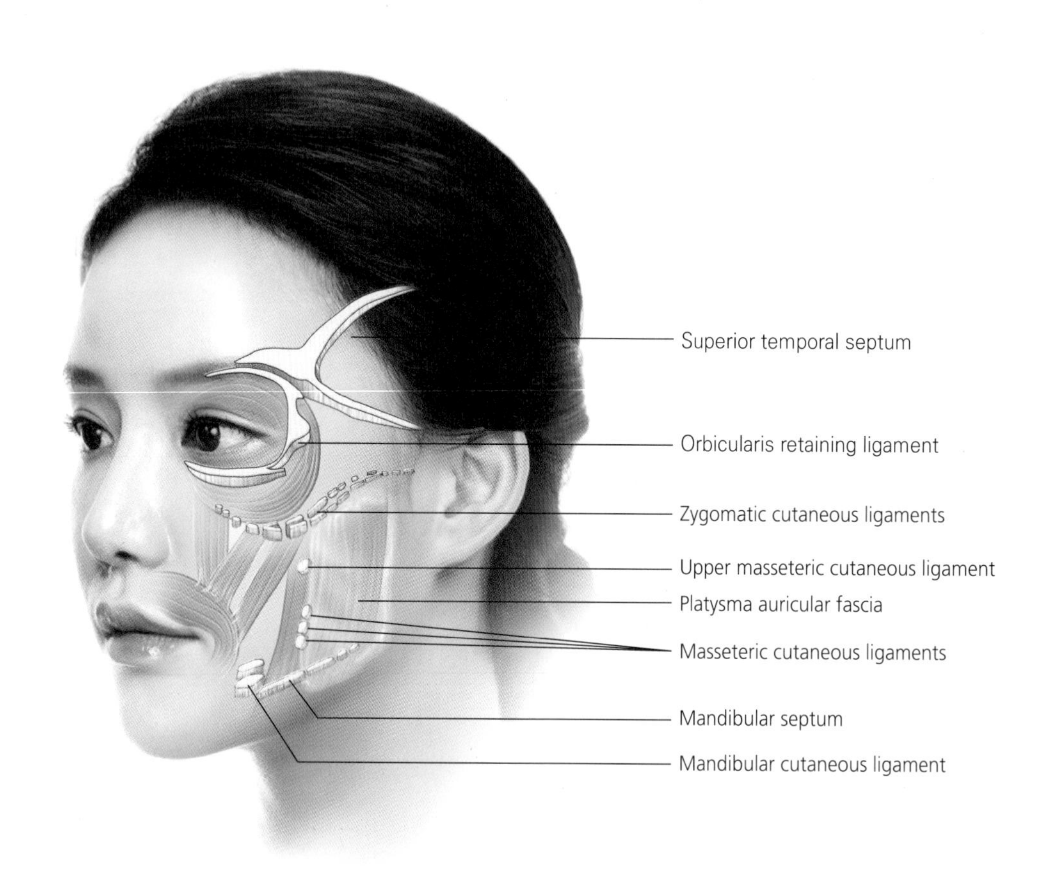

그림 3-9. **Retaining ligament of face**

대로 빽빽하게 얼굴뼈에 고정되어 있다면, 우리는 말을 하거나, 표정, 저작에 어려움을 겪을 수밖에 없다. 유지인대가 비교적 적은 부위인 얼굴하부에서 나이가 들면서 지방이 쌓이는 부위와 유지인대로 고정되는 부위의 차이에 의해서 얼굴의 처짐이 발생하는 것이다. 따라서 유지인대를 도와주는 캐뉼러 코그매선은 노화에 의한 얼굴처짐에 많은 도움을 줄 수 있다.

retaining ligament는 얼굴피부와 연조직을 지지하는 3차원적인 결합(connective)조직이다. 얼굴의 유지인대는 나무와 매우 유사하다. 유지인대는 모든 층을 통과하면서 피부 연조직을 얼굴뼈 또는 깊은 근막과 접합시킨다. 유지인대는 마치 나뭇가지처럼 여러 갈래의 가지로 펼쳐지면서 진피에 삽입된다. 유지인대라는 나무는 피하조직에서는 retinaculum cutis fibers, subSMAS 단계에서는 ligaments가 된다(그림 3-4 참조).

유지인대의 분류

A. 형태에 따른 유지인대분류

1. True ligament

   True ligament는 깊은 근막, 골막에서 출발하여 나무줄기처럼 진피로 가서 붙는 것이다.

   Zygomatic ligament, mandibular ligament, masseteric ligament

2. Septum

   Septum은 골막, 깊은 근막과 얕은 근막 사이를 붙여준다. 대부분 관자부위와 안와주위에 있다.

   Periorbital septum, inferior temporal septum, superior temporal septum,

3. Adhesion

   Adhesion은 골막 또는 깊은 근막과, 얕은 근막을 유착시켜준다.

   Temporal ligamentous adhesion, supraorbital ligamentous adhesion

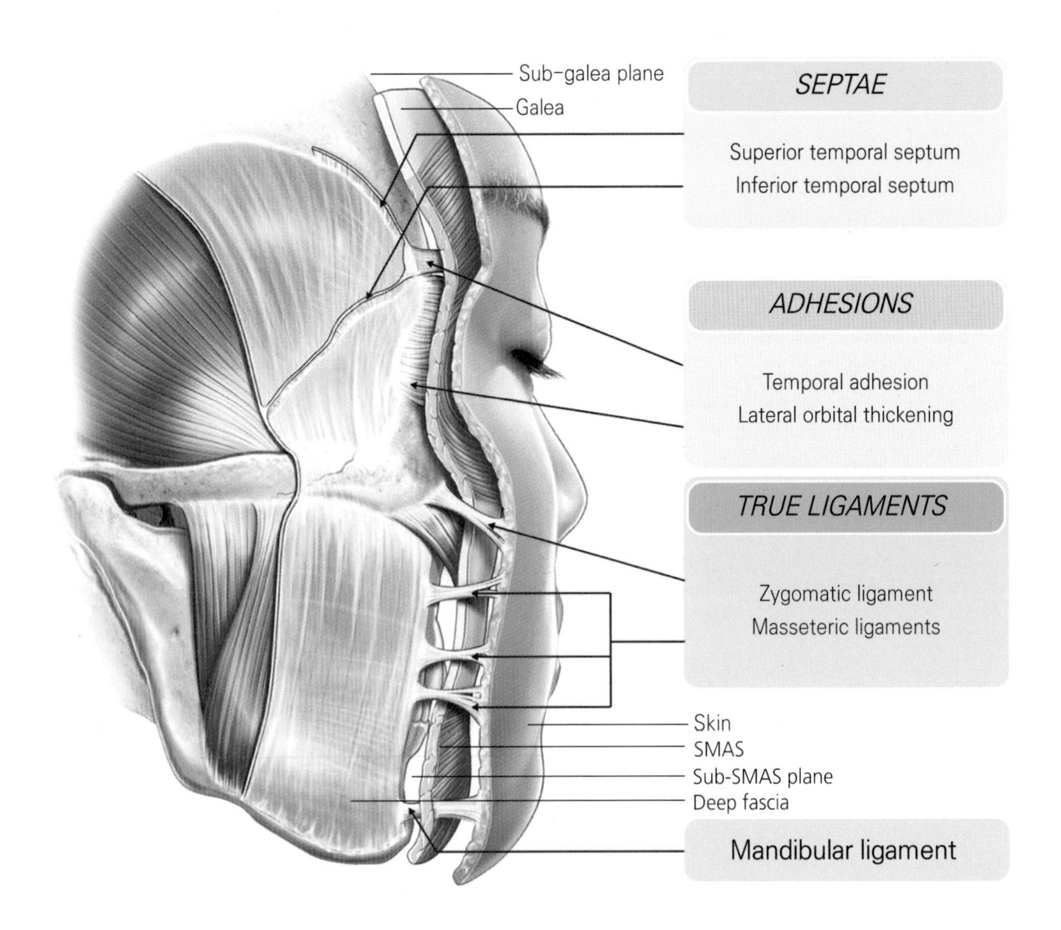

그림 3-10. **유지 인대의 분류**

B. 인대 기시점에 따른 분류

1. 골피부-유지인대 osteocutaneous ligament

   Orbital ligament, zygomatic ligament, mandibular ligament, buccal- maxillary ligament

2. 근막피부-유지인대 fasciocutaneous ligament

   Parotid ligament, masseteric ligament, platysma ligament

3. 피부내 유지인대

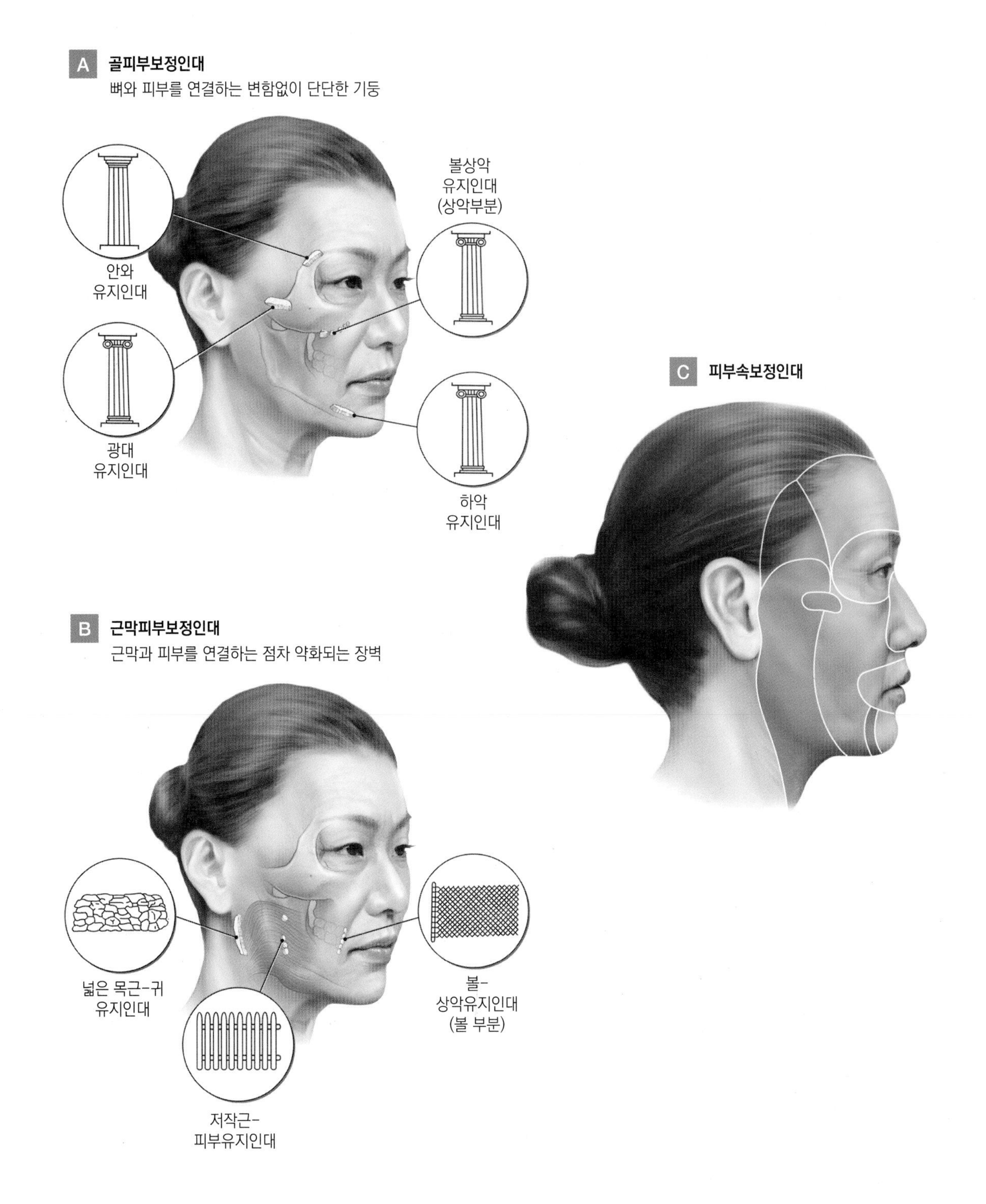

그림 3-11. **유지 인대의 종류**

인대는 노화에 의해서 약화되고 이완되며 주름을 유발한다. 이런 인대의 이완과 피부 탄력성 소실과 연조직 위축이 안면노화의 특징이다.

교근 인대의 약화는 뺨 조직의 처짐을 유발하여 marionette 선과 턱주름을 만든다. 턱주름은 하악인대에 의한 묶임으로 생긴다. 하악 격막의 약화와 연조직의 처짐, 지방의 이동으로 인하여 처지는 jowl의 형성

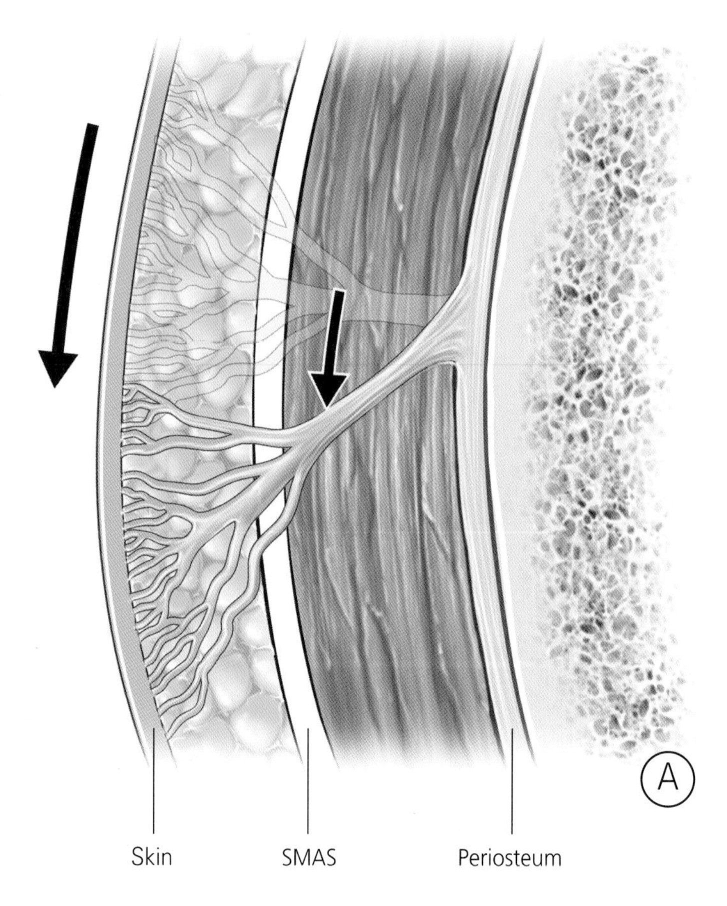

그림 3-12. **유지인대의 유지력 감소로 발생하는 얼굴의 처짐**

Zygomatic ligament의 약화는 malar soft tissue를 아래쪽으로 이동시켜서 광대패드의 처짐과, 팔자주름을 야기한다.

Masseteric ligament 의 약화는 마리오네트라인과 턱의 처짐을 야기한다.

Mandibular ligament 의 약화는 턱주름을 야기한다.

Orbital ligament 의 약화는 안와피부의 처짐을 야기한다.

Partid–cutaneous ligament 의 약화는 안면비대칭을 야기한다.

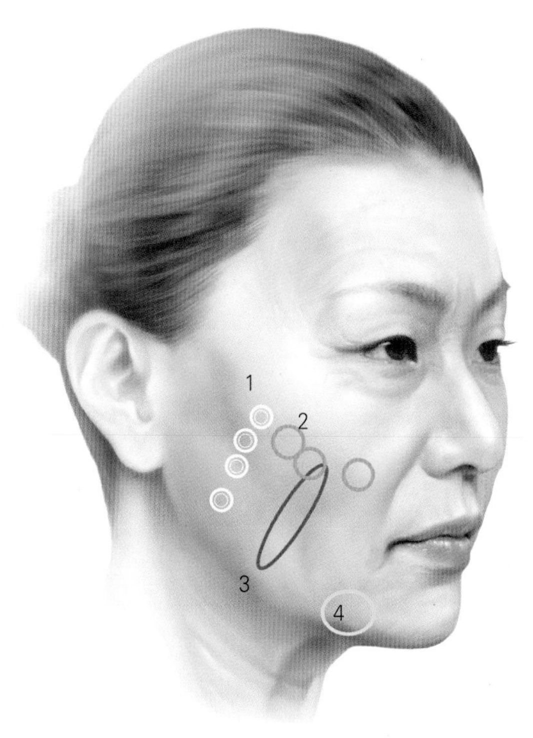

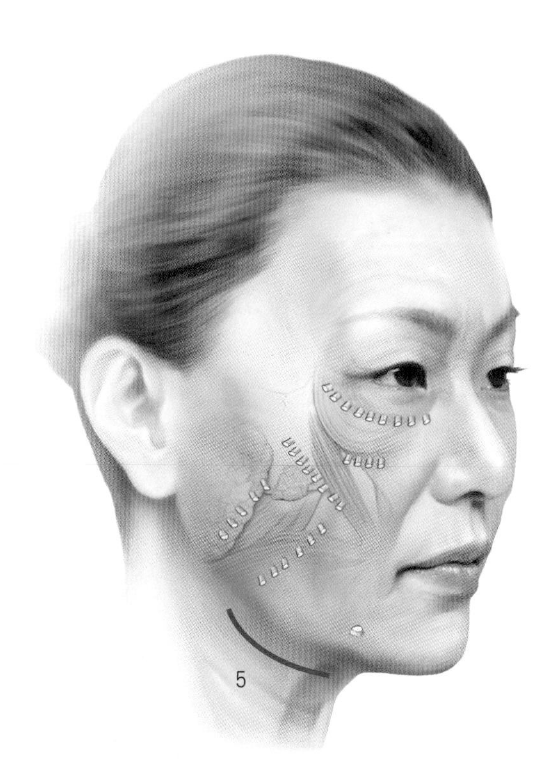

1. Parotid cutaneous lig.
2. Zygomatic lig.
3. Masseteric lig.
4. Mandibular lig.
5. Jowl

그림 3-13. **Retaining ligaments & aging deformity**

Chapter 04

안면근육과 얼굴주름

안면근육

안면 표정근은 안면의 운동과 표정을 짓는 역할을 함과 동시에 피부 연부조직을 다른 치밀결합조직과 함께 제위치에 지탱시켜주는 긴장력을 제공하고 있다.

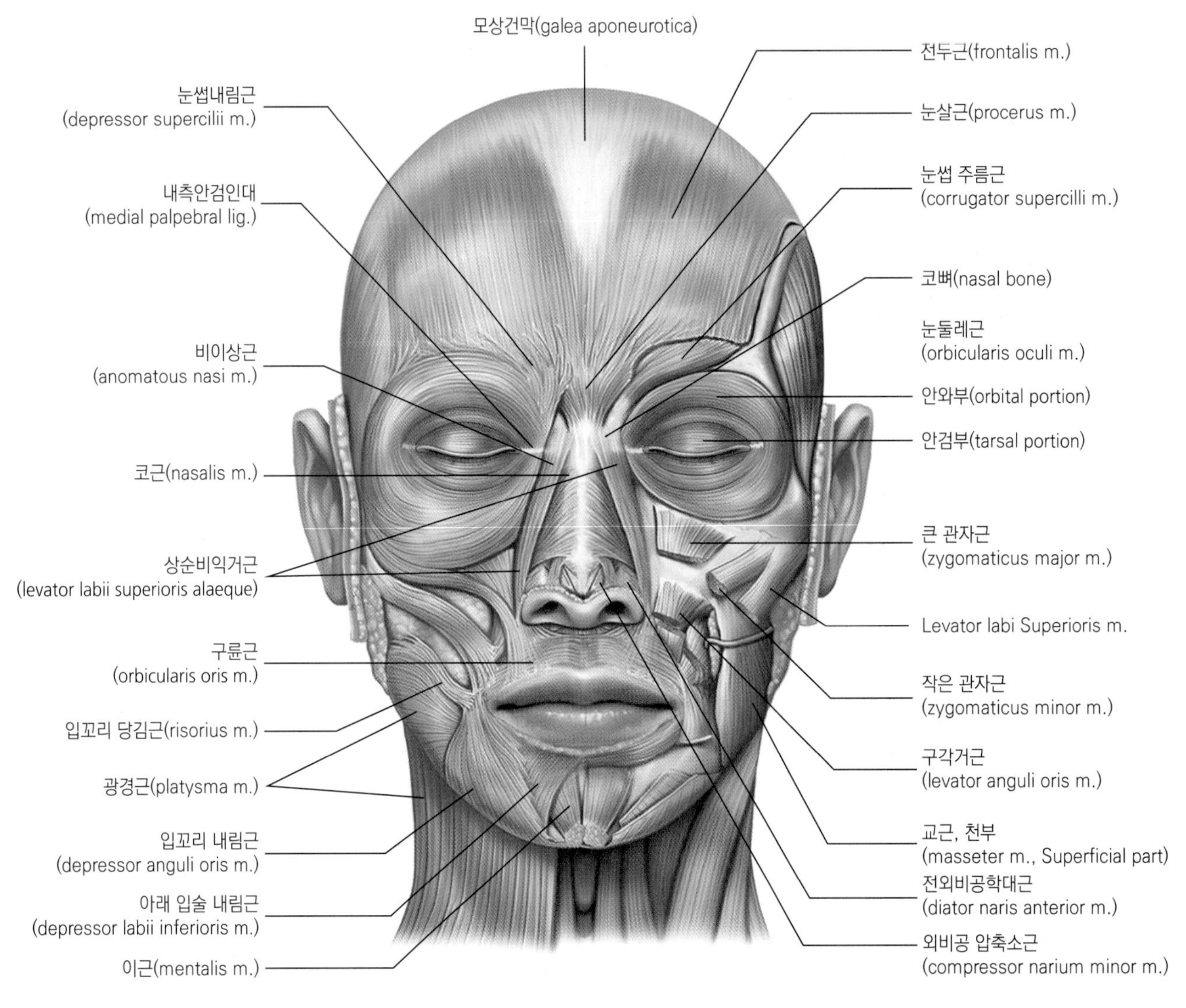

그림 3-14. **안면근육**

안면 표정근의 운동방향과 그 운동벡터에 수직인 주름의 발생은 기본적으로 기억할 필요가 있다.
개별적인 각각의 주름을 외우기보다는 이미지를 형상화하면 임상에서 많은 도움이 된다.

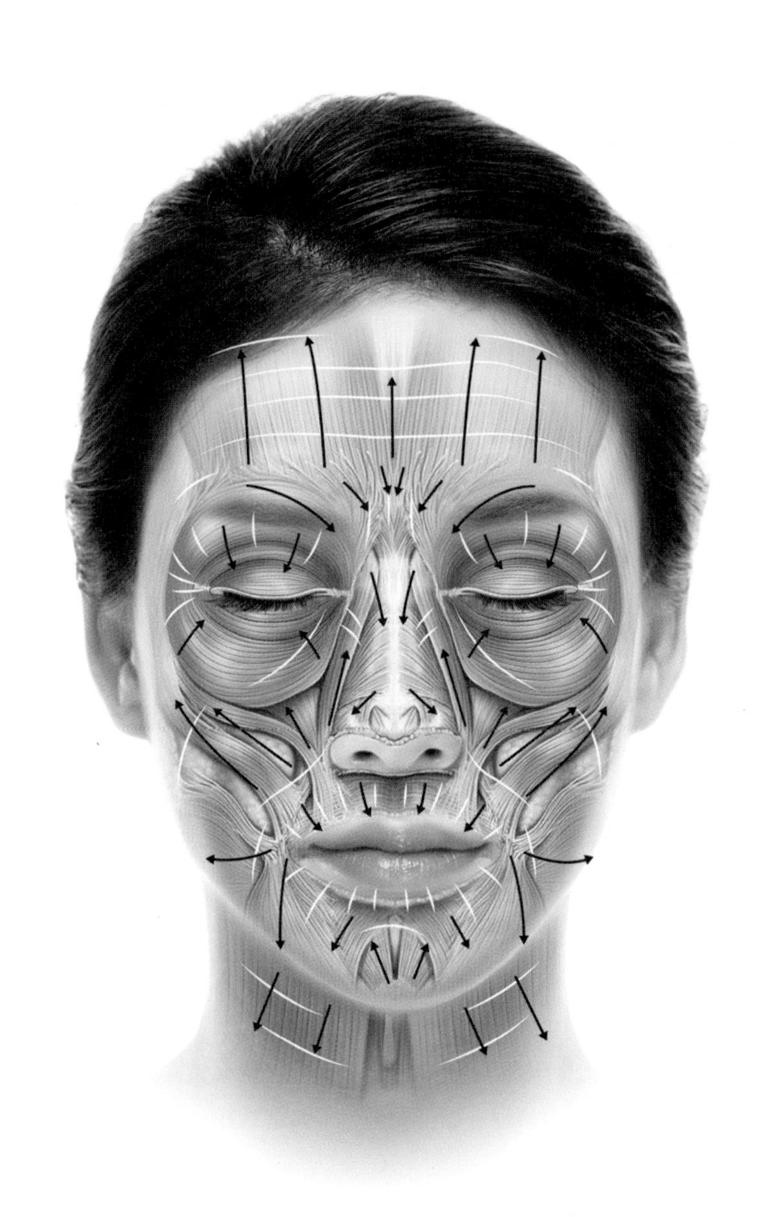

그림 3-15. **안면 표정근의 운동방향과 그 운동벡터에 수직인 주름의 발생 그림**

Facial muscle(안면근육)의 특징

① Cutaneous muscle : loose superficial layer에 존재, old age, 근육에 수직으로 주름(Langer line) 형성

② 일부 fascia, skin 정지, 기시, group action – 분리가 어렵다.

③ Facial nerve innervation

  * Bell's palsy on the affected side – loose of muscle tone

Surrounding muscles of the eye

1) Orbicularis oculi(안륜근, 눈둘레근)

  (1) Orbital part

    ① 눈둘레 대부분 형성

    ② Action : 눈을 꽉 감을 때(forceful winking) * Crow's feet

2) Corrugator supercilii(추미근, 눈썹주름근)

  ① Location O : superciliary arch의 medial end

              I : skin의 deep surface, 눈썹의 middle part

  ② Action : 눈썹을 downward, medialward로 잡아당김

            이마에 vertical wrinkel → frowning (suffering)

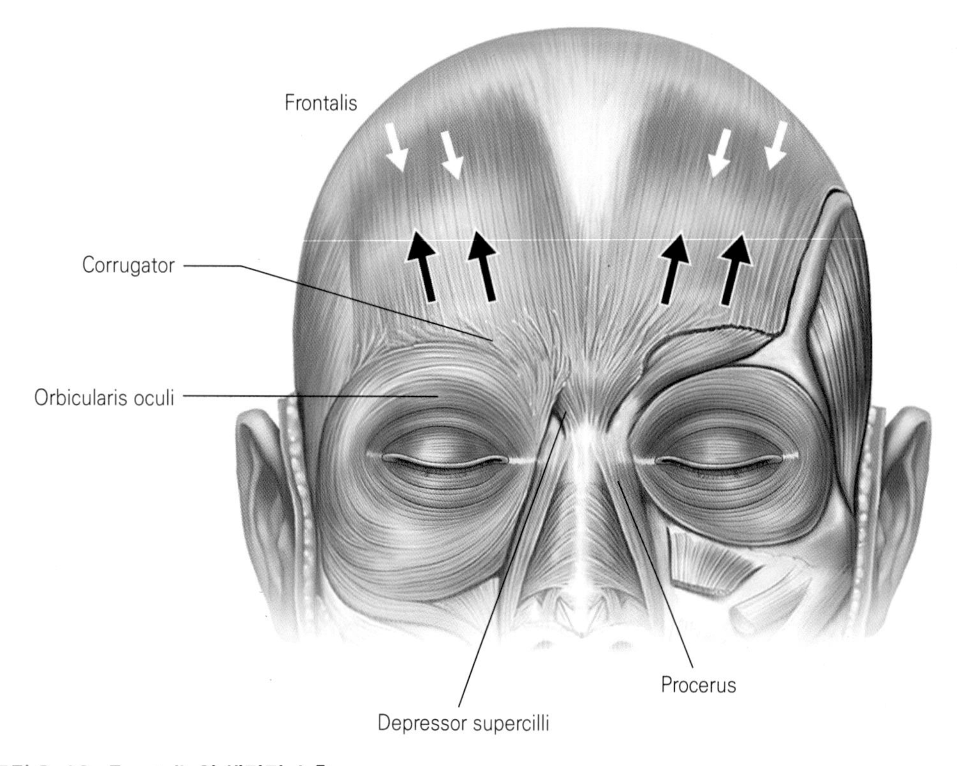

그림 3-16. **Frontalis의 생리적 수축**

Muscles of forehead

1) Frontalis (occipitofrontalis)

① Location O : galea aponeurotica (epicranial aponeurosis)

I : eyebrow, root of nose skin

② Action : raising the eyebrows (lower part) → surprise

transverse wrinkling the forehead

Muscles of nose

1) Procerus(비근근, 눈쌀근)

① Location O : nasal bone의 lower part

I : eyebrow 사이 이마의 lower part의 skin

② Action : nose bridge에 transverse wrinkles 형성

2) Nasalis(비근, 코근)

(1) Transverse part (compressor naris)

(2) Alar part (dilator naris)

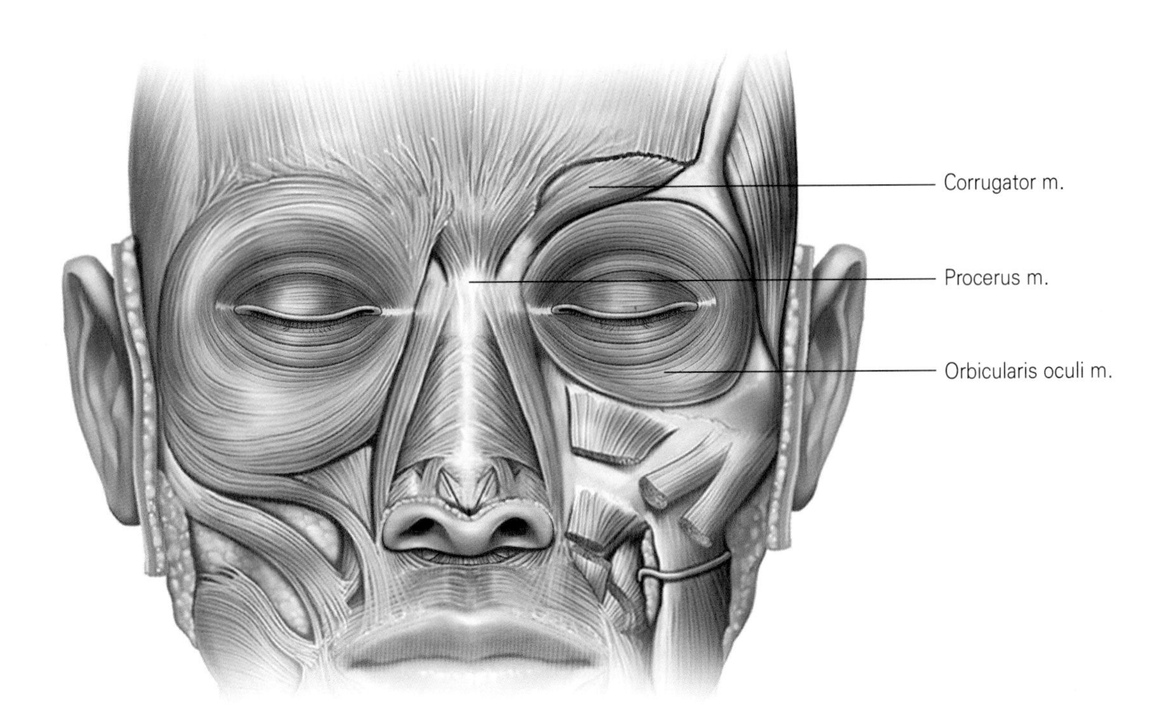

그림 3-17. 눈둘레근(Orbicularis oculi), 눈살근(Procerus), 주름근(Corrugator muscles)

Muscles of the mouth

1) Levator labii superioris(상순거근, 윗입술올림근)

① Location O : orbit의 lower margin (infraorbital foramen 직상방)

I : upper lip (orbicularis oris에 섞여짐)

② Action : upper lip 올림

2) Levator labii superioris alaeque nasi(상순비익거근, 윗입술콧방울올림근)

① Location O : maxilla의 frontal process

I : greater alar cartilage, nose의 skin, upper lip

② Action : upper lip 올림, nostril 확장

3) Levator anguli oris(구각거근, 입꼬리올림근)

① Location O : canine fossa

I : mouth angle

② Action : 구각을 위로 들어올림, contempt or disdain

4) Zygomaticus minor(소관골근)

① Location O : zygomatic bone의 malar surface (zygomaticomaxillary suture 뒤)

I : upper lip

② Action : Levator labii superioris nasi, Levator labii superioris와 함께 작용, nasolabial furrow 형성(sadness), *old age

5) Zygomaticus major(대관골근)

① Location O : zygomaticotemporal suture앞 zygomatic bone

I : mouth angle

② Action : upward, backward → laughing

6) Risorius(소근, 입꼬리당김근)

① Location O : parotid fascia

I : mouth angle

② Action : retraction of mouth angle → laughing, 보조개

7) Depressor anguli oris(구각하제근, 입꼬리내림근)

① Location O : mandible oblique line

I : lower lip skin, mouth angle

② Action : lower lip을 downward, lateralward → irony, sadness

8) Depressor labii inferioris(하순하재근, 아랫입술내림근)

① Location O : mandible oblique line

I : lower lip skin

② Action : lower lip을 downward, lateralward → irony, sadness

9) Orbicularis oris(구륜근, 입둘레근)

① Location

2 part Intrinsic muscle – Orbicularis oris itself : Incisive labii superioris and inferioris

Extrinsic muscle – Buccinator

– Levator anguli oris

– Depressor anguli oris

– Levator labii superioris

– Depressor labii inferioris

– Zygomaticus major

② Action : closure of the lips → puckering, 음식물 저작시 보조적 역할

입주위 근육 정리!!

- 올라가는 근육 : 윗입술올림근, 입꼬리올림근
- 광대로 가는근육 : 큰광대근, 작은광대근
- 옆으로 가는근육 : 소근
- 내려가는 근육 : 입꼬리내림근, 아랫입술내림근

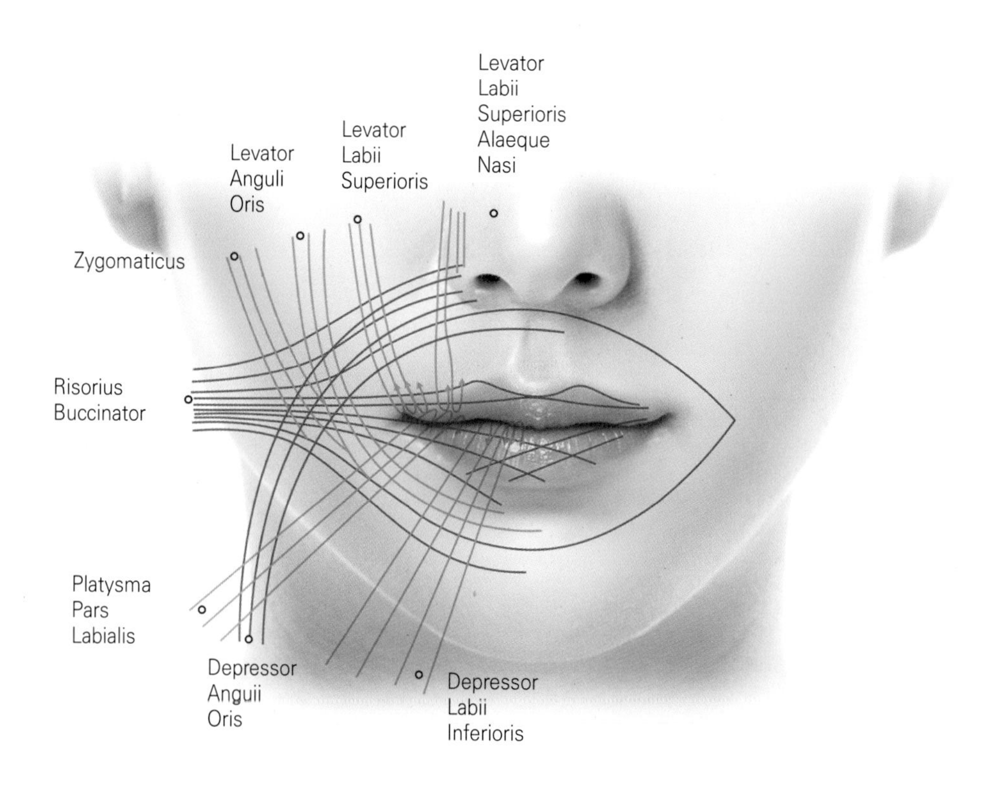

그림 3-18. **입주변근육의 도식**

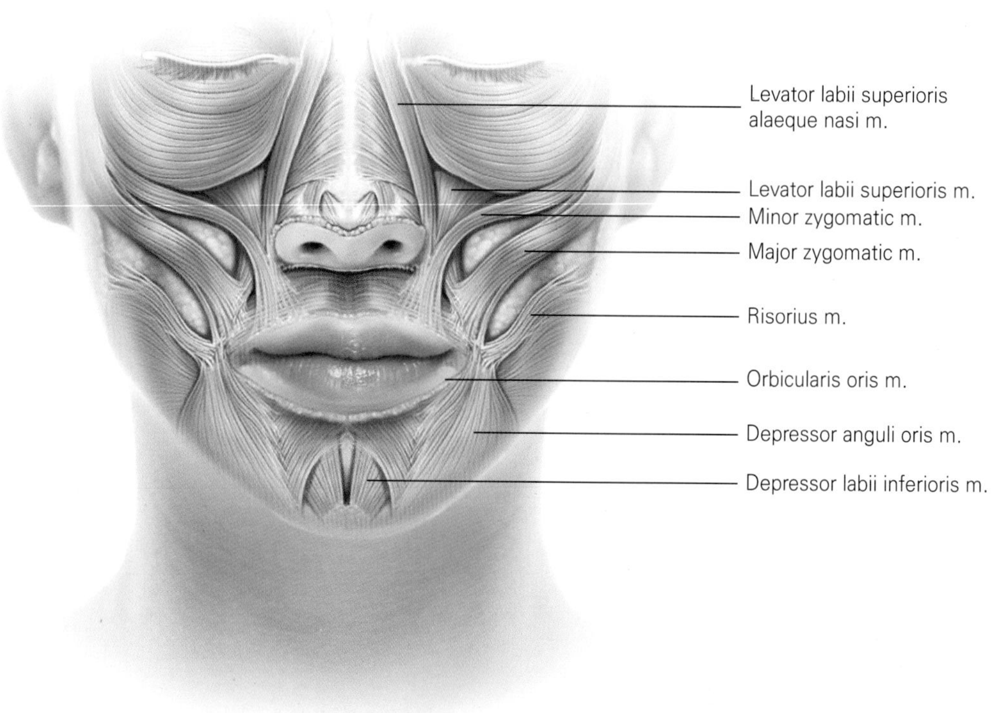

그림 3-19. **구륜근 주위의 근육들**

1) Platysma(광경근, 넓은목근)

① Location O : pectoralis major, deltoideus의 superficial fascia

I : skin, face lower part의 subcutaneous tissue

mandible의 external oblique ridge 하방

② Action : wrinkle in the neck

draws the lower lip laterally & inferiorly

2) Sternocleidomastoideus(흉쇄유돌근, 목빗근)

① Location O : sternal head – manubrium sterni

clavicular head – clavicle medial ⅓의 anterior surface

I : mastoid process

② Action : one side – lateral rotation of skull

both side – extension : posterior fibers

flexion : anterior fibers

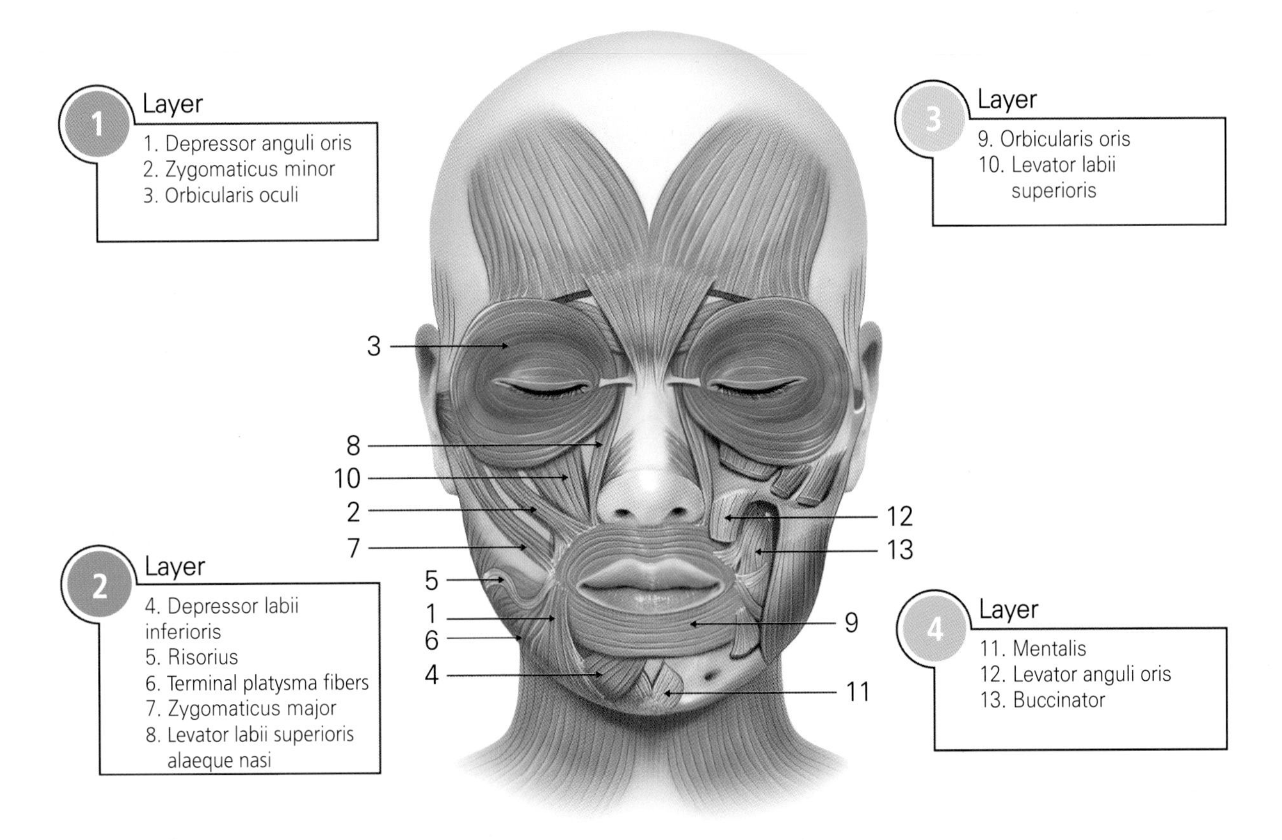

그림 3-20. **안면근육의 layer**

안면매선에 있어서 필자가 중요하게 생각하는 것중 하나가 SCM이다. 리프팅의 효과를 높이기 위하여 SCM의 기시점에 가는 모노매선을 넣어줄 필요도 있다. 또한 digastric muscle과 교근 광경근도 필요시에 가는 매선시술을 하면 좋다.

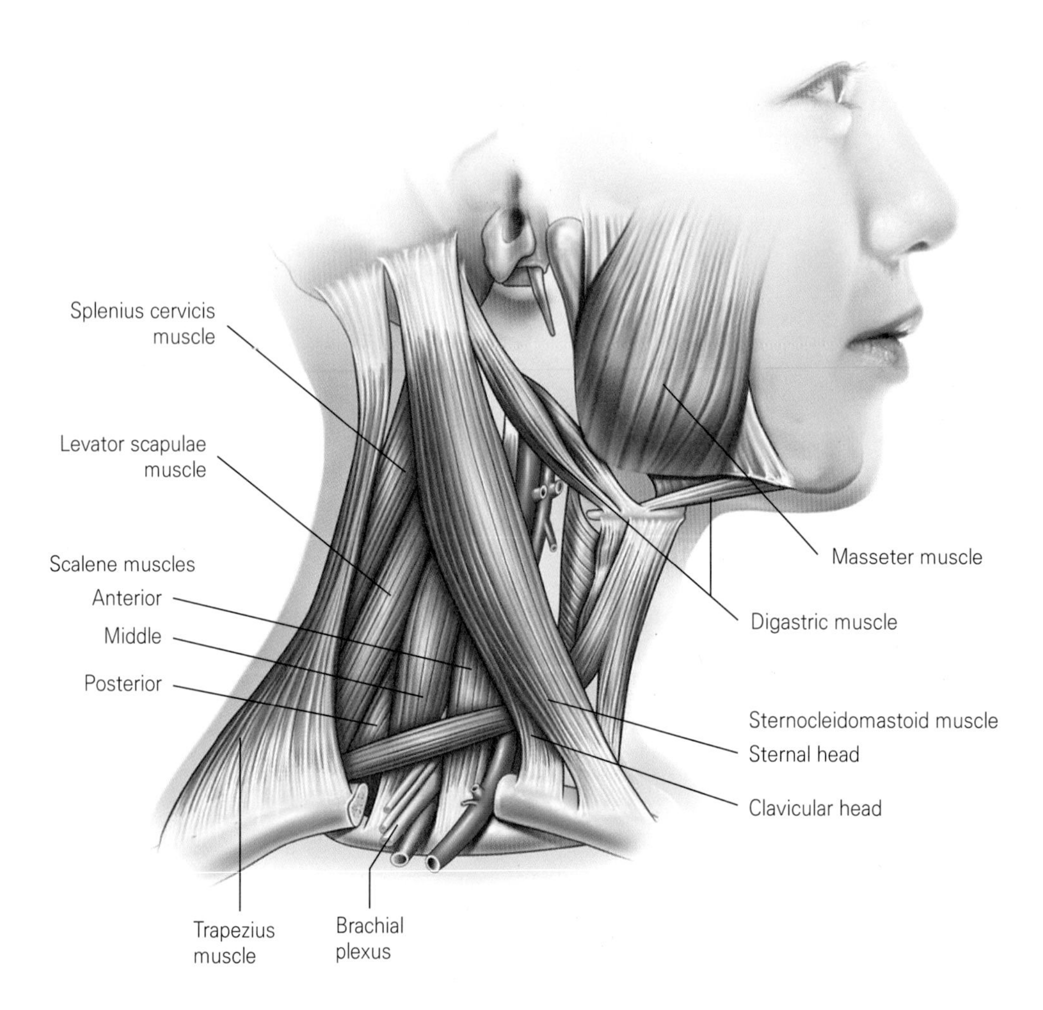

그림 3-21. **목 주변의 근육**

각각의 근육과 얼굴주름간의 관계를 나타내주는 그림

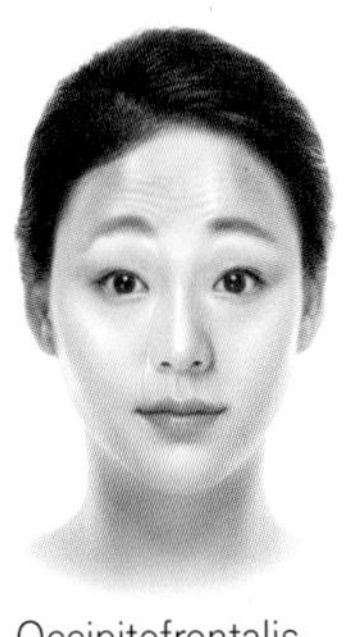
Occipitofrontalis

Corrugator supercilii

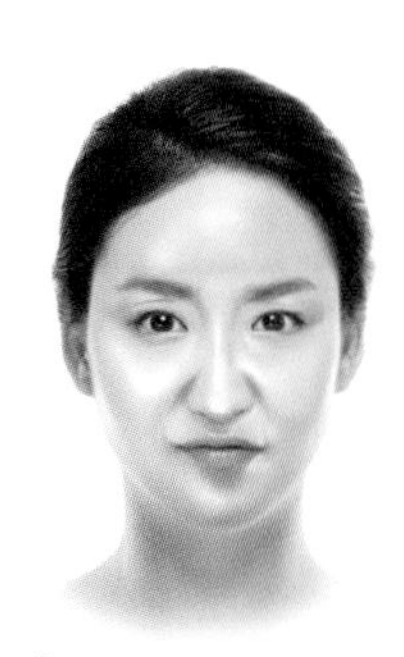
Procerus+transverse part of nasalis

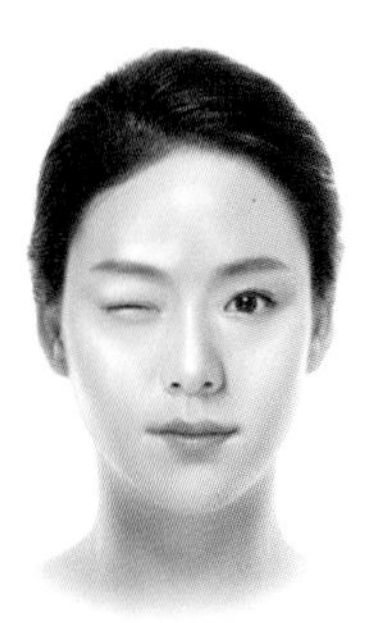
Orbicularis oculi

Lev. labii sup. alaeque nasi + alar part of nasalis

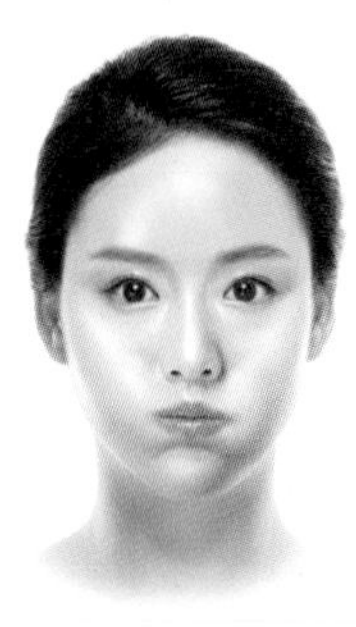
Buccinator + orbicularis oris

Zygomaticus major + minor

Risorius

Risorius + depressor labii inferioris

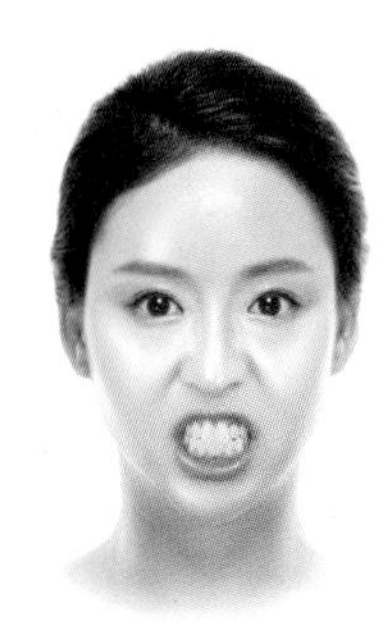
Levator labii superioris + depressor labii

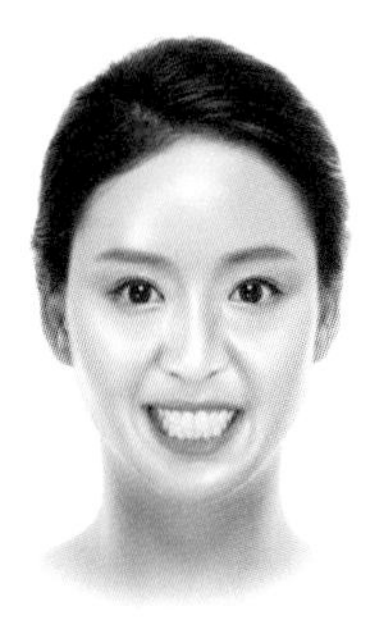
Dilators of mouth: Risorius plus levator labii superioris + depressor labii inferioris

Orbicularis oris

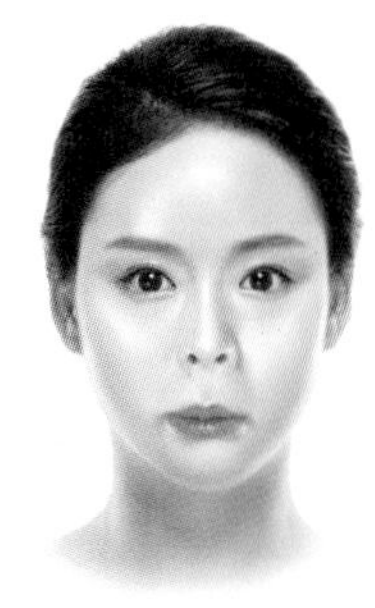
Depressor anguli oris

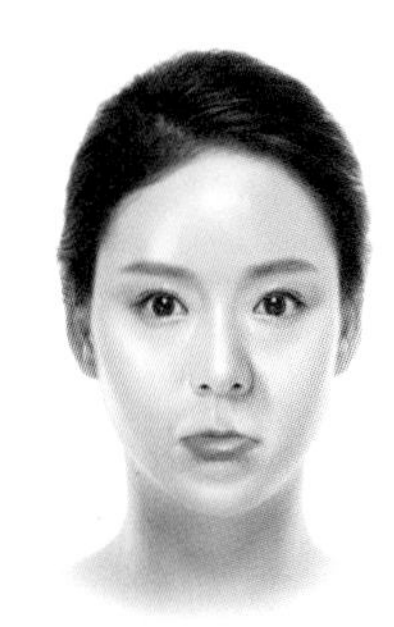
Mentalis

Platysma

그림 3-22. **근육과 얼굴주름과의 관계**

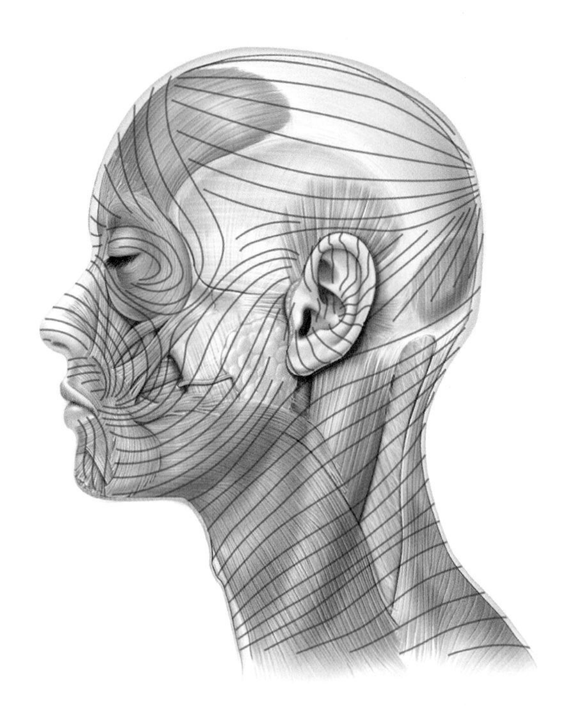

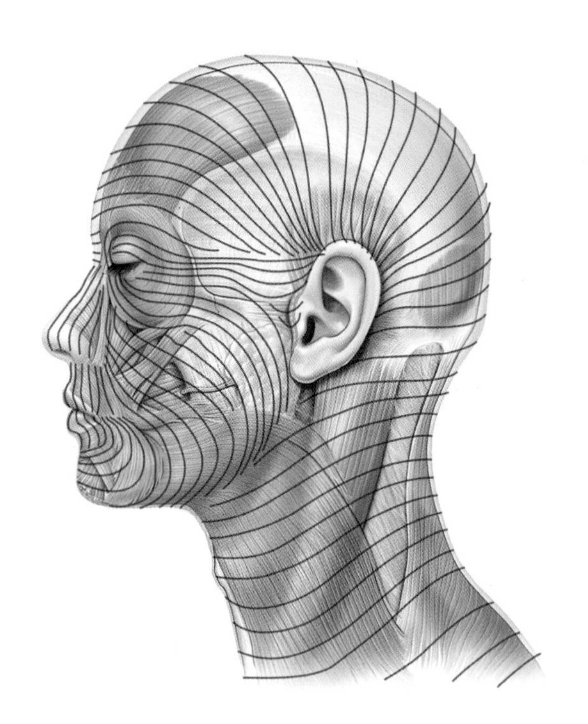

그림 3-23. **Langer's line과 Kraissl's line**

Langer's line (1861) : direction of elastic tension(cadaver)
underlying muscle contraction

Kraissl's line (1951) : relaxed skin tension line
wrinkle line, lines of greatest tension
incision line–small scar

Chapter 05

안면 혈관과 신경

매선침으로 안면의 혈관을 손상시키는 경우는 거의 없다. 필자는 안면에 쓰는 모노매선은 29게이지 이하의 가는 매선을 쓰는 것을 원칙으로 한다. 또한 캐뉼러 매선을 쓰는 경우에는 21게이지나 19게이지를 사용하여도 거의 출혈이 없다. 다만 19게이지 이상의 굵은 캐뉼러의 경우에는 아울awl을 이용하고 23게이지 파일럿 캐뉼러를 사용하여 실이 들어갈 통로를 미리 확보하고 천천히 삽입하는 것이 좋다.

대략적인 이미지로 안면혈관의 주행을 숙지하면 좋다

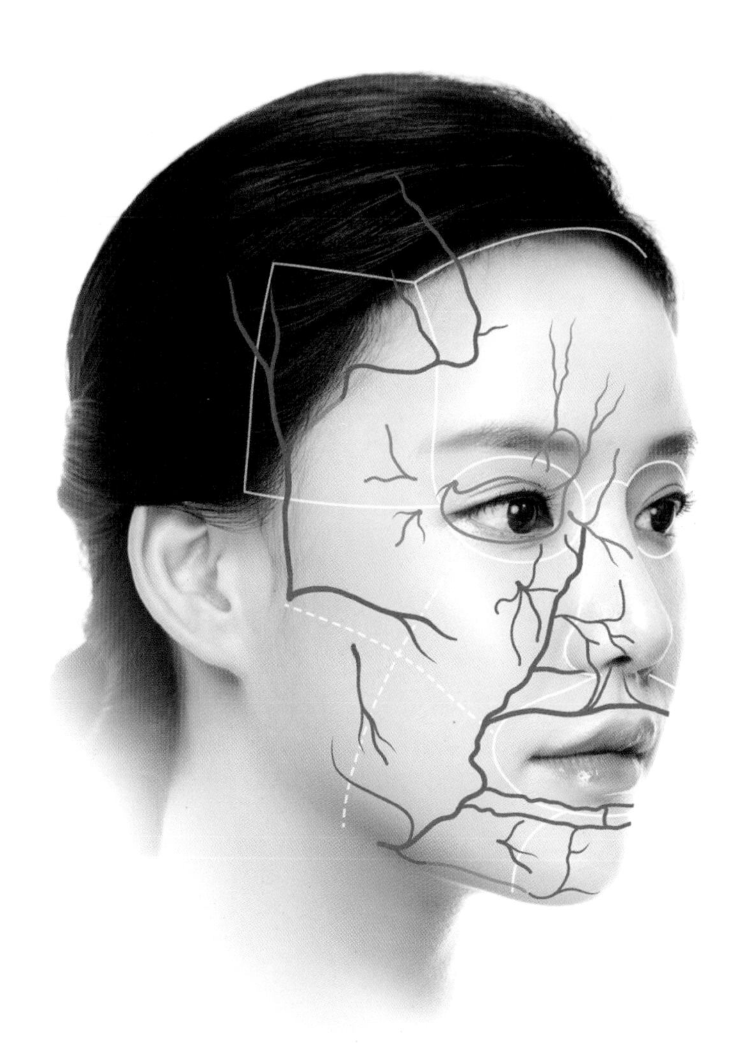

그림 3-24. Arteries supplying facial regions

마찬가지로 안면의 신경 분포를 대략적으로 이해하는 것도 필요하다.

얼굴의 경혈들은 해부학적으로 중요한 위치와 많이 겹친다. 미용침이나 매선침을 위해서는 기본적인 안면의 경혈은 기억할 필요가 있다. 양백혈, 거료혈, 대영혈이 nerve-block 마취를 하는 부위와 거의 일치하는 것을 볼 수 있다.

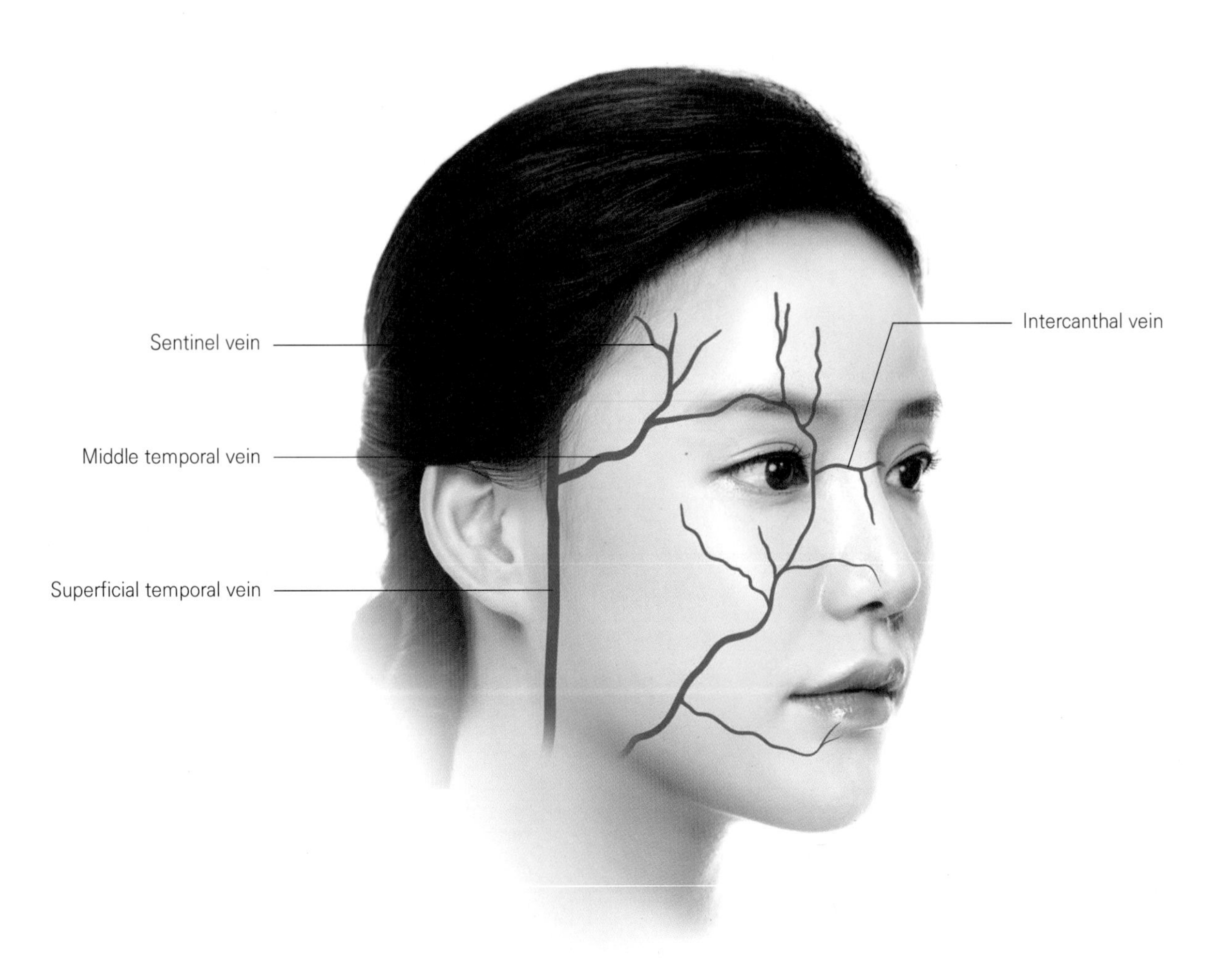

그림 3-25. **Veins of face**

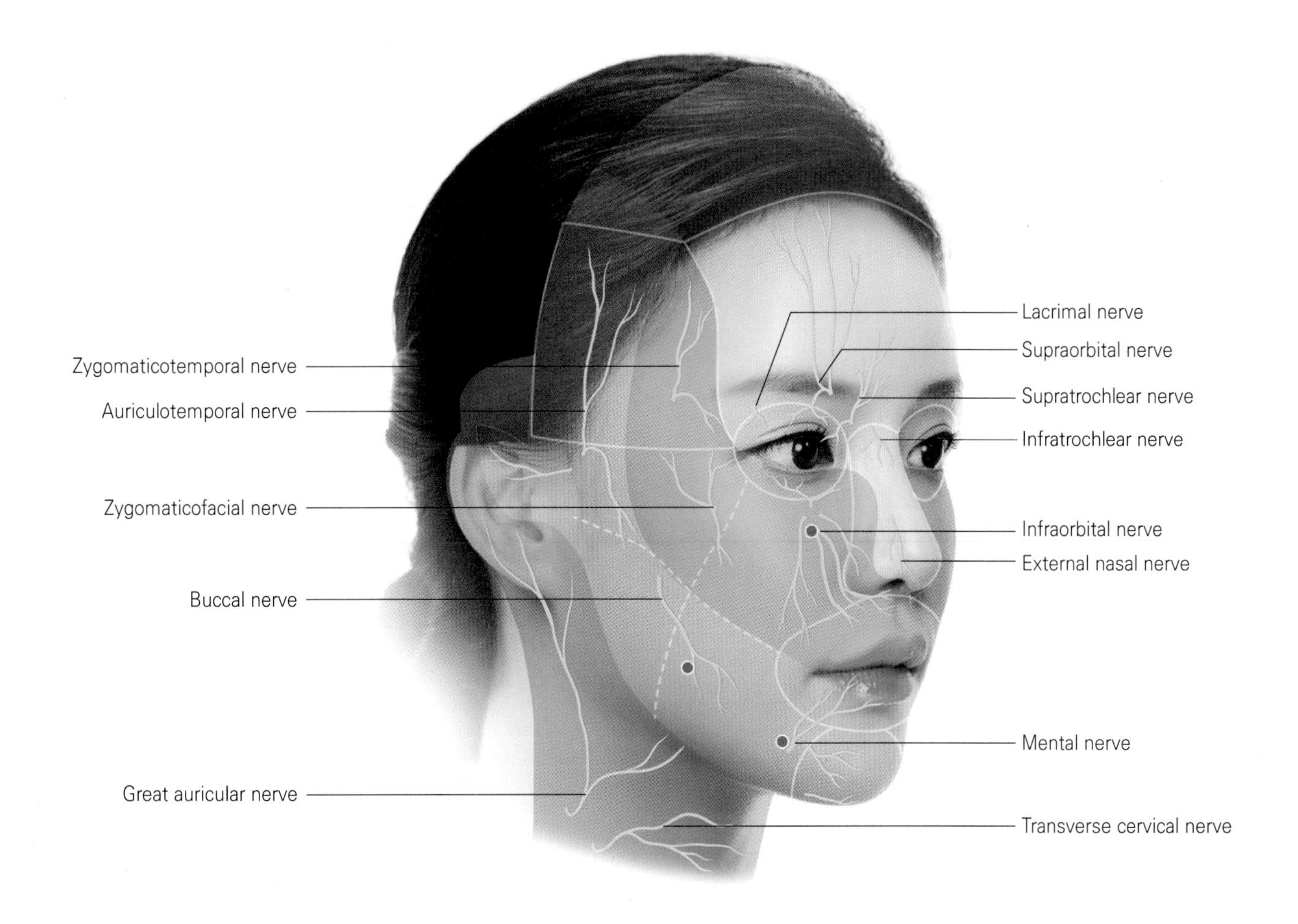

그림 3-26. **Sensory innervation of face**

안면부 미용매선 임상시술

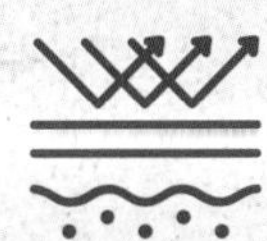

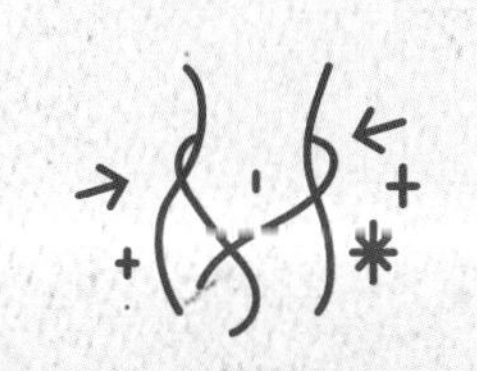

Chapter 01

PDO매선의 임상효과와 기본자입법

PDO매선의 임상효과

A. 미용적인 측면

1. 피부톤의 개선

   유두진피의 강화로 인한 허즉보기모 – 표피의 강화, 표피의 문제인 기미와 피부톤의 개선

2. 혈류순환의 증가

   혈류순환과 림프순환의 증가로 피부에 적절한 온도상승효과

3. 조직내 적절한 산소공급과 양분공급

   혈류순환 증가로 피부조직내에 적절한 산소공급과 양분공급 강화

4. 피부의 탄력증가

   섬유모세포의 활성화로 콜라겐과 엘라스틴의 강화 – 피부의 탄력이 증가

5. 피부의 보습력증가

   ECM분비 활성화로 히알루론산등의 GAG증가 – 피부의 보습기능 증가, 촉촉한 피부

6. 지방분해

   지방조직의 대사를 촉진시켜서 지방과 노폐물 분해를 증가시킨다.

7. 리프팅효과

   SMAS층을 강화하고 유지인대를 도와주며, 결합조직을 튼튼하게 하여 조직학적인 리프팅효과를 나타낸다.

B. 치료적인 측면

1. 소염진통작용

 유침기능의 극대화로 국소의 통증과 중추의 통증에 모두 좋은 소염진통작용

2. 통각과민(hyperalgeria)을 개선

 인체수용기에 대한 적절한 자극으로 감작(sensitization)을 막아주어서 통각과민을 개선한다.

3. 면역기능강화, 세포대사활동 활성화

 ECM을 강화하고 림프순환의 강화 – 림프순환의 활성화로 면역기능 증가

4. 손상된 근육조직의 치유와 근육의 강화

 근육단백질 합성을 촉진하고 근방추(muscle spindle)와 골지건기관(Golgi tendon organ)등 수용기에 적절한 자극을 준다.

5. 두경부 통증치료

 – 안면부 근육긴장을 풀어주고 혈류증가로 긴장성 두통, 항강증 등 두경부 통증치료에 탁월한 효과

 – 인체 스트레스 해소에도 도움이 된다.

PDO매선 기본자입법

1. 규칙 자입법(그림 4-1)
2. 지그재그 자입법(그림 4-2)
3. 격자무늬(mesh) 자입법 – 규칙적 자입법을 수직으로 교차한 것(그림 4-3)
4. 삼차원 격자 자입법 – 철근 콘크리트 구조물처럼 매선을 배열하는 방법(그림 4-4)
5. 교차 자입법 – 열십자 모양 또는 한 점을 중심으로 교차배열(그림 4-5)
6. 간격 자입법(그림 4-6)
7. 원형 자입법 – 작은 원을 가장자리로 매열(그림 4-7)
8. 나뭇가지 자입법(그림 4-8)
9. 누비(quilting) 자입법 – 복부에 8 cm 이상의 긴 매선을 누비 바느질하듯이 자입하는 방법
 (퀼팅은 차칫하면 딤플 현상이 발생하기 쉬우므로 얼굴이 아닌 바디 비만치료에만 사용한다)

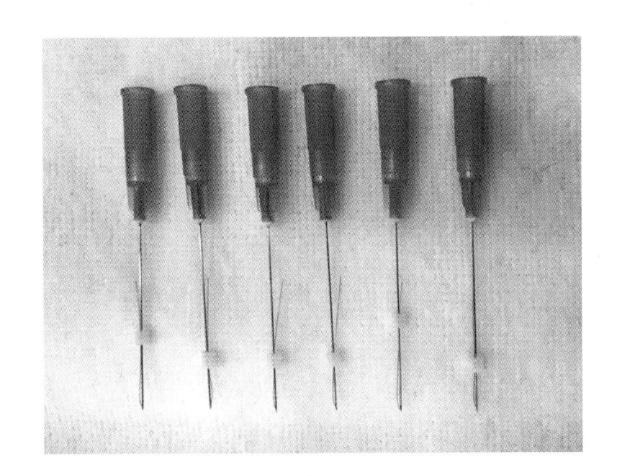

그림 4-1. **규칙 자입법**

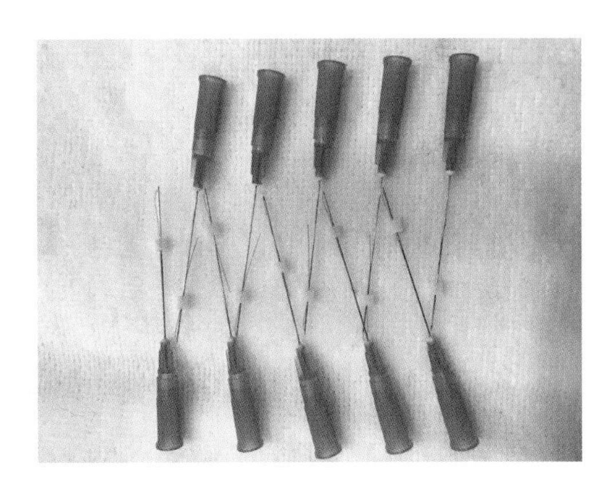

그림 4-2. **지그재그 자입법**

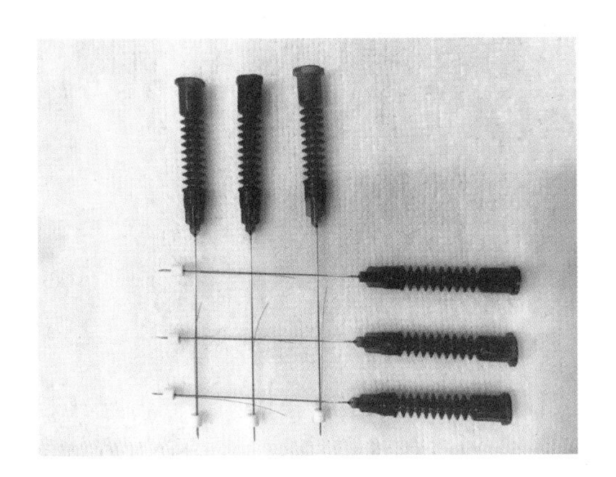

그림 4-3. **격자무늬(mesh) 자입법**

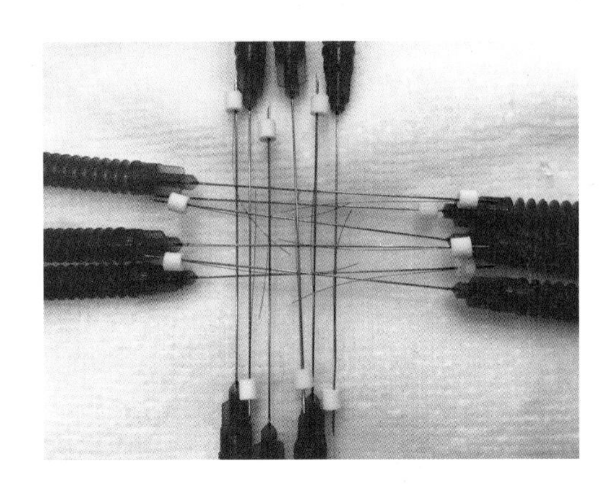

그림 4-4. **삼차원 격자 자입법**

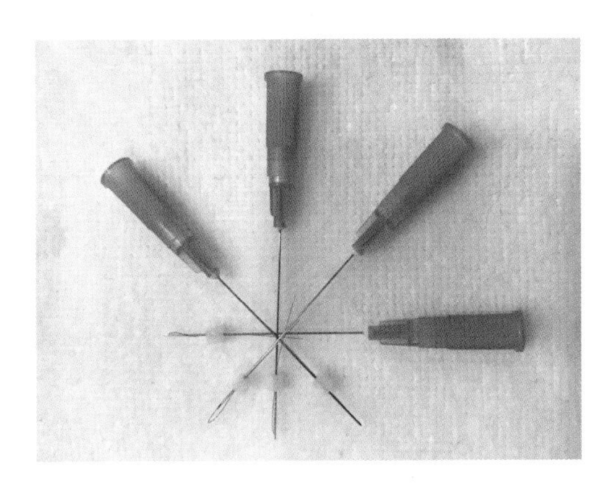

그림 4-5. **교차 자입법**

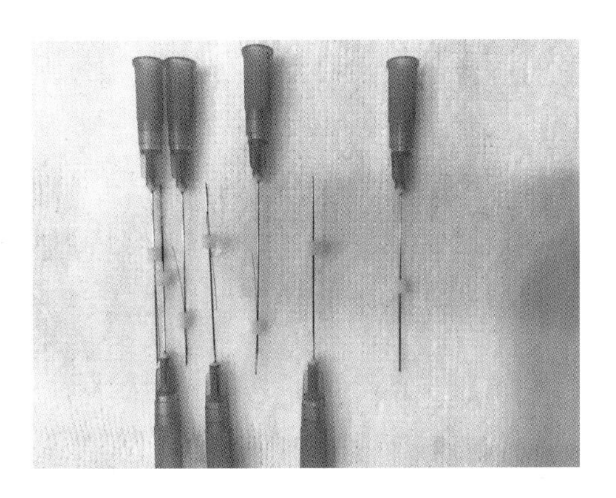

그림 4-6. **간격 자입법**

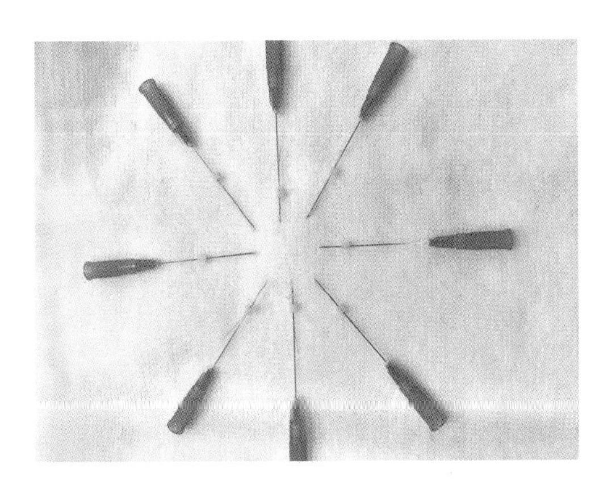

그림 4-7. **원형 자입법**

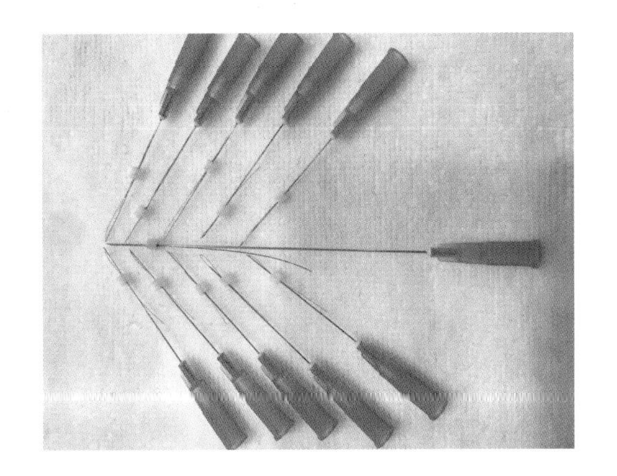

그림 4-8. **나뭇가지 자입법**

미형 리프팅의 효과

- 큰 얼굴, 무거워 보이는 얼굴, 처진 얼굴 등에 효과적이다.
- 이중턱과 팔자주름을 부드럽게 해준다.
- 피부처짐을 개선하고, 탄력이 증가되어 얼굴이 작아 보이게 한다.
- 얼굴 윤곽을 부드럽게 하고, 좌우를 균형 있게 만들어준다.
- 얼굴살 뿐만 아니라, 팔뚝, 종아리 등에도 시술이 가능해 부분비만에 매우 효과적이다.
- 경혈과 진피층을 자극해 피부가 좋아져 세련되고 젊은 얼굴로 되돌릴 수 있다.

2007년 4월 양장사대신 PDO실 매선 시연을 하고 있는 필자의 사진

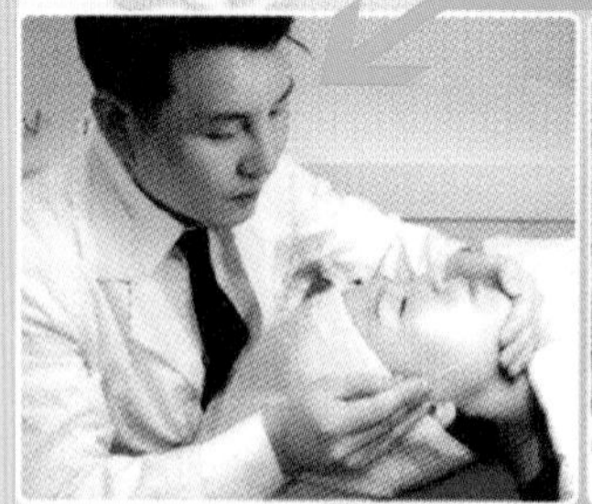

그림 4-9. **양장사 대신 PDO매선실을 이용한 필자의 매선시연 사진**
매선리프팅의 효과에 대해서 2007년이지만 12년이 지난 2019년 현재와 거의 다르지 않은 리프팅의 조직학적인 장점을 잘 설명하고 있다.

얼굴 안을 生 얼굴 밖을 生
얼굴의 안과 밖을 동시에 탱탱하게

미형 리프팅의 효과

- 큰 얼굴, 무거워 보이는 얼굴, 처진 얼굴 등에 효과적이다.
- 이중턱과 팔자주름을 부드럽게 해준다.
- 피부처짐을 개선하고, 탄력이 증가되어 얼굴이 작아 보이게 한다.
- 얼굴 윤곽을 부드럽게 하고, 좌우를 균형 있게 만들어준다.
- 얼굴살 뿐만 아니라, 팔뚝, 종아리 등에도 시술이 가능해 부분비만에 매우 효과적이다.
- 경혈과 진피층을 자극해 피부가 좋아져 세련되고 젊은 얼굴로 되돌릴 수 있다.

2007년 필자가 처음 PDO매선을 사용할 때의 홍보문구이다.

12년이 지난 지금도 한방매선시술의 임상효과는 이 기준에서 크게 벗어나지 않는다.

매선 시술자와 상담직원은 기본적인 임상효과는 언제든 설명할수 있도록 숙지하는게 좋다.

Chapter 02

PDO매선의 기본시술

Upper face에 사용되는 30게이지 이하 가는 모노매선(그림 4-10, 4-11)

Upper face 시술에 사용되는 태반과 안면용 가는 니들(그림 4-12)

그림 4-10. **30게이지 캐뉼러 모노매선**

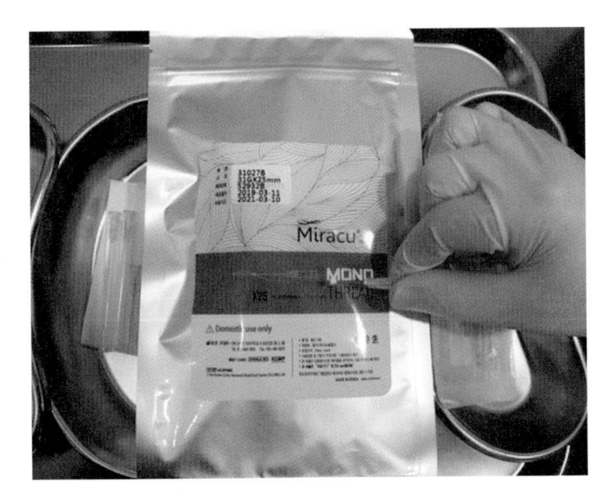

그림 4-11. **31게이지 모노매선**

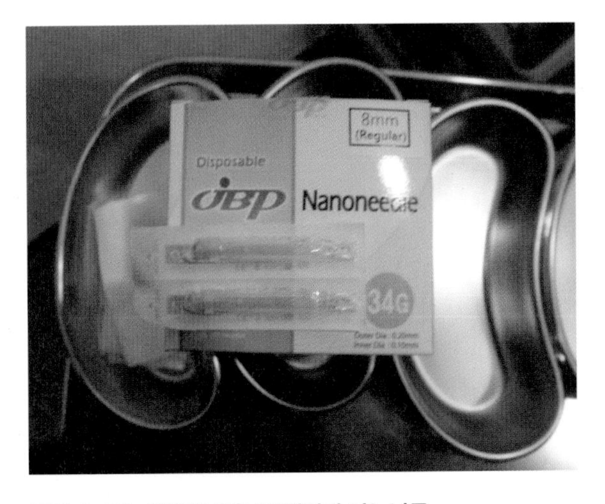

그림 4-12. **안면주사용 34게이지 나노니들**

표피강화매선

기미와 피부톤을 좋게 하기 위한 표피 강화매선은 진피층 즉 유두진피 바로 아래를 목표로 하고 30게이지나 29게이지 가늘고 짧은 매선으로 그물망 형태로 자입한다. 될 수 있는 한 통증이 적은 자침법을 시행하도록 한다. 얼굴에서 특히 피부가 비교적 두껍고 통증이 적은 볼부위와 U-zone 부위에서 얼굴 중심부를 향해서 PDO매선을 자입하면 비교적 멍과 부종에서 자유로울 수 있다.

기미와 미백 치료를 위해서 자하거 약침을 같이 시술하기도 한다(그림 4-13).

1. 각질과 표피조직을 튼튼하게 한다.
2. 피부 화이트닝 효과도 있다.

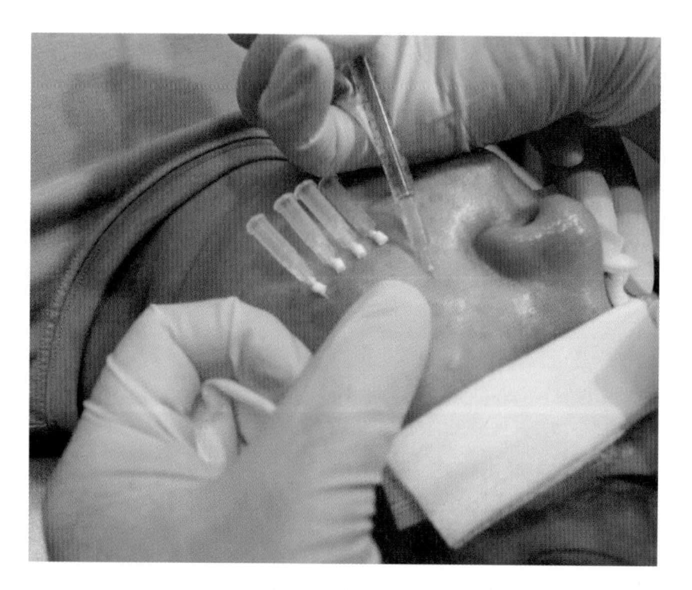

그림 4-13. **기미와 미백을 위한 매선과 자하거 약침 시술**

탄력재생 매선(SMAS 매선)

탄력재생 매선은 필자가 2007년 처음 PDS녹는실 매선을 사용하면서 초기에 가장 많이 시술하고 효과도 좋은 시술이었다. 2007년 그때는 기능성 녹는실이나 코그 녹는실 같은 특수매선이 존재하지 않았기에 모노매선을 가지고 얼굴피부 전체의 진피와 SMAS 유지인대를 자극하는 탄력재생 매선이 한방 매선시술의 주종을 이루었다고 할 수 있다.

2007년 이전에는 양장사와 굵은 스파이널 니들과, 심한 염증반응 때문에 그 누구도 얼굴에 60~100개 정도의 탄력매선을 시술할 엄두도 내지 못하였으나 27~29게이지 가는 주사침에 안전한 PDS실을 EO가스에 소독하여 멸균침을 캐리어로 쓰면서 대량으로 안면 부위에 매선침을 자입할 수 있게 되었다.

탄력재생 매선은 또한 안면노화나 구안와사와 같은 안면부 피부 근육조직의 손상과 섬유화된 안면조직의 개선에 큰 효과를 나타내고 있어서 여러 곳에서 현재도 많이 사용되고 있다.

30게이지나 29게이지 매선으로 사선으로 bone touch하는 느낌으로 사막에 물펌프를 자입한다는 느낌으로 실을 심어준다. SMAS 층을 3차원으로 격자 모양으로 실을 깔아주는 느낌으로 시술한다(그림 4-14).

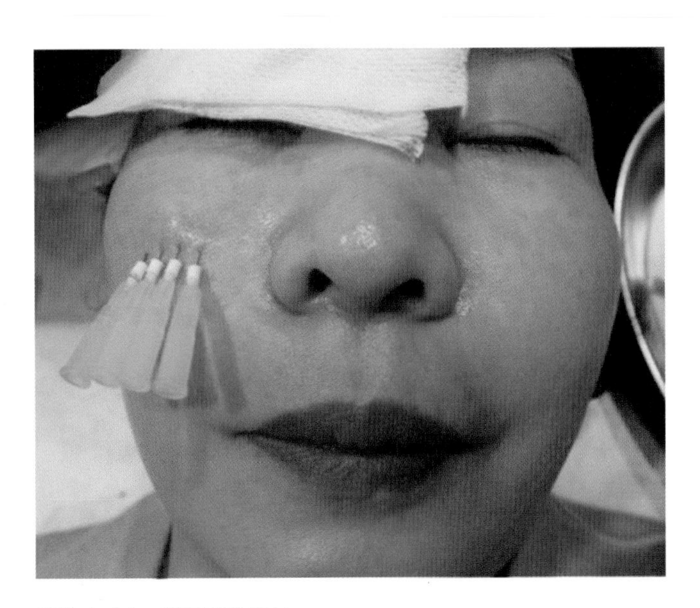

그림 4-14. **탄력재생 매선**

Chapter 03

V라인 리프팅

캐뉼러 코그매선 V라인 리프팅 기본세팅

- 23게이지 펀칭니들, 23게이지 캐뉼러, 아울(awl), 커팅가위, 타이tie용 포셉, 니들홀더(그림 4-15)
- 리프팅에 쓰는 기본 캐뉼러 코그매선. 21게이지, 19게이지, 18게이지(그림 4-16)
- 시술용 베개, 컴포트 인형, 볼(그림 4-17)

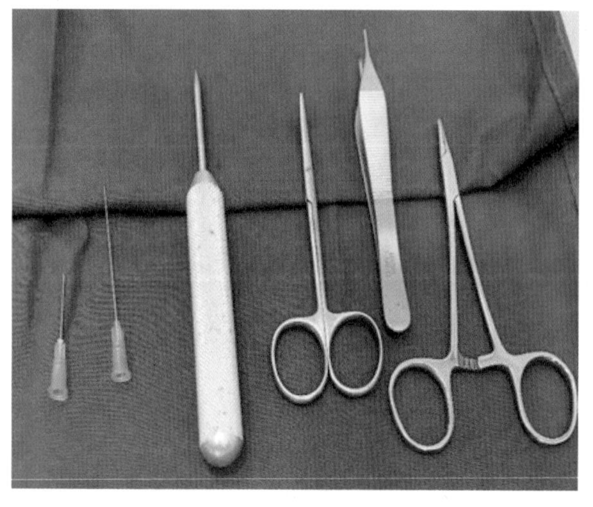

그림 4-15. **23게이지 펀칭니들, 23게이지 캐뉼러, 아울(awl), 커팅가위, 타이용 에디슨 포셉, 니들홀더**

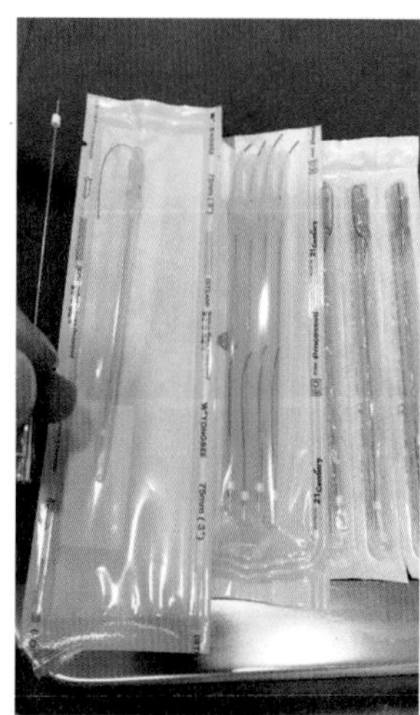

그림 4-16. **21게이지, 19게이지, 18게이지 캐뉼러 코그**

그림 4-17. **시술용 베개, 컴포트 인형, 볼**

V라인 리프팅

PDO매선 리프팅의 꽃이라고 할 수 있는 시술이다. 기타 다른 안면부 시술들에도 되도록 같이 병행하는 것이 좋다. 특히 mid face와 lower face의 거의 모든 시술에 V라인리프팅을 기본적으로 같이 깔아주는 것이 좋다. 과거에는 모노매선을 대량 이용하거나 커팅니들 코그실을 사용하여 리프팅 시술을 하였으나, 캐뉼러 코그매선이 나온 이후로는 필자는 반드시 캐뉼러 코그를 이용하여 V라인리프팅 시술을 하고 있다.

물론 캐뉼러 코그로 전체적인 틀을 잡아주고 모노매선으로 보완해주는것도 좋으나 V라인 리프팅의 핵심은 캐뉼러 코그를 이용하는 것이다. 캐뉼러 코그로 당긴후 탄력재생매선(SMAS매선)을 더해준다는 개념으로 시술하는 것도 좋다.

초보자가 사용하기에 가장 적합한 캐뉼러 코그매선은 21게이지이다. 가장 빠르고 안전하게 리프팅할 수 있으며 통증과 붓기도 적은편이다. 그 다음에는 19게이지를 쓴다. 피부가 많이 두껍거나 강력한 리프팅을 원할 때는 18게이지 굵은 캐뉼러를 쓴다. 딤플을 막기 위하여 피하층으로 젠틀하게 자입하며, 반드시 손으로 촉지하면서 캐뉼러를 자입하는 것이 좋다.

- 앵커링 – 과거 침습적인 실리프팅은 실제로 골막에 앵커링을 하는 경우가 있지만, 일반적인 녹는실 리프팅은 실을 결찰(tie)하여 앵커링을 할 수 있다, 다만 이런 경우에 딤플이 생기기 쉬우므로 신중히 득실을 고려하는 것이 좋다.

일반적인 리프팅과 역reverse 리프팅

때로는 당기는 방향을 반대로 하여 리프팅하는 경우도 있다. 대개 옆머리나 모발 근처에서 리프팅을 하다가 감염이나 사고를 겪은 사람들이 이와 같은 역리프팅을 시도하는 경우가 많다. 필자의 경우는 아직까지 일반적인 리프팅으로 감염이나 사고를 겪은 적은 없다. 항상 캐뉼러 니들을 이용하여 미리 공간을 확보하고 모발에서 최소 5 mm 정도 간격은 유지하기 때문이다. 필자의 경험으로는 역리프팅도 어느정도 효과가 있지만, 정상적인 리프팅보다는 효과가 떨어지는 경우가 많다.

피치못할 사정이나 여러 문제 때문에 역리프팅을 해야만 하는 경우 말고는 정상 리프팅을 기본 원칙으로 생각하는 것이 좋다.

자입점

필자가 주로 사용하는 V라인 리프팅 시작점은 B포인트이다.

B포인트는 외안각(外眼角)을 수평으로 연장하는 선상에서 5 mm 아래 발제 앞 5 mm 교차 지점을 의미한다. 실제 임상에서는 B포인트에서의 환자분의 혈관이나 여러 상태를 고려하여 전후좌우로 어느 정도 여유를 두고 자입한다.

A포인트는 B포인트 상방 3 cm 또는 눈썹을 수평으로 연장하는 선상에서 1 cm 발제 앞 5 mm 지점을 의미한다. 얼굴을 거상하는데 주안점을 둘 때는 A포인트를 선호하는데 필자의 임상경험으로 A포인트는 출혈과 부종의 위험이 B포인트보다는 크다.

팔자와 마리오네트까지 고려할 때는 B포인트를 선호하며 때로는 A포인트와 B포인트 양쪽 위치 모두가 자입하여 합 벡터의 개념으로 리프팅을 해줄 때도 있다.

필자는 zygomatic arch를 지나가는 것을 별로 좋아하지 않으며 멍과 출혈 부종의 위험을 최소화할 수 있는 위치에서 자입하는 것을 좋아한다. 헤어라인 부위보다 5 mm정도 앞의 위치에서 혹시나 발생할 수 있는 감염의 위험을 방지하는 것이 좋다.

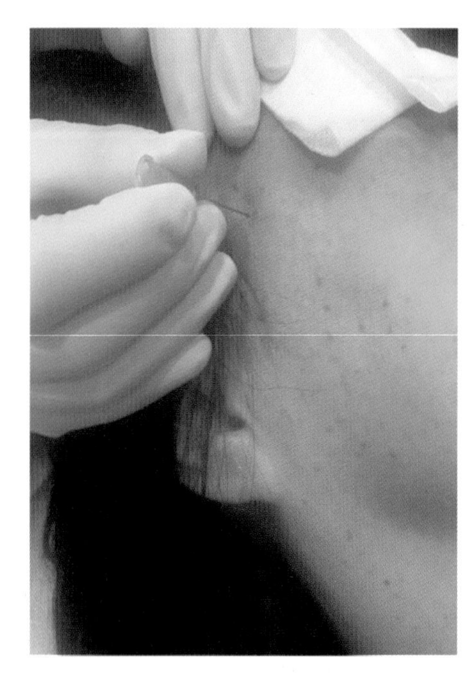

그림 4-18. **펀칭니들로 자입점 확보**

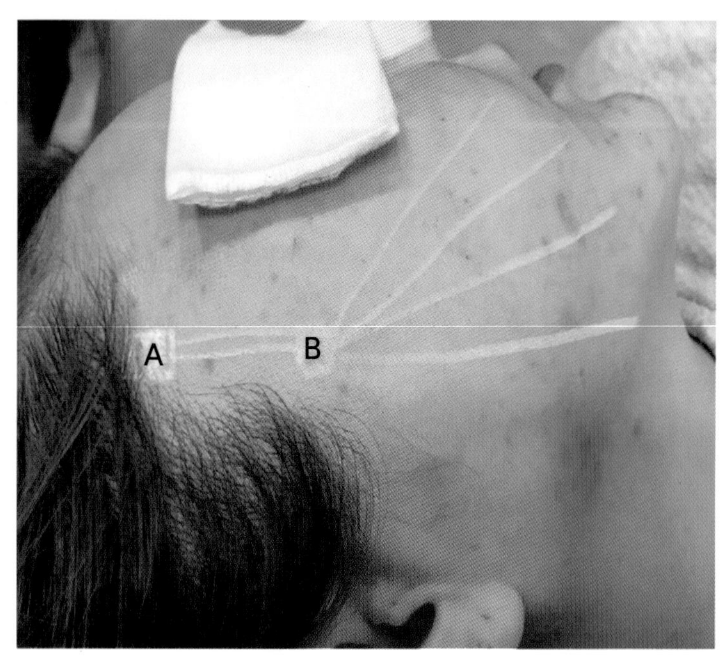

그림 4-19. **A포인트와 B포인트**

시술순서

1. 리프팅할 부위를 선정하고 펜슬로 마킹한다.
2. 펀칭니들(23 G)로 펀칭하고 같은 게이지의 캐뉼러또는 아울(awl)을 이용하여 리프팅실이 들어갈 입구를 확보한다(그림 4-20, 4-21).
3. 가급적이면 23 G 파일럿 캐뉼러로 코그실이 들어갈 통로를 미리 확보한다. 끝이 둥근 캐뉼러를 이용하여 코그실이 들어갈 위치가 너무 얕아서 딤플이 생기지 않도록, 또는 너무 깊지는 않도록 미리 길을 만들어 본다. (초보일때는 가급적 캐뉼러를 피하밑 근막 바로 위쪽으로 깊게 넣는 느낌으로 진입하여 딤플 예방에 최선을 다한다).
4. 21 G 코그 캐뉼러실을 확보한 공간으로 젠틀한 니들링으로 진입한다. 만약 입구에 캐뉼러 코그가 잘 들어가지 않는다면 다시 한번 아울(awl)이나 파일럿 캐뉼러를 이용하여 입구를 확보한다(그림 4-20).
5. 원하는 위치까지 코그실을 진입시킨 후에는 혹시 구멍으로 미세한 출혈이 있다면 피를 짜주는 식으로 피부를 위로 쓰다듬고 어느정도 지혈이 된 후에 코그실을 위로 거상시키고 코그가 피부에 잘 밀착하도록 눌러준다 (그림 4-22, 4-23).
6. 충분히 리프팅한 후에 가위로 커팅을 한다. 이때 절대 실이 삐져 나오지 않도록 0.5센티 정도 가위로 피부를 아래로 누른 후 커팅한다(그림 4-24).
7. 만약 고정점을 만들고 싶다면 두 개의 실을 tie해서 커팅한다(그림 4-25, 4-26).

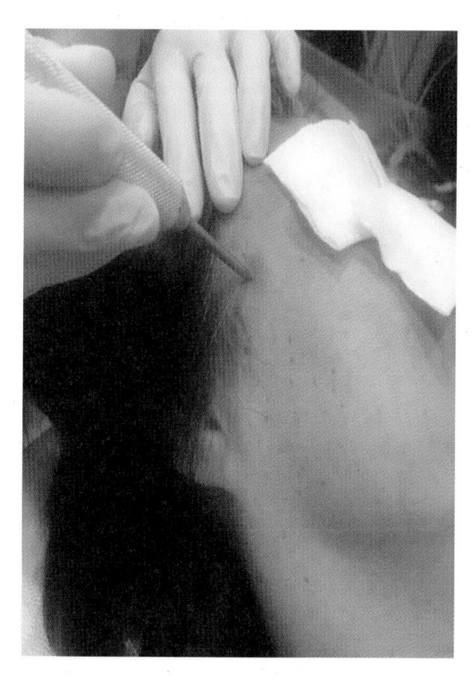

그림 4-20. **캐뉼러나 아울로 자입점을 넓힌다.**

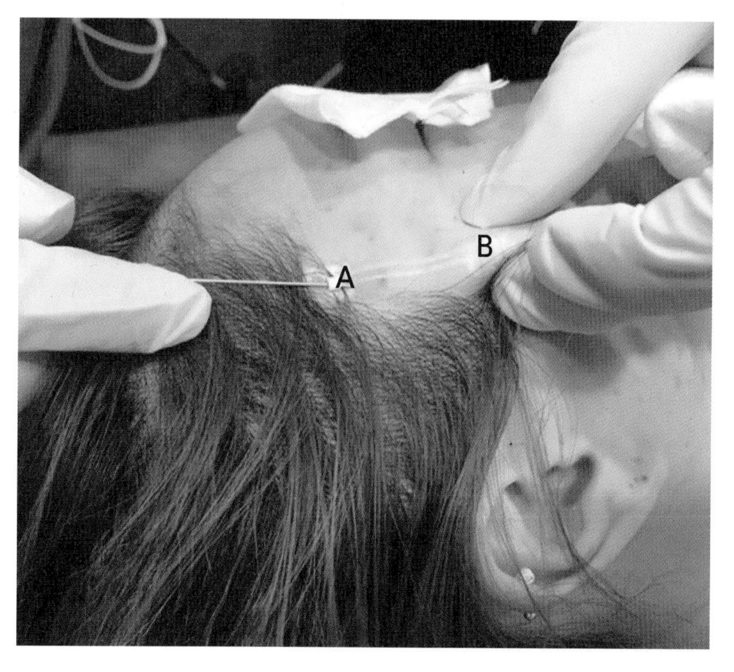

그림 4-21. **캐뉼러로 코그가 들어가기 전에 먼저 통로를 확보한다.**

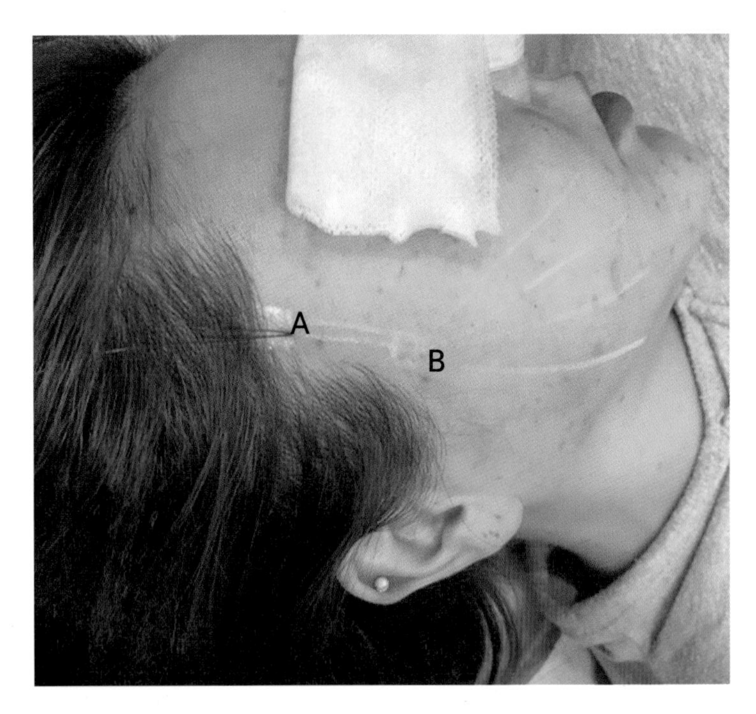

그림 4-22. A지점을 자입점으로 21게이지 10 cm 코그실을 넣었다.

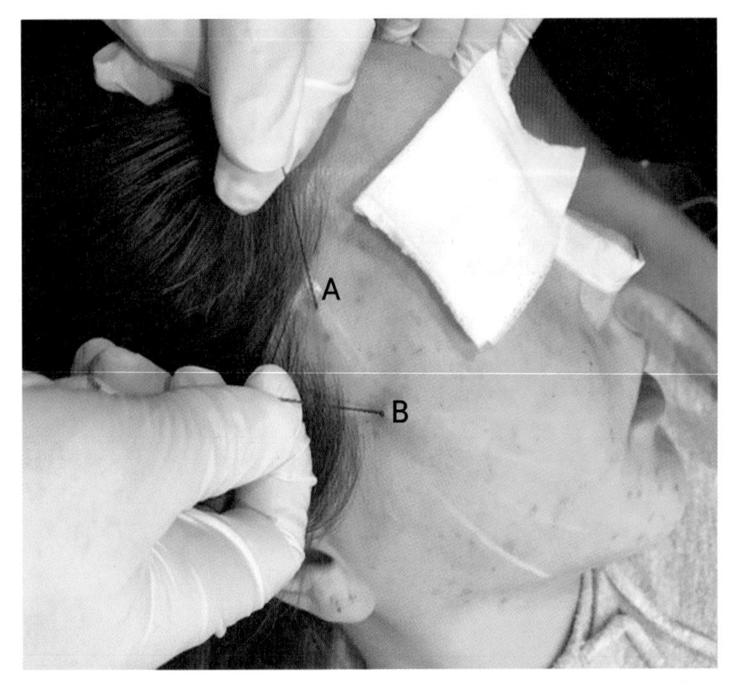

그림 4-23. A지점과 B지점에 각각 21게이지 10 cm 코그실 2개씩 삽입

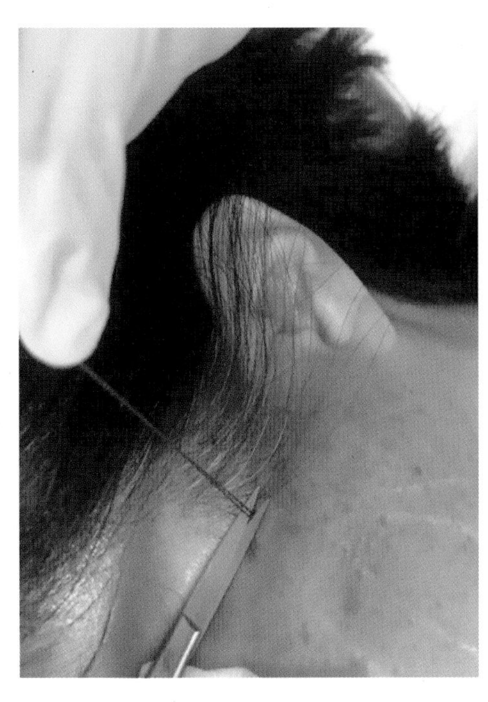

그림 4-24. 코그실을 당기고 커팅할때는 가위로 5 mm정도 피부를 눌러주고 커팅한다.

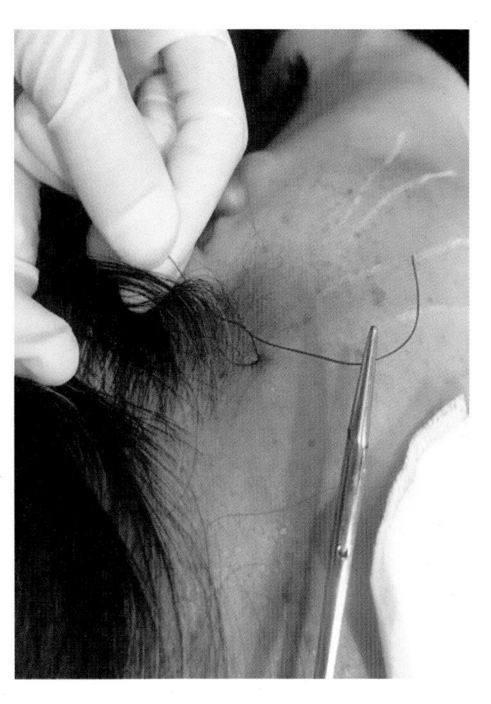

그림 4-25. 앵커링을 위하여 니들홀더로 타이(tie)하여 매듭을 만든다.

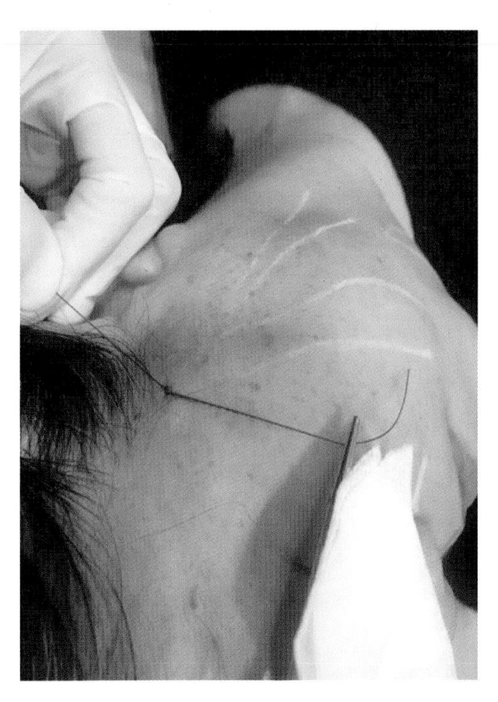

그림 4-26. 매듭을 만든 후에 실을 팽팽하게 당겨 매듭이 자입점 안쪽으로 깊이 들어갈 수 있게 한다.

안면윤곽리프팅 효능광고 예시

그림 4-27. **리프팅설명사진**

그림 4-28. **리프팅설명사진**

Chapter 04

Upper face 매선시술

이마주름

보통 29~30 게이지 모노매선으로 사진과 같이 자침한다. 꺼진 이마에는 트윈이나 스크류매선을 이용하기도 하며, 때로는 가는 23게이지 코그 매선을 이용하여 전두근의 근막위로 당겨주는 시술을 하기도 한다.

미세한 이마주름에는 이마 전체를 격자무늬(mesh) 자입법으로 모노매선을 깔아주는것도 좋다(그림 4-29, 4-30).

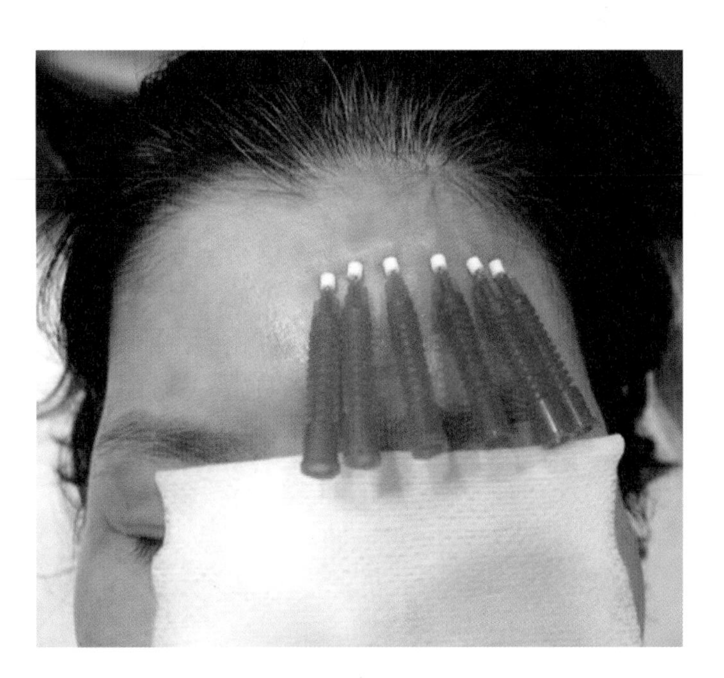

그림 4-29. **이마주름시술**

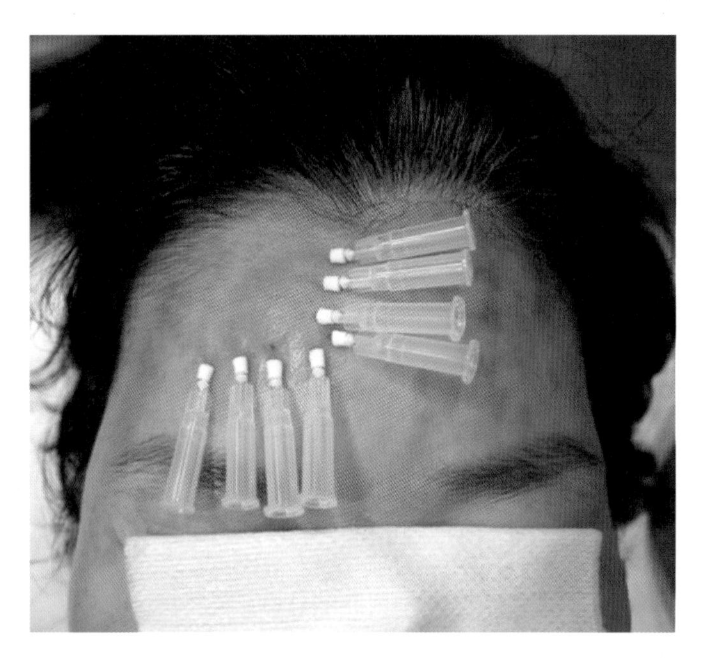

그림 4-30. **mesh 이마주름시술**

미간주름

30게이지나 29게이지 모노매선을 이용하여 추미근의 결을 따라서 근막위로 PDO매선을 주입한다.

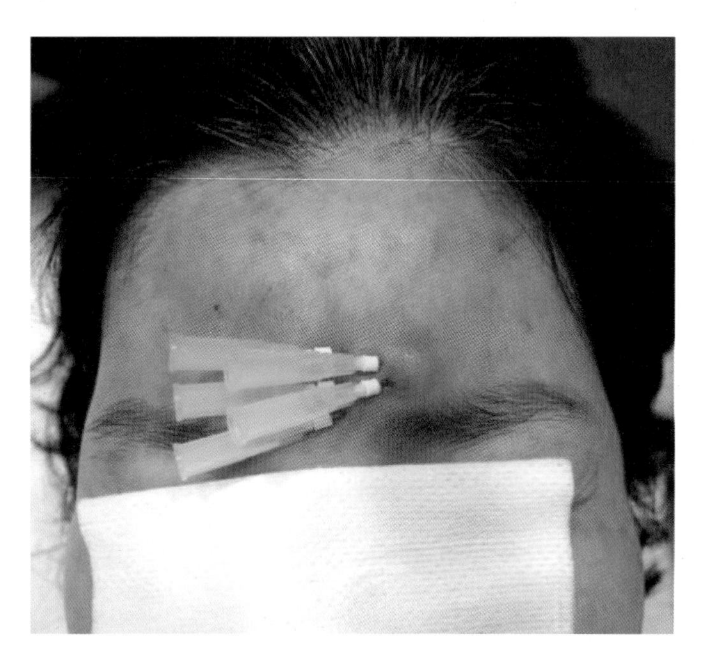

그림 4-31. **미간주름시술**

눈가성형

멍과 출혈이 호발하는 부위여서 30게이지 매선을 이용하여 안륜근의 결을 따라서 PDO매선을 주입한다. 출혈 방지를 위하여 특수 제작된 30게이지 캐뉼러 모노매선을 사용하기도 한다(그림 4-32).

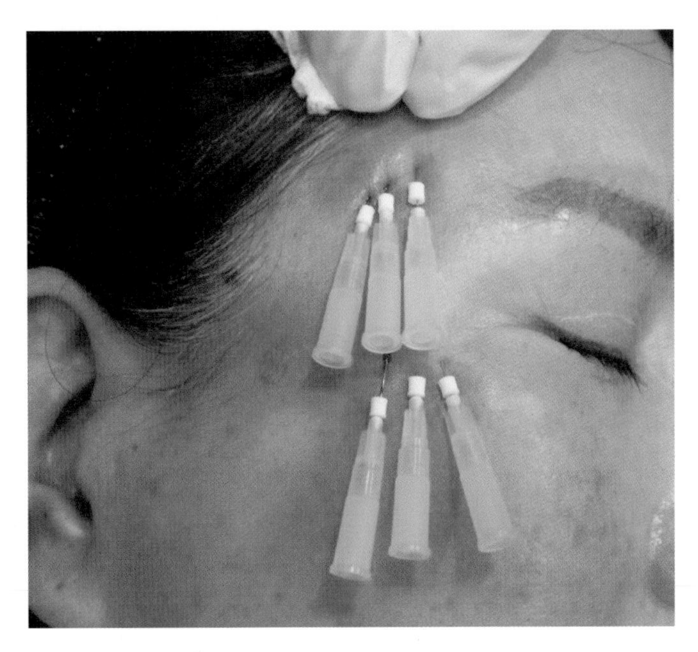

그림 4-32. **눈가시술**

눈밑성형

멍과 출혈이 호발하는 부위여서 30게이지 매선을 이용하고 때로는 특수 제작된 30게이지 캐뉼러 모노매선을 부채살 모양을 대량으로 깔아주어 꺼진 눈밑 부분을 채워준다(그림 4-33, 4-34).

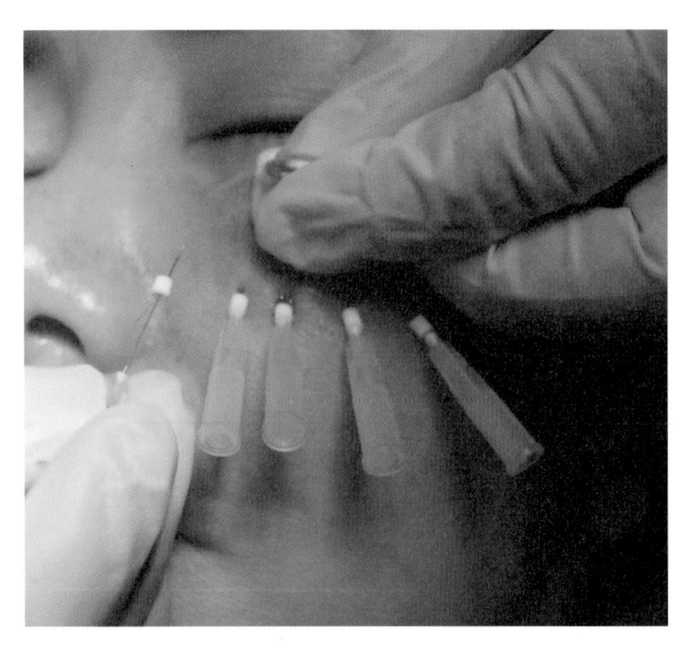

그림 4-33. **눈밑시술**

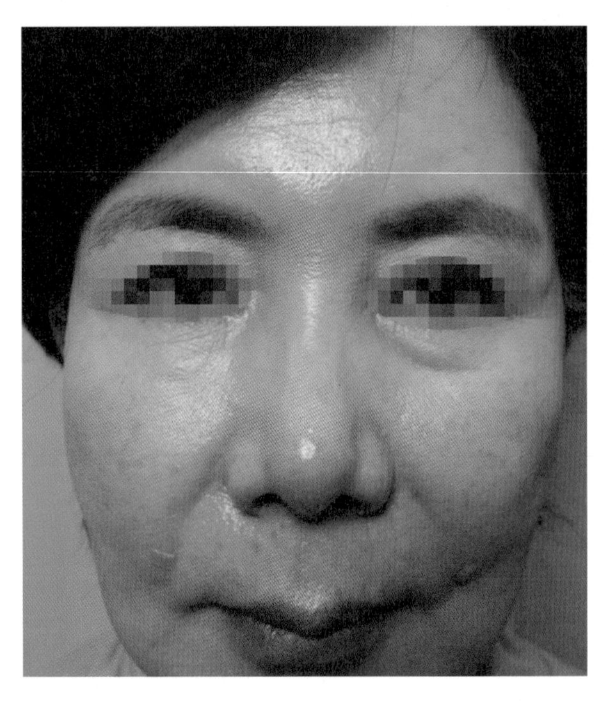

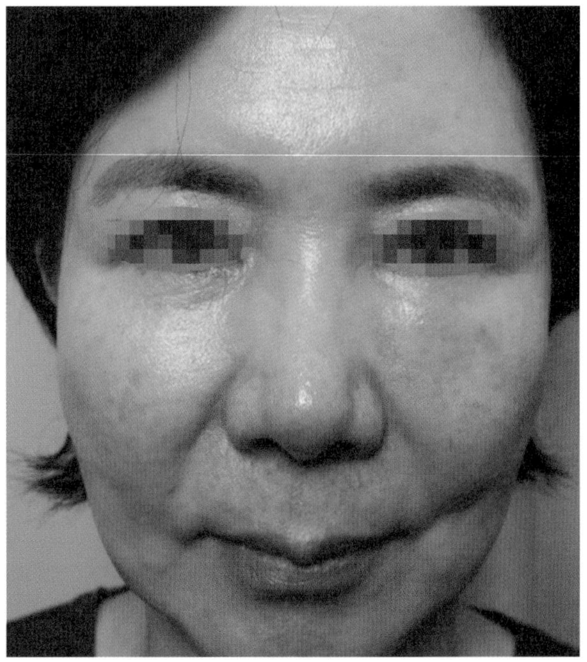

그림 4-34. **눈밑시술 전후 사진**

Chapter 05

Mid face 매선성형

팔자주름

10여년 전에는 팔자주름 부위에 실리콘 보형물을 삽입하여 para-nasal 부위의 defect를 보완하는 시술이 유행하였다. 귀족수술이라고 알려진 이 시술은 나이를 젊어 보이게 하며, 보다 귀족적인 안모를 얻을 수 있다는 뜻에서 명칭되었다. 그러나 현재에는 실리콘 특유의 부자연스러움과 이물감, 노화에 따른 효과의 감소로 거의 시술되고 있지 않으며, 최근에는 매선시술의 발달로 예전보다 훨씬 뛰어난 결과를 보이고 있다.

팔자주름과 해부생리

임상에서의 팔자주름은 근육적인 문제보다는 노화로 인한 콜라겐 등 ECM의 감소로 인한 조직학적인 원인에 의하여 발생하는 조직의 함몰이 더 큰 비중을 차지하고 있다. 특히 팔자주름은 야외활동을 많이 하는 중노년층의 남성들에게 깊은 형태로 나타나는 경우가 많다. 여성형 팔자주름은 광노화의 영향이 적은 편이나 남성의 경우에는 광노화의 영향을 많이 받으며 이런 경우 주름을 펴는데 많은 노력이 필요하다.

노화가 진행됨에 따라 팔자주름 부위의 피하 지방층이 위축되며 진피 두께가 얇아지고 탄력이 저하되면서 주름이 더 깊어지게 된다.

팔자주름은 일상생활을 위한 얼굴의 움직임에도 영향을 받는다. 팔자주름을 만드는데 관여하는 근육에는 윗입술올림근, 윗입술콧방울올림근, 큰광대근, 작은광대근, 입꼬리당김근 등 여러 가지 근육이 있다.
평소에 웃음을 많이 할 경우 이러한 근육 때문에 팔자주름이 깊어질 수 있다.

팔자주름 또한 유전적인 영향을 많이 받으며 심지어 20대에 깊어지는 경우도 있다. 그러나 대부분의 팔자주름은 노화와 감정표현, 행동 습관에 따라서 다양한 형태로 나타난다.

팔자주름은 리프팅과 함께 조직의 함몰을 개선하여야 한다. 따라서 매선 또한 조직을 채울 수 있는 굵은 채움매선으로 접근하는 것이 좋으며, 또한 유지인대의 약화로 인한 fat fad의 처짐을 잘 살피고 코그실로 당기는 리프팅 매선을 병행하는 것을 원칙으로 한다.

임상에서는 채움매선을 이용하여 주름이 길이에 맞게 펀칭하여, 채움매선으로 함몰부위를 채워준다.

채움매선 – 멀티실, 스프링매선, 캐번매선, meshfill매선(그림 4-35, 4-36, 4-37, 4-38)

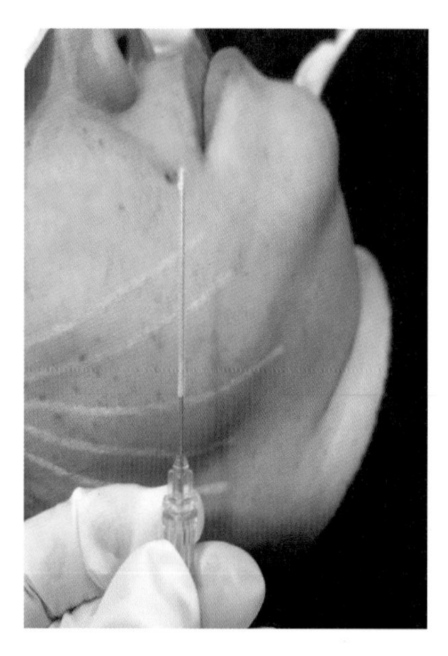

그림 4-35. **함몰된 팔자부위를 채우기 위한 채움 전용 매선**

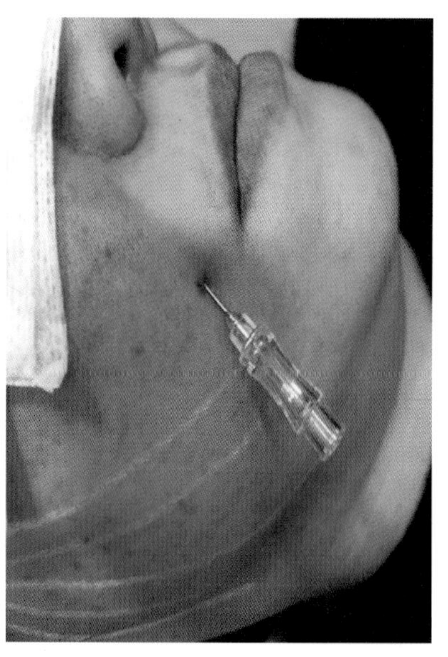

그림 4-36. **채움매선을 팔자의 길이에 맞게 자입하며 실이 삐져나오지 않도록 5 mm 정도의 여유공간을 둔다.**

그림 4-37. **채움매선 meshfill 사진**

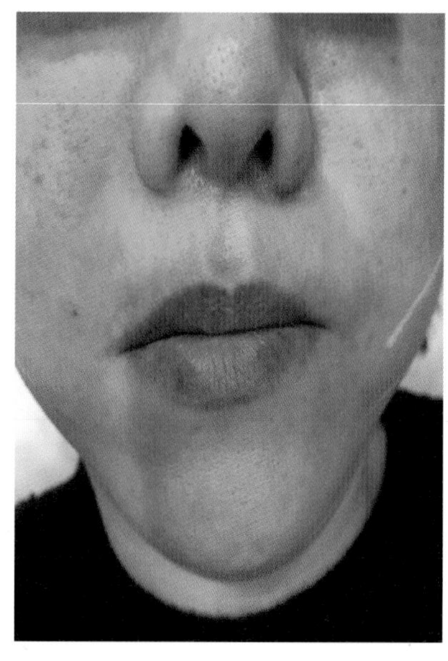

그림 4-38. **왼쪽에 비하여 오른쪽 시술부위가 좋아진 사진**

마리오네트 주름

(마리오네트 주름은 lower face이나 임상에서는 팔자주름과 함께 시술하는 경우가 많아서 미리 기술한다.)

마리오네트 주름은 입꼬리내림근에 의하여 심해진다. 입꼬리내림근은 mental tubercle에서 기시되어 구륜근의 modiolus에 부착된다. 입꼬리내림근의 기능은 입을 벌릴 때 구각부를 아래로 내리는 것이다. 또한 슬픔과 괴로움을 나타내는 근육이기도 하다. 마리오네트 주름이 깊으면 완고하거나 슬픈 인상을 줄 수도 있다. 27~29게이지 모노, 트윈, 스크류, 스프링 등의 매선을 주름위로 올려주듯이 깔아준다.

마리오네트 주름은 함몰을 채워야 하는 경우가 많으므로 채움매선도 고려하는 것이 좋다.

또한 캐뉼러 코그 매선을 이용한 V라인 리프팅 시술을 병행하면 효과가 더 좋다(그림 4-39, 4-40, 4-41).

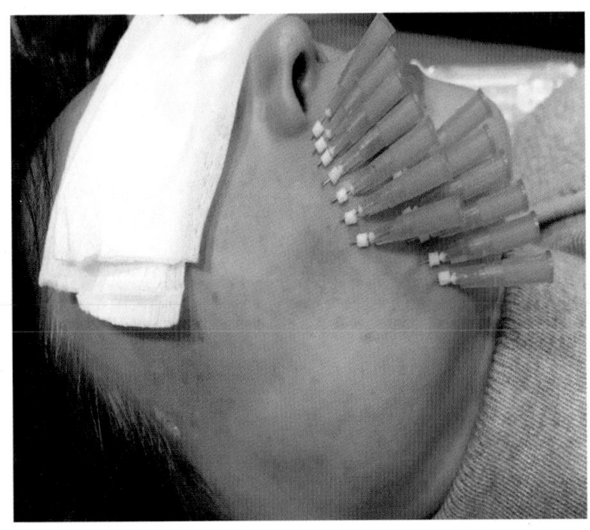

그림 4-39. **팔자주름과 마리오네트 주름을 함께 모노매선으로 시술하는 사진**

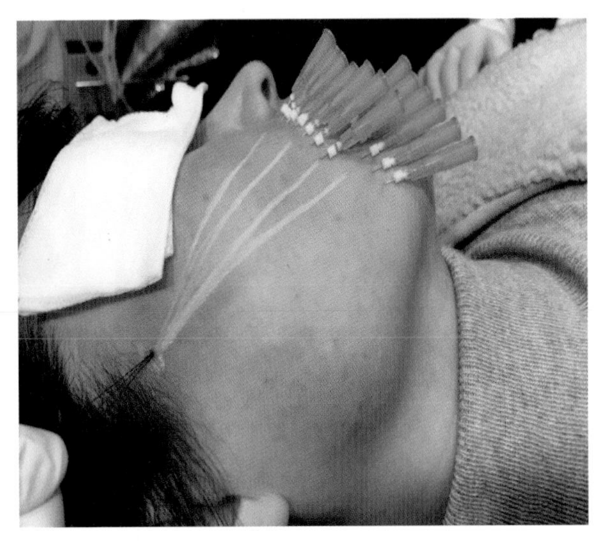

그림 4-40. **마리오네트 주름에는 캐뉼러 코그를 병행시술하는 것이 좋다.**

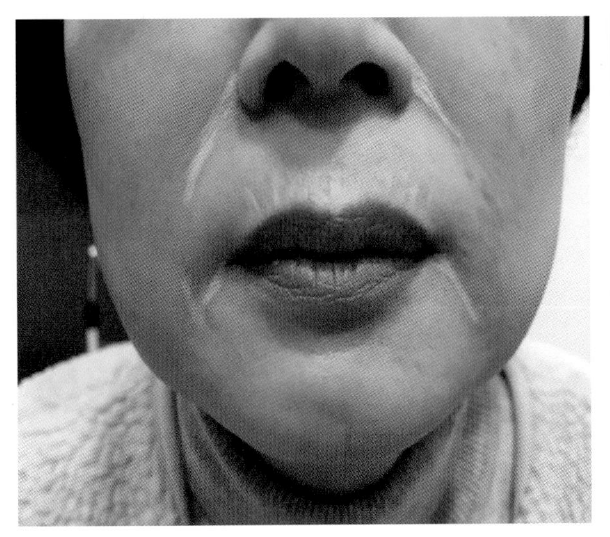

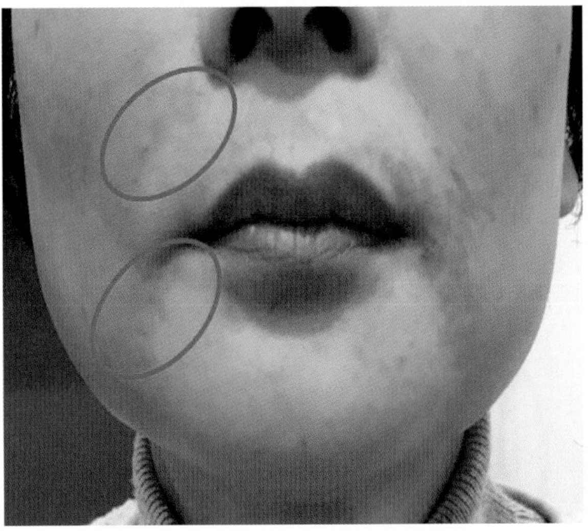

그림 4-41. **왼쪽에 비하여 오른쪽 팔자주름과 마리오네트 주름이 개선된 것을 확인할 수 있다.**

코성형

PDO매선 코성형은 가장 드라마틱한 시술중의 하나이다. 특히 예전보다 훨씬 두꺼워진 매선실로 확실한 융비술의 효과를 나타낼 수 있으며 거의 성형한 것처럼 코를 멋지게 성형할 수 있다.

매선 코성형의 장점은 다른 보형물과 달리 이물반응 거의 없으며 임상에서 관찰해보면 오히려 피부가 두터워지고 튼튼해지는 효과를 나타내주기도 한다. 물론 실이 녹는다는 단점도 있지만, 앞으로는 더욱더 두껍고 오래가는 코 전용 매선실이 나올 것으로 기대되며 매선 코성형은 더욱 더 발전할 것이 확실하며

언젠가는 실리콘과 함께 융비술의 대표적인 재료로 자리 잡을 것이다.

코시술에서 중요한 것은 출혈의 최소화이다. 캐뉼러를 이용하여 충분히 공간을 확보한 후에 젠틀한 니들링으로 천천히 코를 높이는 것이 중요하다. 시술시 출혈이 있어도 당황하지 말고 거즈로 압박해주면 잘 지혈된다. 비주(columella)부위를 매선으로 직자해서 코기둥과 코끝을 같이 높여주면 좋다(그림 4-42, 4-43, 4-44, 4-45, 4-46) (홈피사진 그림 4-47, 4-48).

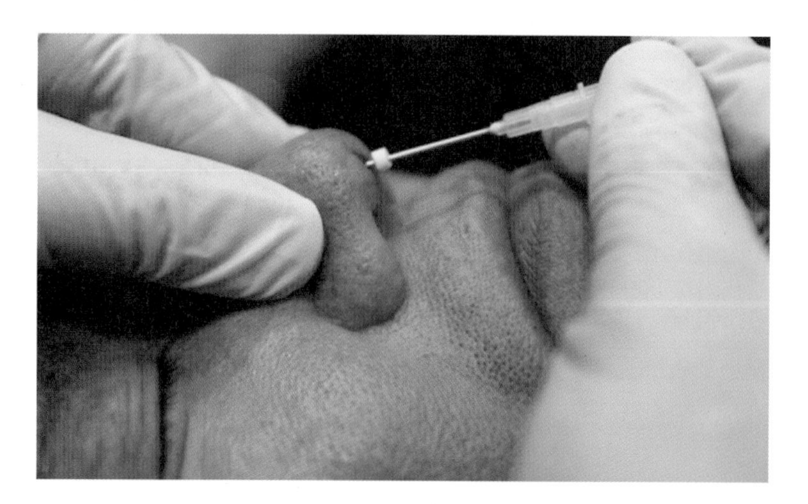

그림 4-42. **19게이지 코 전용 실로 코를 높이고 있는 모습**

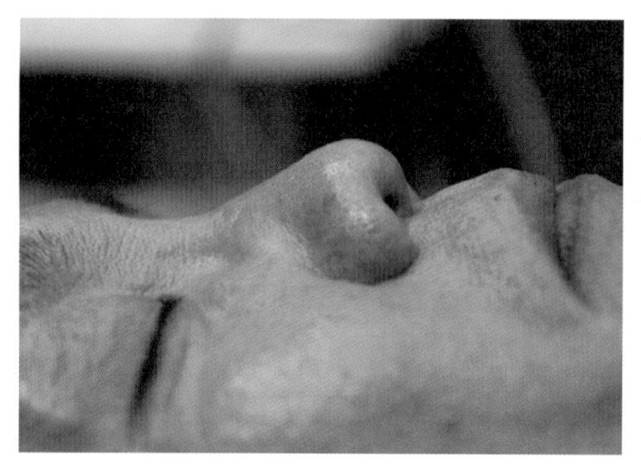

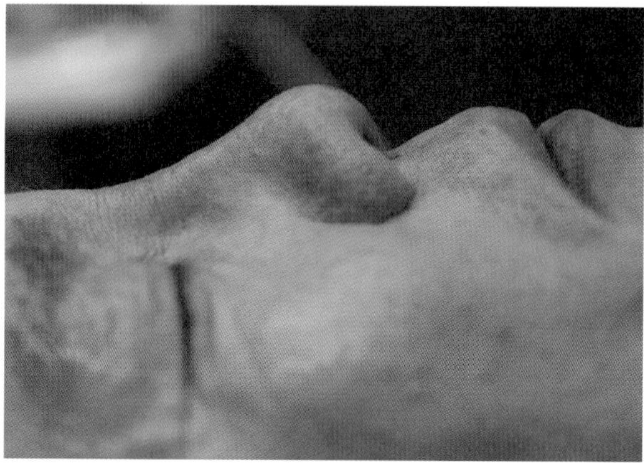

그림 4-43. **시술 전후 사진**

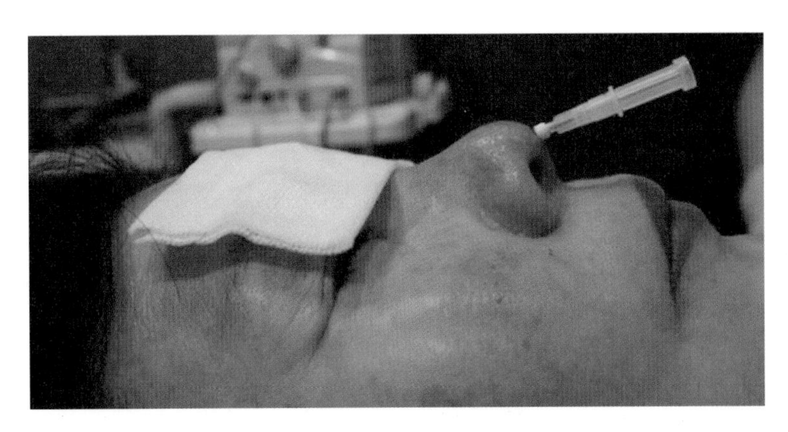

그림 4-44. **19게이지 코 전용 실로 코를 높이고 있는 모습**

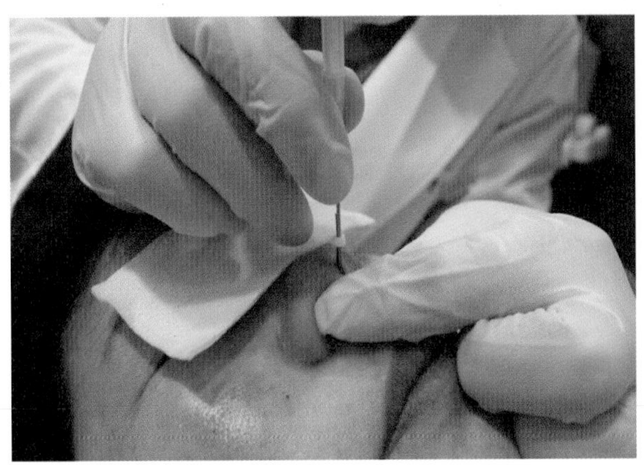

그림 4-45. **코 기둥을 실로 높이고 있는 사진**

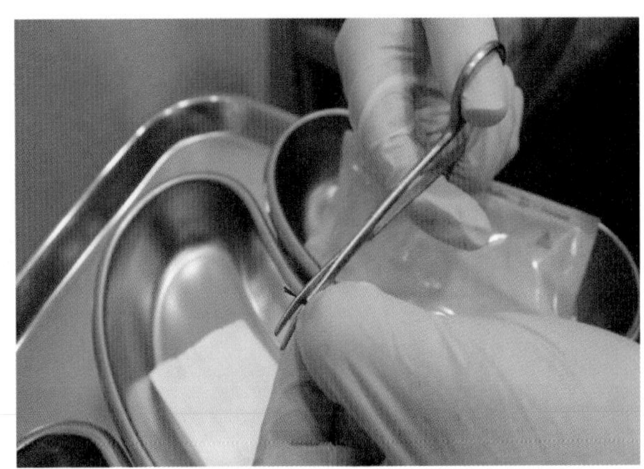

그림 4-46. **코 기둥을 높일 때 실의 길이를 환자에게 맞게 자른다.**

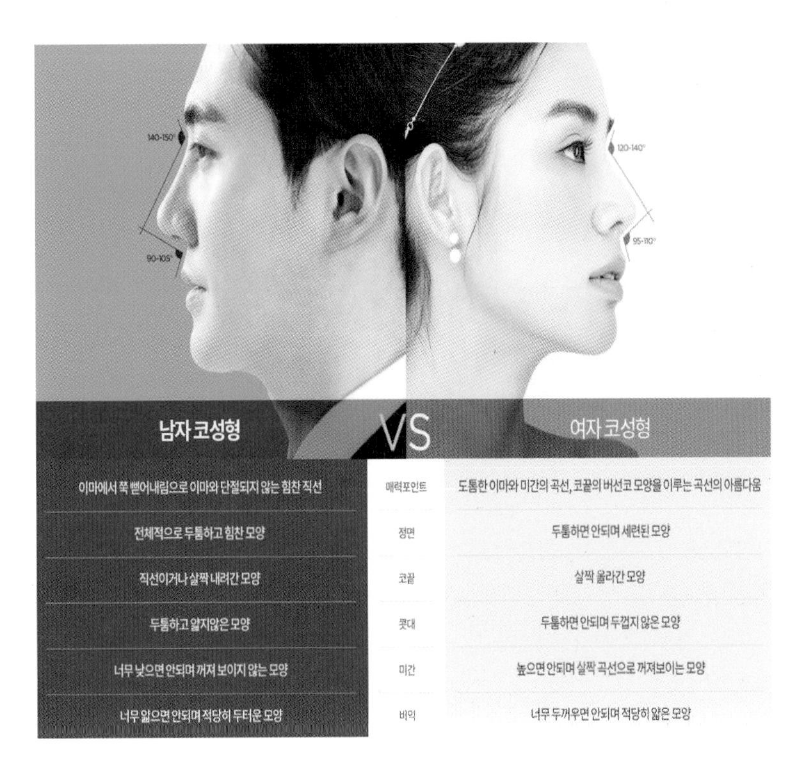

그림 4-47. **한방코성형 설명사진**

그림 4-48. **한방코성형 설명사진**

Chapter 06

Lower face 매선성형

입주위 주름

입주위 주름(perioral wrinkle)은 lower face(하안면)에서 anti-aging에 가장 직결되는 주름이다.

입주위 주름만 잘 펴주어도 환자의 안모가 획기적으로 개선되는 경우가 많으며, 시술후 환자의 만족도가 아주 높은 시술이다.

입주위 주름의 발생원인

1. 노화
2. 만성흡연으로 구륜근의 지속된 입술모음
3. 빨대를 자주사용 또는 관악기의 연주자의 경우 구륜근의 반복된 운동으로 동적 주름이 증가한다.
4. 평소에 뾰루퉁한 표정과 습관
5. 저작시에 과도한 구륜근 사용환자

입주위 주름과 해부생리

입술 주위의 근육들은 얼굴뼈에서 기시하나 삽입되지는 않아 치아에서 적절한 지지를 해주어야 정상적인 표정을 지을 수 있다. 구륜근은 구강 내의 괄약근으로 뼈에 부착되지 않으며, 고유의 근육 외에 외부근육이 들어와 문합한다. 여러 근육이 복합적으로 합쳐지면서 입술의 다양한 움직임을 가능하게 해준다. 구륜근은 구순을 수평으로 주행하여 구각결절을 통해 협근과 문합된다.

입술매선(구륜근강화)

입술은 lower face 부위에서 미용적으로 가장 중요한 부분 중 하나이다. 순망치한이라는 수천년이 된 고사성어가 있듯이 건강하고 아름다운 입술은 치아를 보호하고 저작을 도와주며 연하와 발음에도 절대적인 영향을 준다. 입술은 수많은 근육과 연결되어 있으며 신경과 혈관분포가 풍부한 곳이다.

입술의 해부 생리

입술은 mucosa, submucosa, muscle fiber, skin으로 구성된다. 입술은 facial a.분지인 superior and labial a.에서 혈관공급을 받는다. 입둘레근은 oral commisure 부위에서 기시한다. 입술은 oral spinter로서 저작과 발성, 유동식 섭취시에 중요한 역할을 한다. 또한 감정을 표현하는 역할을 한다.

입술의 붉은 부위를 vermillion이라고 하며, 입술과 피부의 경계선을 vermillian border라고 한다. 입술은 노화가 될수록 얇아지며 입술자체의 주름이 증가한다.

구륜근의 약화

Oral spincter서의 기능이 감소됨으로서 노인환자의 경우 drooling 증상이 나타나는 경우도 있다.

입술강화 매선의 경우 입술 구륜근을 강화하여 drooling 증상을 개선시키고, 입술의 윤곽을 또렷하게 하는데 도움이 된다.

입주위주름 PDO매선은 상순 부위가 주로 타겟이지만 입술강화매선은 상순 하순 모두 매선을 시술한다. 29게이지 모노매선을 사용하며 반드시 vermillian border 아래쪽에 시술하는 것을 원칙으로 한다(그림 4-49, 4-50).

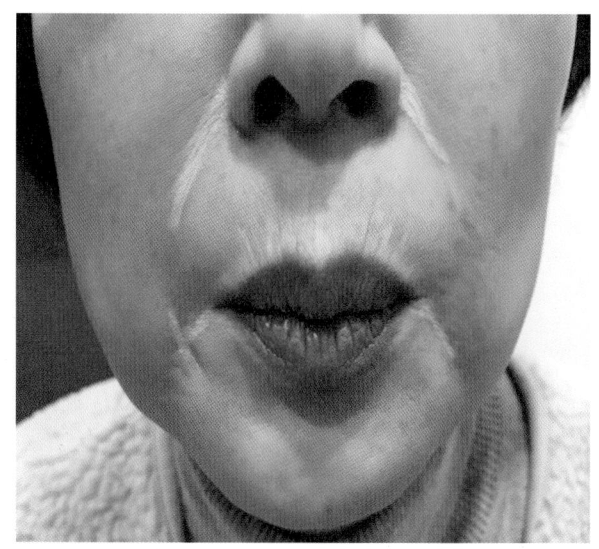

그림 4-49. **입 주위 주름**

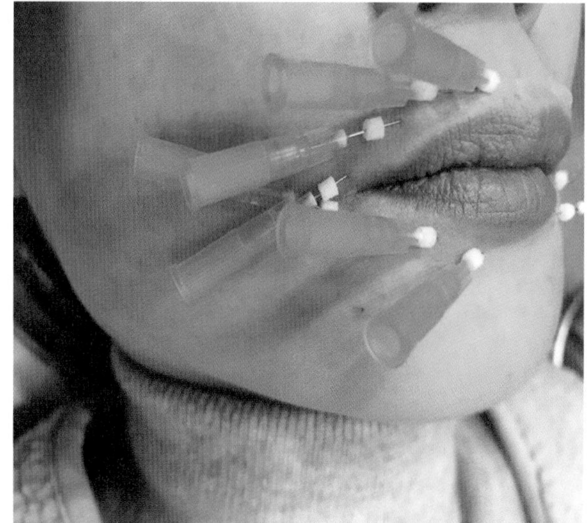

그림 4-50. **구륜근 강화 매선**

볼처짐

볼처짐은 buccal fat pad의 처짐을 의미한다. Buccal fat pad 부위를 27~29게이지 모노, 트윈, 스크류, 스프링등의 매선을 지방층에 자입해준다. 한편으로 처진 buccal fat pad를 받쳐서 올려준다는 느낌으로 모노매선을 위쪽으로 올려주고 V라인 리프팅을 병행해준다(그림 4-51).

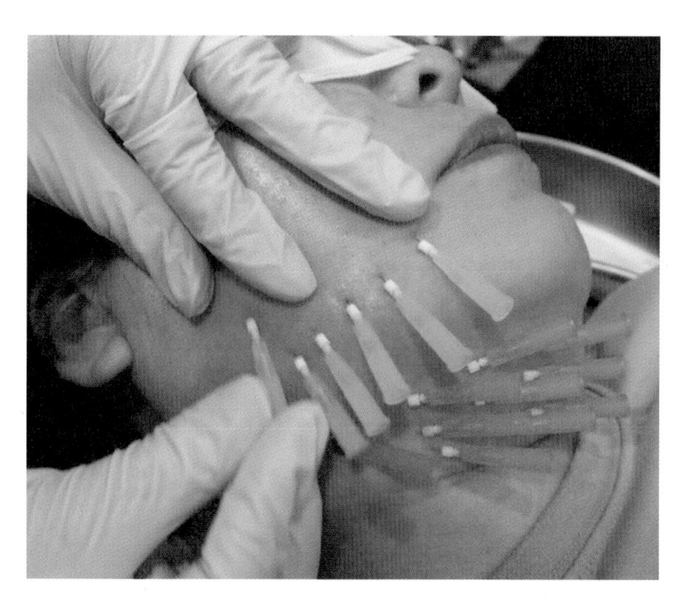

그림 4-51. **볼처짐 방지 매선**

목주름

목주름의 중요성은 중, 노년층 여성환자들에게 있어서 anti-aging과 가장 직결되는 주름이기 때문에 그 중요성은 매우 크다.

목주름과 해부학 – 광경근, external jugular vein, anterior jugular vein

목주름시술은 생각과는 달리 크게 위험하지는 않으나 피부가 얇아서 멍과 부종이 생기기 쉽다. Pinching하여 포뜨듯이 29게이지 모노 매선을 주입하는 것이 좋다. 광경근과 SCM의 기시 종지에 매선을 같이 깔아준다. 때로는 21~23게이지 정도의 캐뉼러 코그 매선으로 당겨준다.

목주름 시술 후에는 아오리덤이나 비타K와 같은 멍크림을 도포하는 것이 좋다.

이중턱

이중턱의 발생원인–노화와 체중증가로 발생한다. 때로는 안면윤곽수술 후에 발생하기도 한다. 의외로 이중턱을 개선하기 원하는 환자들이 많다.

이중턱은 광경근보다 표재성으로 존재하는 preplatystma fat pad와 subplatysma fat pad로 구성되어 있다. Symphysis 하방부위에 지방조직이 가장 많으며 옆으로 갈수록 얇아진다. 지방분해 약침을 같이 이용할 수 있다.

27~29게이지 모노, 트윈, 스크류, 스프링등의 매선을 platystma fat pad 부위에 깔아준다. 지방분해 효능이 있는 약침주사를 같이 해주며 21~23게이지 캐뉼러 코그매선을 양쪽에서 symphysis 부위를 향해서 자입하여 당겨서 팽팽하게 해준다.

platystma, SCM 근육의 기시종지 부위에 가는 매선부위를 깔아준다.

이중턱은 매선 시술로 좋은 효과가 나타나는 만족도가 높은 시술중 하나이다(그림 4-52, 4-53, 4-54).

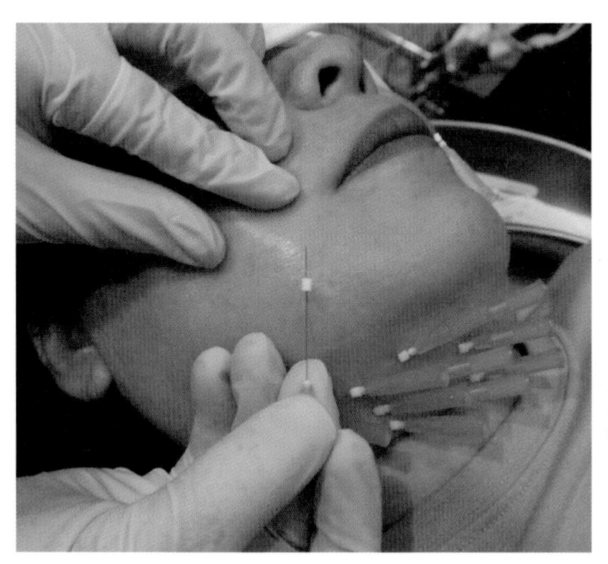

그림 4-52. **이중턱 모노매선**

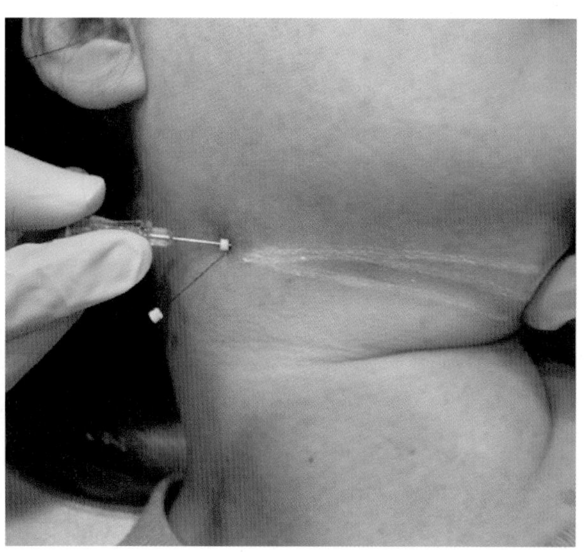

그림 4-53. **이중턱 캐뉼러 매선**

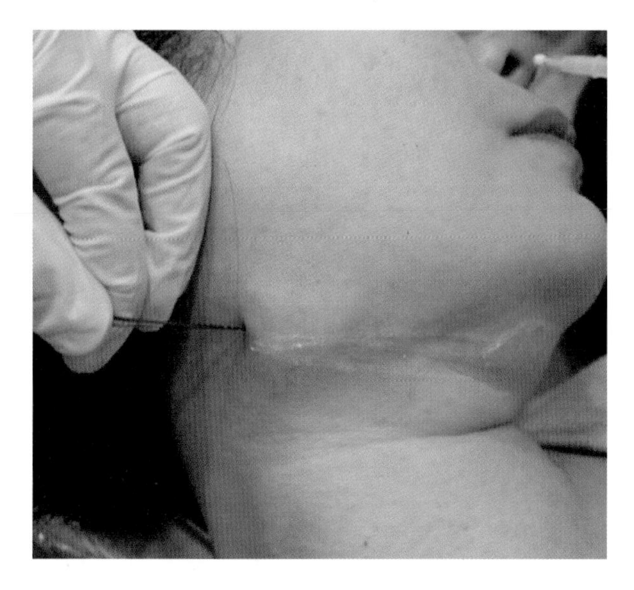

그림 4-54. **이중턱 캐뉼러 매선**

턱선윤곽매선

턱선윤곽라인을 따라서 27~29게이지 모노, 트윈, 스크류, 스프링 등의 매선을 자입해준다. 턱선윤곽을 매선으로 지지해준다는 개념으로 시술한다(그림 4-55).

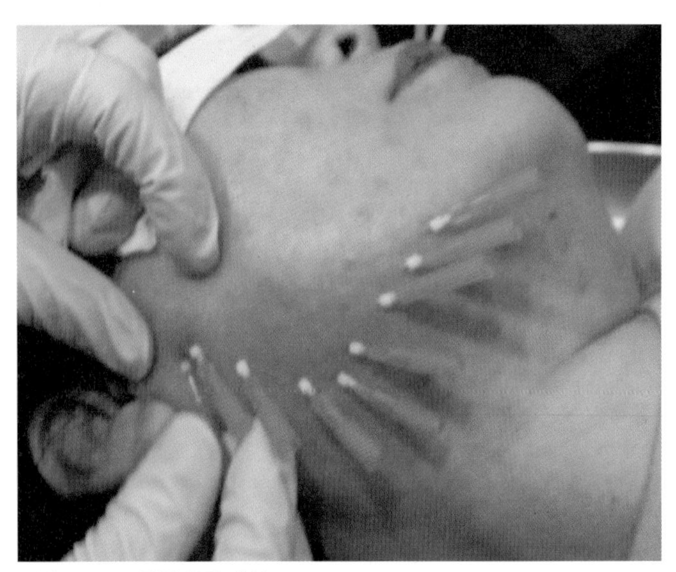

그림 4-55. **턱선 윤곽 매선**

매선과 흉터재생 그리고 Subcision(경피도침술)

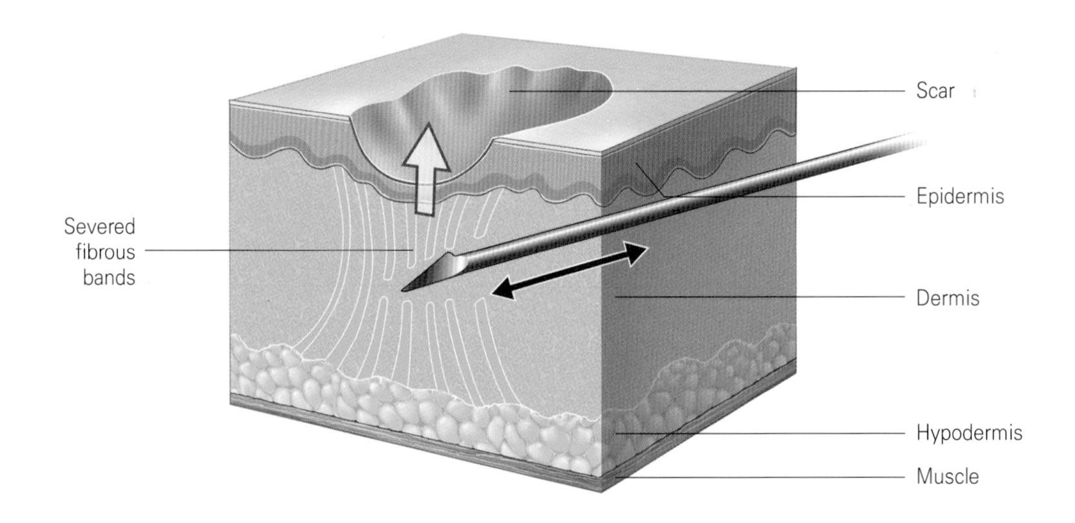

그림 4-56. **Subcision의 원리**

서브시전(Subcision)은 페인흉터나 주름에 과거부터 자주 애용되어온 비침습적인 피하 절개 술식(subcutaneous incisionless surgery)이다.

Subcision은 다음과 같이 정의할 수 있다.

1. Break down scar tissue that are anchoring the skin downwards.
2. Stimulates collagen growth, repair and improvement of the scar or winkle appearance.

서브시전(Subcision)은 18게이지 Nokor니들이나 21게이지 이상의 굵은 바늘을 이용해서 사용하는데
한의계에서는 경피도침술(필자가 일단 붙인 이름이다. 한의계에서 더 좋은 이름이 확정된다면 그 이름을 쓰도록 하겠다.)로 사용될 수 있으면 노코니들 대신 25, 27게이지 주사침을 이용하여 사용된다.

가는 주름에서의 nokor니들과 같은 강한 박리는 때로는 과증식이나, 위험한 경우가 발생할 수 있기에 여드름 흉터 정도라면 몰라도, 얼굴의 가는 주름을 치료하는데는 적합하지 않다고 생각한다.
가는 주름은 25게이지 주사침으로 얇게 포를 뜨는 정도의 경피도침술이 적당하다.

페인 흉터나, ACNE SCAR의 경우에 좀 더 굵은 경피도침술도 고려하되 PDO 매선을 같이 시술하는 것이 좋다.

경피도침술의 목적은 단순히 경피조직의 섬유유착을 박리하는 것에 있는 것이 아니라 유착을 박리함과 동시에 함몰된 주름이나 흉터조직에 새로운 토대를 마련해주는 것이 중요하다고 생각한다.

필자는 환자분들에게 설명할 때 함몰되거나 깊이 패인 주름의 경우는 아래로 당기고 있는 조직을 박리함과 동시에 꺼진 조직을 콜라겐 등 좋은 ECM으로 탄탄히 채워야 하며 그런 경우에는 PDO매선을 넣는 것이 좋다고 설명드린다.

매선침의 니들만으로도 약간의 서브시전 효과는 낼 수 있으며, 무엇보다도 주름 조직하에서 매선실이 오랜기간 존재하면서 혈류를 좋게 하고 fibroblast를 지속적으로 자극하여 주름하 조직의 ECM 성분들이 장기간 나올 수 있도록 하는 것은 단순한 피하박리와는 비교도 안될만큼 좋은 효과를 주며 또한 무리한 박리로 야기될 수 있는 조직의 과증식이나 PIH 등의 부작용을 걱정하지 않을 수 있다.

다시 한번 강조하지만 의외로 서브시전으로 인한 부작용이 자주 발생할 수 있으며 매선침을 사용한다면 굳이 서브시전을 하지 않아도 더 안전하고 좋은 효과를 나타낼 수 있다는 점을 명심하는 것이 좋다.

또한 일반 서브시전처럼 여러번 주사침으로 박리를 할 필요는 없으며 매선침으로 한두번의 서브시전만 하고 조직에 지나친 출혈과 자극을 줄 필요없이 안전하게 매선을 주입하는 것이 좋다.

또한 점점 좋은 기능성 매선침들이 개발되면서 함몰되거나 꺼진 조직을 보다 강하게 채워줄 수 있는 힘이 강해지고 있다. 그래서 깊은 흉터가 아닌 일반 주름에 있어서는 굳이 과거와 같이 노코니들을 이용한 심한 절개와 박리의 서브시전은 이제는 필요없는 경우도 많다.

체형 미용매선 임상시술

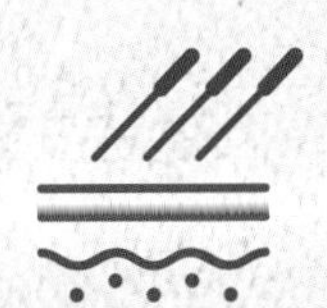
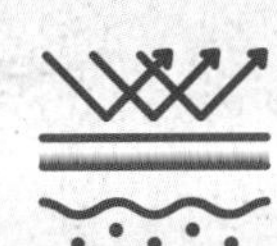

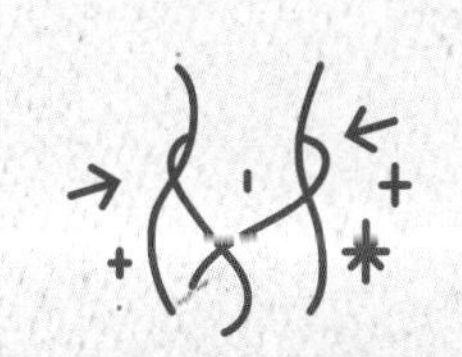
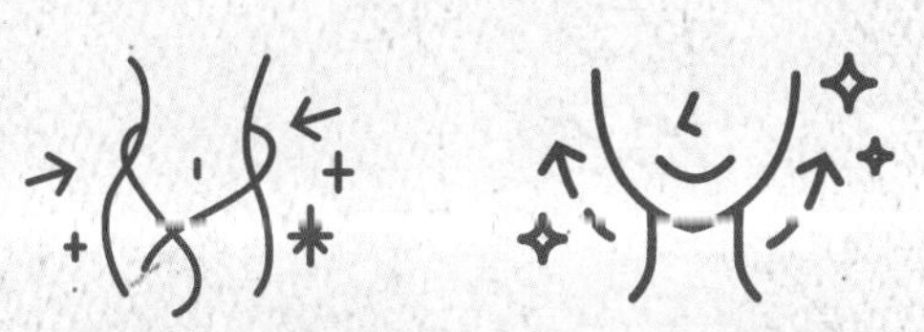

Chapter 01 두피강화 매선(탈모완화)

두피강화 PDO매선은 과거에는 통증때문에 시술하기 어려운 부분이 많았으나, 최근에는 통증이 적은 새로운 매선들이 나오면서 훨씬 간편하게 적용할 수 있게 되었다.

탈모치료보다는 탈모방지, 두피강화의 의미로 시술하는 것이 좋다. 시술이 간단하면서도 두피가 많이 튼튼해지는 것을 느낄 수 있다. 실제로 본인 스스로 두피에 매선을 하여 탈모방지 효과를 보는 한의사분도 있을 정도이다.

시술대상자 : 두피가 약화 되었거나, 과로 스트레스로 원형탈모가 나타난 사람

머리카락은 한의학에 있어서 腎精과 관련이 깊으며, 노화의 바로미터라고 할수 있다. 두피강화 매선시에는 반드시 변증을 통하여 한약과 더불어서 매선 시술을 하면 더욱 좋은 효과를 볼수 있다.

시술의 포인트는 두피가 약한 부분을 중심으로 하되, 두피쪽의 방광경과 담경의 경락을 이용하여 27~29게이지 모노, 트윈등의 매선을 시술하는 것이 좋다.

두유혈, 임읍혈, 상성혈 부위에 모노매선을 자침한다.

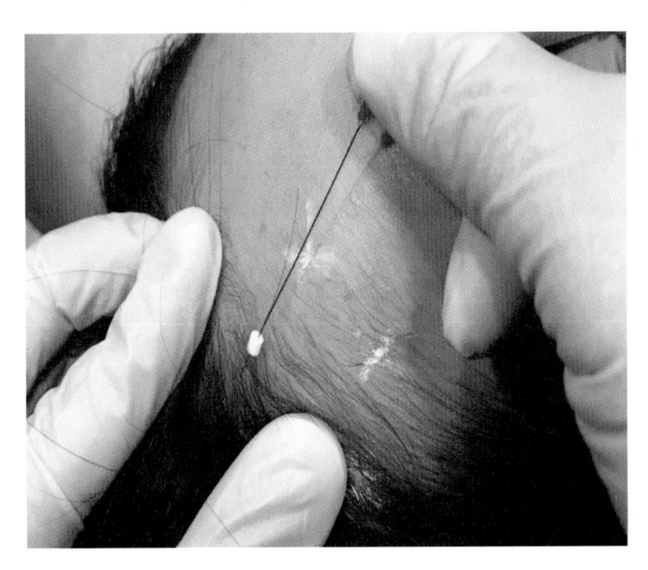

그림 5-1. **두피강화 매선**

Chapter 02

매선과 비만치료

제2부 Chapter 06 피하조직(지방조직과 매선) 내용을 먼저 참조하길 바란다.

지방분해매선

피하지방은 25~27게이지 모노매선이나 트윈, 회오리, 스프링 매선등을 이용한다.
두꺼운 지방의 경우에는 두꺼운 녹는실을 사용한다. 메쉬(mesh) 또는 박음질하듯이(quilting) 매선을 넣어준다.
처지기 쉬운 지방 부위는 scaffold(飛階) 철골구조를 만들어 주듯이 입체적으로 매선을 자입한다.

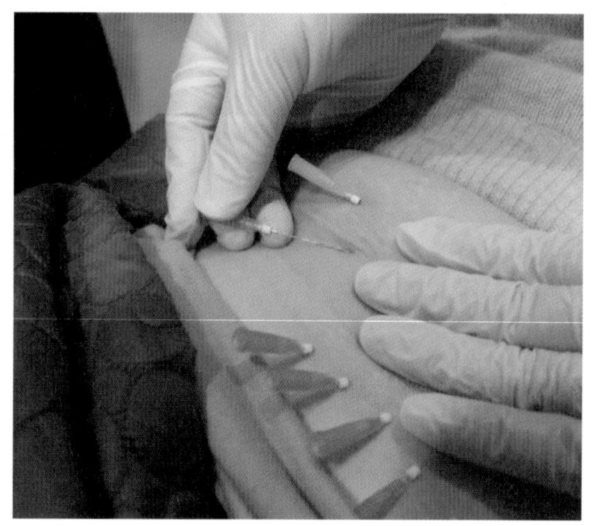

그림 5-2. **복부비만 치료매선**

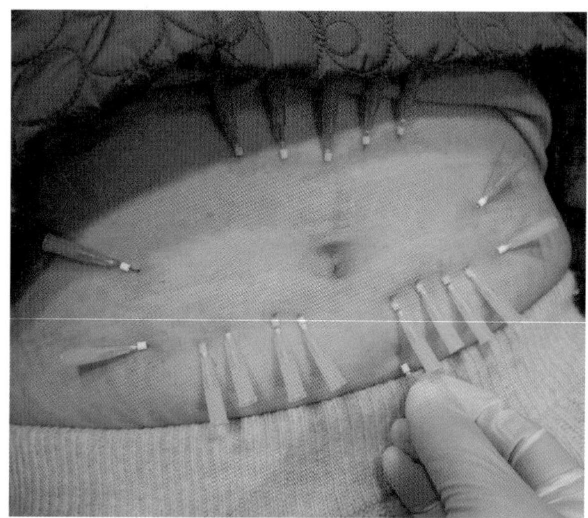

그림 5-3. **복부지방 분해매선**

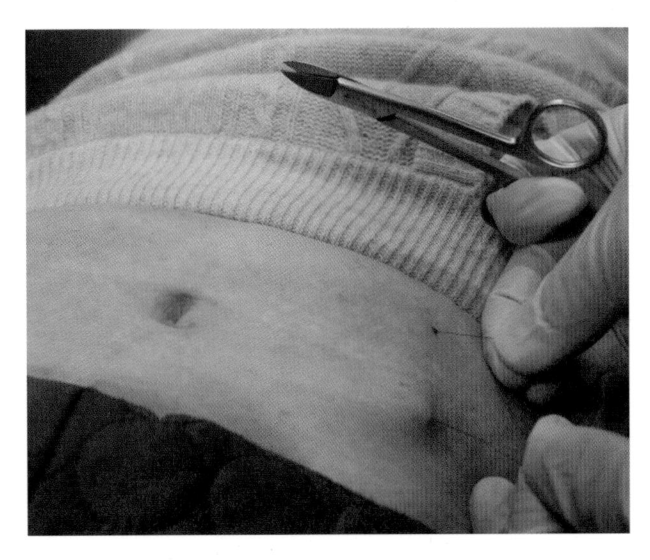

그림 5-4. **굵은 매선실을 이용한 복부비만치료**

튼살

출산 후나 급격한 체중감량 후에 발생한 튼살은 초기에 MTS와 매선침을 이용하면 어느정도 효과를 볼 수 있다. 튼살 부위 상부진피에 27~29게이지 모노 ,트윈 매선을 메쉬(mesh)형태로 자입한다.

셀룰라이트매선

셀룰라이트 매선은 임상에서 해볼 수 있는 시술이다, 셀룰라이트 부위에 25~27게이지 모노매선이나 트윈, 회오리, 스프링 매선을 써서 단단해진 지방의 결절들을 깨뜨린다는 느낌으로 피하 셀룰라이트 부위에 자입해준다.

Chapter 03

가슴교정매선

가슴교정매선

가슴매선에서 중요한 혈자리
유중, 유근, 기문, 영허, 신봉, 보랑

매선침을 이용한 가슴교정매선은 가슴의 확대보다는 경혈과 경락을 자침하여 가슴을 구성하는 근육조직, 유선조직, 결합조직에 대한 적절한 자극을 통하여 가슴을 튼튼하고 건강하게 만드는 시술이다.

가슴의 탄력을 증가시키고 처짐을 방지하여 매선을 이용하여 얼굴 윤곽을 다듬고 입술의 모양을 또렷하게 한 것처럼 가슴의 모양을 또렷하게 해주는 역할도 한다.

때로는 일반침과 매선침을 결합하여 함께 시술한다.

사람의 유방은 진피기원의 기관으로부터 기원한다. 유방의 조직구성은 유방실질, 결합조직, 지방조직, 혈관 및 신경조직으로 되어 있다. 유방 실질은 비교적 느슨한 결합조직인 cooper's ligament에 의하여 대흉근 근막에 붙어 있어 유방에 유동성을 부여한다.

유중, 유근, 기문, 영허, 신봉, 보랑혈 등을 27~29 게이지매선을 이용하여 자침해준다.

옥당, 단중혈에서 양쪽 가슴조직으로 방사상으로 매선을 주입한다.

또한 대흉근, 소흉근, 전거근을 근육의 결을 따라서 근육에 자침해주며, 유방의 가장자리에서 원의 중심점을 향하여 매선으로 방사상 모양으로 자침해준다.

때로는 한약과 약침을 병행하여 여성호르몬 분비가 원활하도록 해준다.

Chapter 04
기타 체형매선

힙교정

처지거나 비대칭 힙의 원인

1. 선천적인 발육의 부진, 체형의 비대칭
2. 좌식생활이 일반화된 한국인의 생활 특성
3. 비만과 체중감량의 반복

힙교정에서 중요한 혈자리 — 승부, 운문, 비관, 기문, 복토혈

처진 힙을 매선침으로 위로 올리면서 바로 잡아준다는 느낌으로 자입한다.

대둔근 중둔근 소둔근 이상근의 근육의 결을 따라서 근육에 자침해준다. 장요근 봉공근까지 세밀하게 근육과 근막을 자극해준다. 가슴 시술과 마찬가지로 힙을 애플처럼 하나의 반구로 보고 방사상으로 구의 마진을 따라서 중심으로 자입해준다.

허벅지나 기타 체형매선

허벅지라인은 대퇴부분의 근육을 고려하며 근육 위의 지방층에 25게이지나 27게이지 매선을 메쉬형태로 깔아준다. 다른부위들도 유사하게 근육과 지방층을 고려하여 메쉬형태로 PDO매선을 자입한다(홈페이지 사진들 그림 5-5, 5-6).

05. BF라인 힙업 비키니라인

탄력있고 아름다운 힙라인

대둔근과 중둔근, 소둔근은 물론 깊숙히 있는 이상근, 장요근, 봉곤근까지 세밀하게 근육과 근막을 자극하여 탱탱하고 아름다운 힙의 볼륨을 만들어 줍니다.

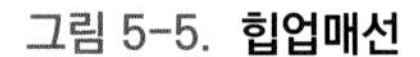

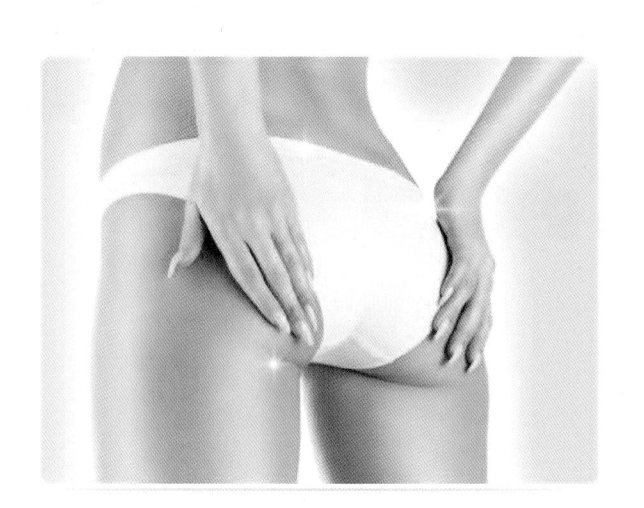

그림 5-5. **힙업매선**

04. BF라인 허벅지 비키니라인

매끄럽고 늘씬한 허벅지라인

늘어진 허벅지 근육 내측광근, 근막긴장근, 대퇴직근으로 인하여 매끈하지 못한 허벅지의 피하지방은 물론 노폐물을 배출하여 날씬하고 아름다운 허벅지 라인을 만들어 줍니다.

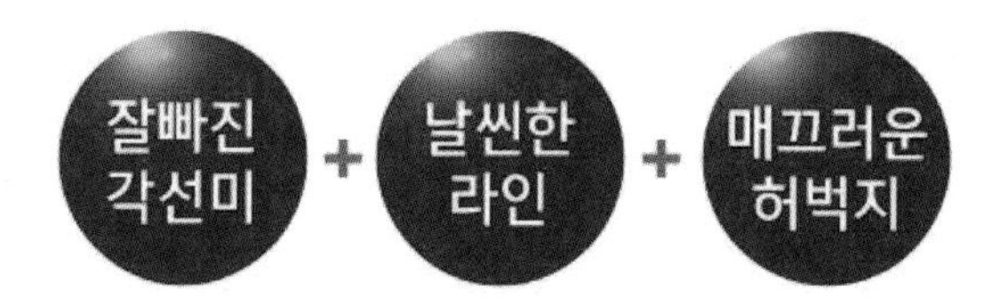

그림 5-6. **허벅지라인은 대퇴부분의 근육을 고려하며 근육 위의 지방층에 25게이지나 27게이지 매선을 메쉬형태로 깔아주며 지방분해 약침을 함께 시술한다.**

Chapter 05
매선시술 준비와 안전

시술전 준비

1. 시술부위의 소독

안면부에는 알콜이 자극성이 강하기 때문에 사용하지 않는다. 보릭솜, 포비돈 등을 사용한다.

2. 마취

일반적으로 연고도포 마취를 한다. 아이스팩을 이용하는 경우도 있다.

시술부위에 리도카인 크림을 이용하여 마취를 실시한다. 마취크림을 바른 뒤 45~60분 뒤 씻어내고 시술을 시작한다. 랩을 씌우면 마취시간을 단축할 수 있다(그림 5-7, 5-8).

3. 마킹펜, 자(ruler)

마킹은 흰색 펜슬 라이너를 사용하면 충분하다. 굳이 잘 지워지지 않는 성형용 마킹펜이나 G.V (genitian violet)를 사용할 필요는 없다. 정밀시술에는 측정자를 사용하는데 필자는 소독이 쉬운 메탈자를 쓴다(그림 5-9).

4. 헤어밴드

매선시술시 발생하는 염증은 대부분 모발때문이다. 헤어밴드를 준비하거나 때로는 수술용 테이프로 모발을 고정시켜 시술에 방해가 되지 않도록 한다.

간단하게 생각하면 진피에서 아래로 내려갈수록 혈관이 발달되어 있고, 반대로 올라갈수록 혈관발달이 적다고 생각하는게 이해하기 쉽다. PDO녹는실 매선이나 약침주입 또한 위의 3가지 범위에서 이해하는 것이 좋다.

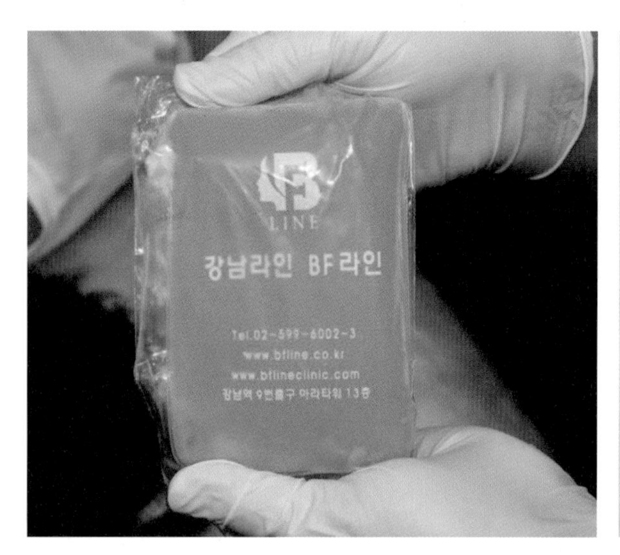

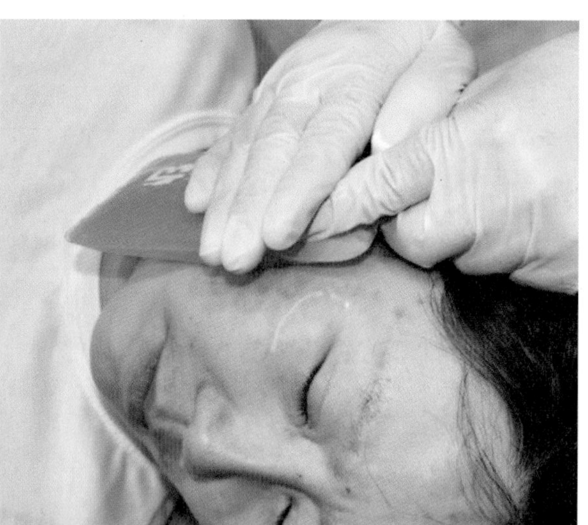

그림 5-7. Cold pack을 이용하는 방법

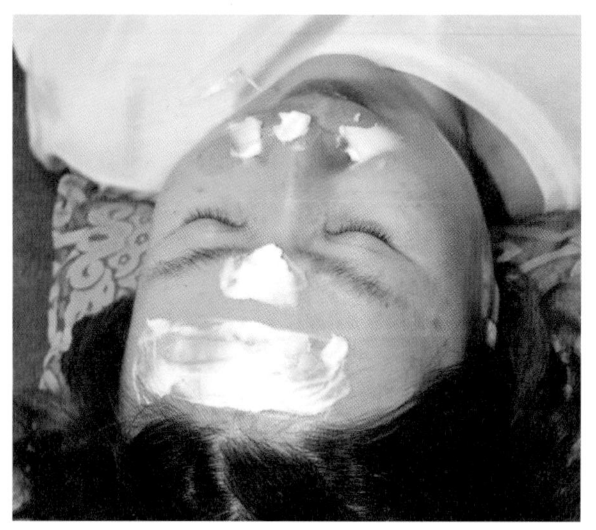

그림 5-8. 도포마취를 이용한 방법

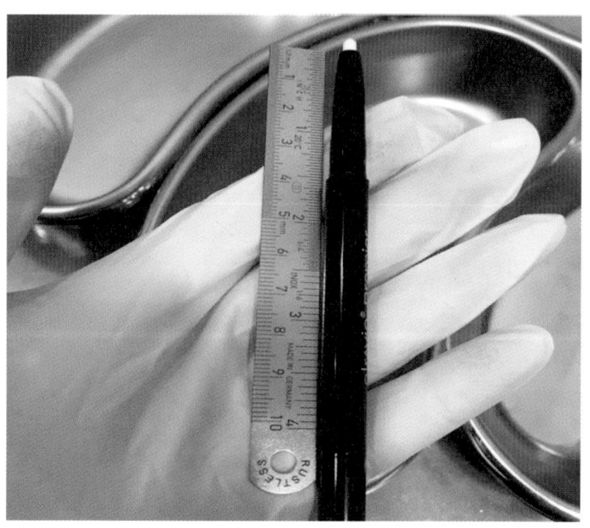

그림 5-9. 성형용 룰러와 마킹펜(마킹펜은 GV나 보라색펜은 잘 지워지지 않는다. 차라리 흰색의 펜슬이 훨씬 좋다.)

◎ 매선 후 붓기, 멍, 효과 기간 설명(데스크나 상담실, 진료실, 원장의 말이 통일되는 것이 좋다.)

▶ 캐뉼러 매선은 멍과 붓기가 거의 없지만, 모노매선은 간혹 멍과 붓기가 발생할 수 있습니다.
매선 리프팅후 멍이 생겼다면 반드시 시술 직후부터 멍크림(비타K크림이나 아우리덤연고)과 아이스팩을 꾸준히 해주셔야 함.

1. 붓기 – 3~5일. 길면 2주일
2. 멍 – 7~10일. 길면 한달(멍은 붉은색에서 점차 노란색으로 변화되며 절대 자국이 남지 않는다는 것을 강조)
3. 효과기간 – 6개월에서 1년정도 효과가 유지된다. 개인별 관리에 따라 차이가 발생될 수 있다.

안전이 최우선이다.

2007년 이래로 녹는실 매선 미용시술을 한지 13년이 다 되어간다.
시술에 있어서 제일 중요한 것은 안전과 멍과 붓기의 최소화이다. 매선 성형은 비침습성형의 꽃으로 시술 직후에도 멍과 붓기가 심하지 않아야 한다. 칼을 대는 시술과는 달리 시술 직후에 붓기나 얼굴의 심한 변형이 있다는 것은 술자의 시술에 문제가 있다는 것을 의미한다.

시술에 있어서 가장 중요한 원칙은 안전이고, 환자의 얼굴을 어떻게 하면 안전하게 기능적 심미적으로 개선시킬 수 있는가 이다.

이 책을 쓰는 가장 큰 목적도 기능과 심미의 개선을 극대화하는 것이다. 미용시술은 바로 눈에 드러나는 것이기에 속일 수도 없고, 시술자의 테크닉과 결과가 함수관계가 성립하는 공정한 시술이라고 할 수 있다.

녹는실 매선은 그 특성상 시술 부작용이 적으며, 설사 실수한 부분이 있다고 하더라도 돌이킬 수 없는 지경에 이르는 일은 드물고 회복이 빠른 것도 사실이지만, 그렇다고 해도 완벽성을 기하는데 소홀히 해서는 안 된다. 환자들에게는 붓기 회복의 보름 또는 한 달 동안의 기간도 매우 길게 느껴지며, 매선시술에 있어서는 2주일 이상의 붓기와 얼굴의 변형은 성공적인 시술이라고 할 수 없다.

1. 실이 삐져나오지 않도록 주의한다.
2. 실이 얕게 주입되지 않도록 주의한다.
3. 굵은 코그실은 반드시 핀칭(pinching)을 하여 실이 들어갈 공간을 충분히 확보한다.

Chapter 06
매선시술의 부작용과 대처법

염증반응

필자의 경우 12년 가까운 매선 시술에 있어서, 심한 염증반응이나 화농반응을 일으킨 적은 거의 없다.

양장사나 돌팔이들이 쓰는 이상한 매선침이 아닌 멸균된 PDO매선시술의 경우는 심한 염증이나 화농반응이 잘 발생하지는 않는다. 대개 임상에서 매선시술의 염증반응은 머리카락이 딸려 들어가거나 너무 얕게 들어가거나 땀이나 비위생적인 상황에서 발생한다.

만약 염증반응이 심하거나 화농이 생기는 경우는 반드시 실을 제거하는 것이 좋다. 니들로 십자 절개후 포셉이나 핀셋으로 제거를 한다. 만약에 힘들다면 필자에게 연락하여 필자의 병원으로 보내도 좋다.

때로는 염증 반응이 없지만 조직에 대한 자극을 호소하는 경우는 종종 있다. 이런 경우에는 고주파 장비로 마사지를 하면 짧은 시간안에 통증이 소실된다.

딤플현상

딤플현상은 주로 코그실을 이용하여 얼굴을 거상할 때 자주 발생한다. 그 원인은

1. 지나치게 진피상부로 매선이 자입된 경우
2. 지나치게 얼굴을 팽팽하게 거상한 경우
3. 앵커링을 위하여 코그실을 강하게 tie한 경우

딤플현상은 필자도 가끔씩 겪는데, 피부가 얇은 여성의 경우에는 충분히 피부조직을 손가락으로 핀칭한 후에 피하층으로 매선 넣는다는 원칙을 지키는 것이 중요하다. 또한 20게이지 이하의 굵은 매선을 사용할 경우에는 21게이지 파일럿 캐뉼러를 이용하여 미리 실이 들어갈 공간을 확보하는 것도 좋은 방법이다.

심한 딤플현상이 아닌 경우는 사실 시간이 지나면 깨끗하게 사라지기 마련이다.

환자를 안심시키고 고주파 장비를 이용하여 마사지를 하면 대개 한달 안에 소실된다.

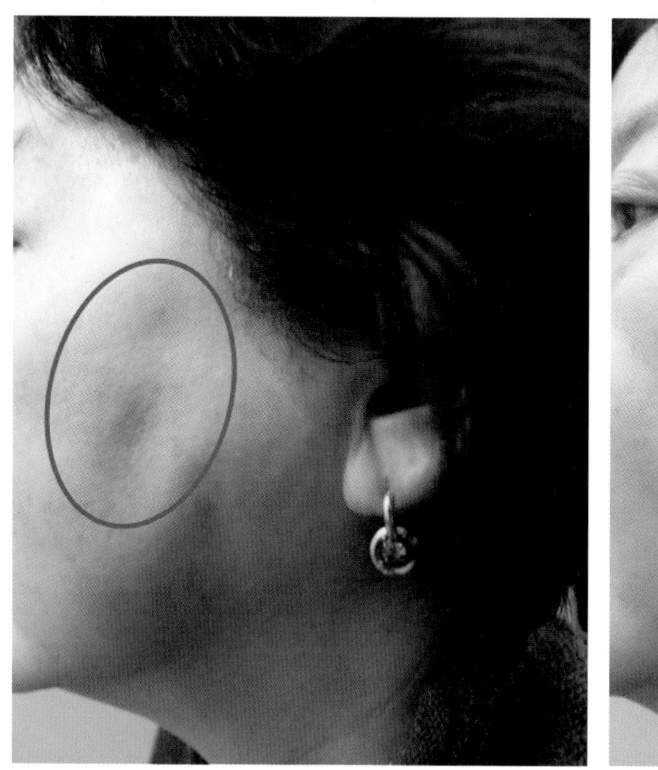
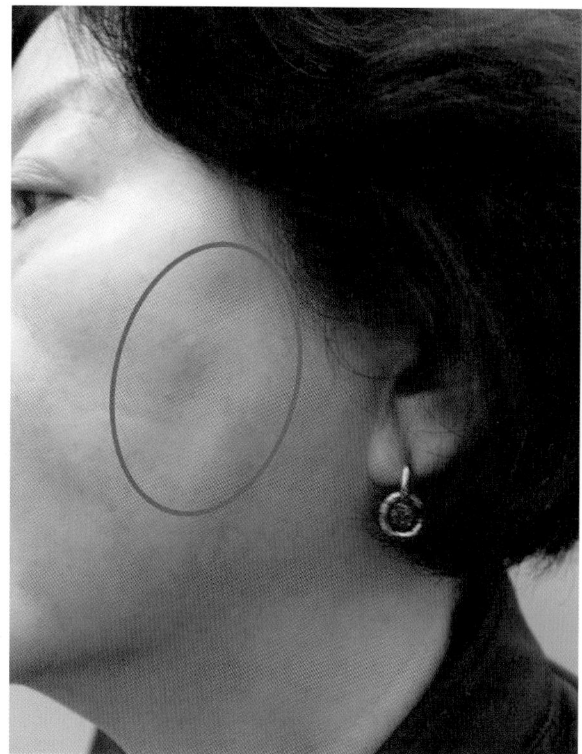

그림 5-10. **딤플현상 발생후 고주파 마사지로 며칠만에 좋아진 케이스**

출혈, 멍, 부종

미용매선 시술에서 중요한 것은 출혈과 부종이 적어야 한다는 것이다. 필자는 2007년부터 29게이지 이하의 가는 매선으로 출혈과 부종을 최소화하는게 얼굴 시술에서는 중요하다고 강조 해왔다.

그러나 일부 무면허 의료인 즉 돌팔이들이 동통매선과 미용매선의 차이를 잘 모르고 무조건 굵은 니들로 시술하는 것을 선호하고, 거기에 영향을 받는 경우도 간혹 있었던 것으로 알고 있다.

물론 동통매선의 경우 BODY시술의 경우에는 때때로 강한자극과 굵은 매선침이 필요할지는 몰라도 얼굴과 체간부는 다르다. 얼굴은 혈관과 신경이 아주 많은 부위여서 조그만 손상에도 심한 멍과 붓기가 일어나기 쉽다. 안면부위의 발달된 혈관은 굵은 니들로 한번만 잘못 찔러도 염증과 부종이 심하게 올수 있다. 얼굴부위는 멍 부종 과 통증이 심하게 나타날 수 있고 염증도 잘 일어나는 부위임을 명심해야 한다.

얼굴은 모노매선의 경우는 29게이지 이하를 주로 하되 간혹 27게이지를 사용하고

바디도 모노매선의 경우는 27게이지를 주로 하되 간혹 25게이지를 쓰는 것을 필자는 원칙으로 한다.

앞에서도 밝혔지만 필자는 양장사 대신 에치콘 PDS실을 사용한 것보다 2007년도에 이미 29게이지 30게이지 가는 니들에 넣어서 사용하는 방법을 발표한 것이 PDO녹는실 시술의 역사에서는 더욱 중요하다고 생각한다.

요즘은 코그매선이 캐뉼러 형태로 나와서 멍과 부종이 적은데, 모노매선은 여전히 멍과 부종이 발생하는 경우가 있다. 혈관의 해부학적 위치를 염두에 두고, 되도록 부드럽고 젠틀한 니들링이 필요하다.

멍이 발생할 때는 시술 직후에 바로 비타K크림을 발라주고, 환자에게도 시술 당일은 꼭 비타K크림을 바르고 주무시라고 티칭해준다.

특히 코그매선의 경우는 커팅니들보다는 반드시 캐뉼러니들을 쓰는 것을 원칙으로 하는게 좋다.

또한 펀칭니들을 이용하고, 파일럿 캐뉼러를 이용하거나, 아울awl을 이용하여 들어갈 입구를 확보하면 출혈이 적다. 한의원에서 많이 쓰는 21게이지 캐뉼러는 굳이 아울이 필요하진 않다.

간혹 환자분이 출혈성 약물을 복용중인 경우도 있으니, 시술 전 문진을 통하여 기왕력과 약물복용 경력을 확인하는 것도 필요하다.

실의 돌출

실이 삐져나오는 현상은 임상에서 자주 발생하는 일이다. 너무 얕게 자입하거나, 피부가 얇은 환자의 중력 반대방향으로 실이 자입될 경우 간혹 발생한다.

자입점에 매선실이 충분히 깊숙히 들어가서 최소 5 mm정도의 여유는 생기도록 한다.

항상 충분한 깊이로 삽입해야 하며, 특히 모노매선의 경우 니들을 제거할 때 한 바퀴 회전해서 빼면 실이 삐져나오는 경우는 거의 없다. 모노매선의 경우는 PDO실의 특성상 매끄럽기 때문에 반드시 회전 후에 실을 빼는 것이 중요하다. 가시매선의 경우는 커팅할 때 가위를 5 mm 정도 눌러서 실이 밖으로 노출되지 않도록 주의한다. 이미 삐져나온 실의 경우 모노는 매끄러워서 바로 뽑으면 된다. 코그실의 경우 또한 코그가 녹으면 제거하기 용이하며 십자절개후 포셉으로 제거한다.

모노실은 돌출이 있어도 굳이 내원할 필요 없이 그냥 뽑으면 된다고 미리 이야기하는 것도 좋다.

그러나 환자분이 지방에서 올라왔다거나 외국에서 오신 경우는 재방문이 어렵기 때문에

이와 같은 실의 삐져나옴이 원칙적으로 발생하지 않도록 매우 주의를 기울이며, 딤플현상이 없도록 충분히 깊게 자입하며 코그실의 타이(tie)는 하지 않는 것을 원칙으로 한다. 또한 충분히 가위로 눌러주어 커팅하여 실의 돌출이 절대로 발생하지 않도록 한다.

Chapter 07

매선시술후 주의사항

시술후 진정팩

필자의 경우는 성형매선을 주로 하기 때문에 시술후 진정팩을 하는 것을 원칙으로 한다. 그러나 일반 한의원 의원에서는 굳이 진정팩을 할 필요는 없으며, 고가시술이나 많은 개수의 매선 시술의 경우에 적절한 시트팩이나 요즘 메디컬용으로 만들어진 마스크팩을 해주는 것도 좋다.

얼굴 매선 시술 후 주의 사항

1. 시술부위에 부기와 멍이 생길 수 있지만 3일~7일 후에 자연스럽게 소실됩니다.
2. 시술 후 1주일은 음주를 삼가셔야 합니다(술은 혈관을 확장시켜서 염증반응을 유발할 수 있습니다).
3. 땀을 아주 많이 흘리는 과격한 운동이나 찜질방, 사우나 등은 2주일 정도 피하시는 것이 좋습니다.
4. 자외선 차단제, 모자, 양산 등으로 자외선을 피해야 합니다.
5. 시술 후 바로 시술부위를 만지지 않으시는 것이 좋습니다.
6. 시술 후 1~2주간 웃거나 표정을 지을 때 불편함이 느껴지실 수 있습니다.
7. 매선 시술 후 3주~4주일은 과도한 힘을 가하는 것을 삼가야 합니다.
8. 시술 후 충분한 수분섭취와 수면이 필요합니다.
9. 시술 후 2일은 냉찜질, 3일 후부터는 온찜질이 필요합니다.
10. 시술 후 3~5일은 이물감이나 간지러움이 있을 수 있습니다(간지러움, 붉은 붓기가 5일 이상 지속될 경우 병원으로 문의 바랍니다).
11. 과도한 표정과 딱딱하고 질긴 음식은 피해야 합니다.
12. 하품을 짓거나 노래를 부르는 등 크게 입을 벌리는 동작을 삼가야 합니다.
13. 혈액질환과 관련된 약물복용 시 7주일 전부터 복용을 삼가야합니다.

매선코성형 시술 후 주의사항

1. 시술 부위에 부기와 멍이 생길 수 있지만 1~2주 후에 자연스럽게 소실됩니다.
2. 시술 후 1~2주일은 술, 담배를 삼가셔야 합니다.
   (술은 염증반응을 유발할 수 있으며 담배는 혈관을 수축시켜 상처 치유를 방해하게 됩니다.)
3. 과격한 운동이나 찜질방, 사우나, 수영장 등은 2주일 정도 피하시는 것이 좋습니다.
4. 세안 및 메이크업은 다음날 바로 가능합니다(단 시술부위는 문지르지 마세요).
5. 코 끝에 매선침이 들어간 부위는 햇빛에 노출될 경우 점처럼 될 수 있으므로 자외선 차단제나 듀오덤을 붙여 주십시오,
6. 코성형 경험이 있거나, 매부리 코, 휜 코, 울퉁불퉁한 코는 모양을 만드는데 한계가 있습니다.
7. 코 끝은 피부의 두께나 코 끝 연골의 모양에 따라 세우는데 한계가 있습니다.
8. 매선코성형 시술 후 시술부위에 대한 경락과 같은 과도한 마사지는 피해야합니다.
9. 찌르는 듯한 통증을 동반한 심한 부기, 발열과 발적 등이 지속될 시에는 병원으로 문의바랍니다.

체형매선 시술 후 주의사항

1. 시술 부위에 부기와 멍이 생길 수 있지만 1~2주 후에 자연스럽게 소실됩니다.
2. 시술 후 1~2주일은 술, 담배를 삼가셔야 합니다.
   (술은 염증반응을 유발할 수 있으며 담배는 혈관을 수축시켜 상처 치유를 방해하게 됩니다.)
3. 과격한 운동이나 찜질방, 사우나, 수영장 등은 2주일 정도 피하시는 것이 좋습니다.
4. 12시간 후 당일샤워는 가능하십니다.
5. 시술 후 2~3주 정도는 통증과 뻐근함 저림등의 증상이 있을 수 있지만 시간이 지나면 자연스럽게 소실됩니다.
6. 식이요법과 체중감량을 병행해 줄 경우에 상승효과를 보실 수 있습니다.
   요가, 필라테스, 스트레칭과 같은 운동을 병행하실 경우 인대와 건, 근육 등에 뭉침을 풀어주는 상승효과를 기대할 수 있습니다.
7. 지나치게 짠 음식은 과도한 나트륨으로 인한 부종을 유발할 수 있으며, 마라탕같은 매운 음식, 자극적인 음식은 피하는 것이 좋습니다.
   지나치게 기름진 음식이나 육식보다는 맑고 담백한 음식, 채식 등이 성공적인 시술결과에 도움을 줍니다.
8. 체형매선 시술도 작은 수술이니만큼 1~2주 정도는 가급적 스트레스를 피하고 정서적인 안정과 기쁘고 평안한 마음을 가지시는 것이 성공적인 시술결과에 도움을 줍니다.

Chapter 08

임상에서의 적용

매선은 내 얼굴에 주는 가장 좋은 선물이다.

수십 수백만원 이상의 고가의 화장품보다도 더 좋은 것이 녹는실매선이고, 얼굴의 안티에이징에 있어서는 그 어떤 것도 따를 수 없을 정도로 그 효과가 탁월하다.

PDO매선시술은 정확하게 제대로 배운다면 초보자도 쉽게 따라할 수 있지만 매선 초심자의 경우는 먼저 주위의 가족과 지인들에 충분히 시술을 해보고 자신감이 생길 때 임상을 하는 것이 좋다. 재미를 붙이고 열심히 매선시술을 하다보면 녹는실 매선의 뛰어난 효과에 대해서 시술자 스스로 확신이 드는 날이 오기 마련이다. 확신이 들 때 자신있게 환자분께 권하는 것이 좋다.

역설적으로 매선시술은 이걸로 크게 진료수입을 올리겠다는 생각을 하지 않는편이 좋다고 생각한다.

과거처럼 수백만원 수천만원의 고가의 매선시술은 힘든 상황이다. 초심 한의사라면 가족과 지인의 피부건강을 위하고 굳이 가족을 다른 미용성형의원이나 한의원에 보낼 필요없이 내가 스스로 해준다는 마인드로 탄력매선이나 가벼운 리프팅으로 시작하여, 어느 정도 익숙해지면 그때부터 한분 한분의 환자를 평생 관리한다는 생각으로 매선을 시술하는 것이 좋다.

최신 성형매선시술 트렌드는 과거와 다르다.

2010년 초반에는 한번에 코그 매선실 수십개에 모노나 스크류매선을 백여개 이상 하는 대형시술이 많았다. 당연히 가격 또한 수백만원에서 거의 천만원정도의 시술비용이 발생하였으나, 현재는 이런 트렌드는 잠잠하다.

요즘은 한번 시술에 4~8개 정도의 캐뉼러 코그매선실 수십개의 모노실 만으로도 훌륭한 효과를 낼 수 있으며 점점 더 좋은 매선실들이 나오기 때문에 개수를 적게 시술하되 그 대신 자주 반복해서 받는 시술이 환자분들의 부담도 적고 실제 임상결과도 좋은 것을 볼 수 있다.

마치 철마다 몸에 좋은 한약을 먹듯이 1년에 한두번씩 지속적으로 매선리프팅을 하도록 티칭하는 것이 좋다. 매선리프팅 시술결과가 좋으면 크게 광고를 하지 않아도, 환자분들은 알아서 반복해서 시술 받으러 오신다.

환자분들중 성형에 대해서 과도한 기대감을 가지신 분이나 정신과 약을 복용하거나 우울증이 있는지도 잘 살펴야 하며 시술 전 상담을 통하여 환자분의 특성을 잘 파악하는 것이 좋다.

* 본 시술에 사용된 의료 소모품과 매선제품들에 대한 문의는
  노블메디컬 010-5153-3625 noblemedical@hanmail.net

통증매선침의 이론적 배경

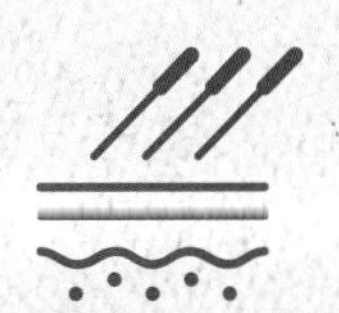

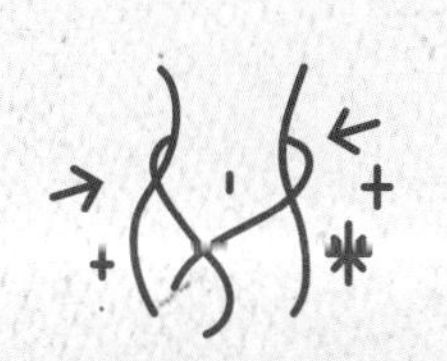
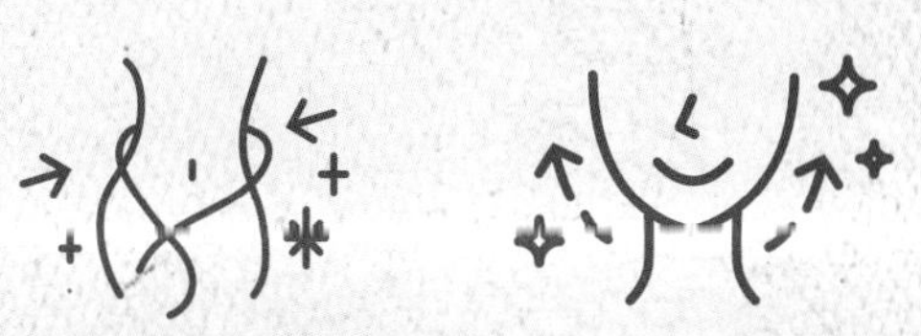

Chapter 01

동아시아 매선침구학의 역사

매선침술은 "留針"을 극대화하고자 한 역대 의가들에 의해서 발전되어 왔다.

황제내경(黃帝內經)에 구침(九鍼)이 기록된 이후, 오랜 만성병(慢性病)에 계속적인 자극을 위하여 유침법이 사용되어 왔다. 영추(靈樞)종시편(終始篇)에서 '구병자(久病者), 사기입심(邪氣入深), 사기입심(邪氣入深), 자차병자(刺此病者), 심내이구유지(深內而久留之), 간일이부자지(間日而復刺之)'라 하였다. 심내이구유지(深內而久留之)라는 표현에서 매선의 기원이 되는 유침법이 잘 설명되어 있다.

10세기 외과 수술의 아버지로 불리는 아랍의 Al-Zahrawi에 의해서 양의 장점막으로 흡수성 봉합사 양장사(Catgut)가 사용되었는데 중국에도 이와 같은 자연 봉합사가 들어왔을 것으로 짐작된다.
중국에서 발표한 혈위매선요법의 역사를 살펴보도록 하겠다.

혈위매선의 원류

혈위매선은 양장선을 혈위에 매입하는 것으로, 양장선의 혈위에 대한 지속적인 자극작용을 이용하여 질병을 치료하는 방법이다. 이는 간단하고, 치료효과는 오래 지속되고, 가격은 저렴하면서 임상응용은 광범위하고, 발전은 빠르다.
혈위매선은 전통침구와 침법에 기초하여, 건립되어 발전하였다. 유침과 매침시기의 추형기, 혈위매선의 맹아기, 임상응용의 발전기 및 변증 선혈취혈을 특징으로 삼는 성숙기로 구분한다.

1. 추형기 雛形期

침구의 최초형식은 폄석과 초목 가시이며, 이후 골침, 죽침, 도침, 금침, 은침, 등 금속도구로 발전되었다. 최초의 〈황제내경〉 "구침" 이론에서 금원시기의 하약우의 시간침법, 두한경의 "침자14법"에 이르고, 현대까지 많이 갈라져 나온 치료법 예를 들어, 전침, 수침, 혈위조사, 도치의 종류에 이르러, 방법은 날로 성숙되었다. 혈위를 자극을 주어, 환자가 경맥소통, 장부평형, 기혈조화되어, 부정거사되어, 의료실전에서 질병치료의 목적을 이루었다.

단순히 침자하는 일반 방법은 몇몇 완고한 만성질병을 치료하기에, 효과는 종종 개인적 만족에 미치지 못하였다. 혹자는 비록 치료 효과가 있으나, 공고히 하거나 오래 지속시킬 수는 없었다. 이에 '유침'의 방법으로, 치료효과를 공고히 하였으니, 유침은 바로 혈위매선에서 탄생된 중요기초이다. 유침시간의 길이는 병의 경중으로 정했다. 일반적 병은 침을 놓자마자 득기하고, 15~20분 유침이 적당하고, 만성 고질성 동통성 경련성 질병에 있어서는 적당히 유침시간을 증가하였다. 극성복통, 파상풍 각궁반장, 삼차신경통, 월경통등은 유침을 한 시간 혹은 하루 혹은 몇 일에 이르게 한다.

2. 맹아기 萌蘖期

매선요법은 바로 유침과 매침의 기초에서 형성 발전된 것이다. 20세기 60년 중반, 소아척수회질염을 치료하는 과정에서 치료효과가 뚜렷한 방법을 모색하였다. 그들은 양장선매선을 체내혈위에 매장하였고, 매선 1회는 치료시간이 1개월 이상 지속되고, 치료횟수 또한 대대적으로 축소되었다. 20세기 70년대초, 각종 중서의 간행물에서 발표된 매선 관련한, 소아척수회질염 치료는 이미 10편에 달한다고 보도된다.

3. 발전기 發展期

혈위매선의 치료범위가 부단히 확대됨에 따라, 효천, 위염, 십이지장궤양, 만성장염, 간질, 중풍등 만성 완고성 면역저하 질병 치료에 이르렀고, 효과는 모두 뚜렷하였다. 임상의사의 노력과 탐색으로 계통적 치료효과가 뚜렷한 매선방법을 종합해 내었다. 현재 혈위매선방법 종합은 아래와 같다.

혈위매선은 임상에서 전통적으로 만성병과 허증을 치료하는 것 이외, 확대되어 또한 급성병과 실증등 각종질병을 치료함을 볼 수 있다. 그 치료병종은 이미 2백여종에 이르렀다. 감염, 내과, 외과, 부인, 소아, 피부, 오관등 각과에 미친다. 근래 몇 년간, 각급의 간행물에서 보도 된 치료병종은 50여종에 달한다. 병례는 이미 만 여례에 달하였다. 안휘, 하북, 강소, 중경, 하북등의 省과市에서 매선전문 진료과 의원을 건립하였고, 아울러 20세기 80년대 정식으로 전문침구서적으로 편입되었고, 전국에서 이미 훈련양성반을 수십차례 시행하여, 혈위매선의 전문기술인재를 배양하였다. 혈위매선은 새로운 시대에서 그 독특한 치료특색이 빛나고 있다.

표 6-1. **중국의 양장사 혈위매선방법**

매선방법	주요침구	조작방법	특징	적용병증	주의사항
주선법	스파이널 니들	집게를 사용하여 이미 소독된 양장선을 사용하여, 스파이널 니들을 이용하여 양장선을 혈자리 피하 혹은 기육층에 밀어넣고, 침공을 면포로 덮고 소독한다.	조작 간단 상처면이 적고, 자극이 비교적 약	변비	
직선법 (압매법)	매선침 혈관겸자	양장선을 매선침의 침 끝에 두고, 혈관겸자를 이용해서 왼손으로 겸자를 지지하고, 침첨은 구멍은 15~40도로 아래로 자입하고, 오른손은 지속적으로 자침하여 양장선이 완전히 피하에 이르게 하며, 다시 0.5 cm 진입후, 침을 뽑고, 소독면포로 침공을 덮는다.	상처면이 적고, 자극이 비교적 약	강직성척추염	
천선법	지침겸자, 의료용삼각피 부봉합침	혈위양측을 소독, 국부 마취 후, 지침겸자를 사용하여 양장선의 피부봉합침을 천자하여, 양측의 국소마취점으로 뚫고 나오며, 양끝단의 양장선을 손으로 당겨서, 혈위에 산, 마 창감을 일으킨후, 양장선을 절단하고, 양침공간 사이 피부 놓아, 선의 앞부분부터 피부로 들어가게 하고, 소독면포로 상처입구를 덮는다.	두 개의 침구멍, 자극이 비교적 약	위완통	매선조작은 가볍고, 정확해야, 침의 파절을 방지한다
절매법	수술용메스 혈관겸자	혈위은 항상 규칙적으로 국소마취하고, 수술용메스로 피부 0.5~1.0 cm절개하여, 혈관겸자를 혈위 깊은곳에 눌러서 탐색한 이후 양장선을 연조직에 매입하고 절개부위는 실선으로 봉합하고, 소독면포로 상처입구를 덮는다.	상처면이 비교적 크고 깊으며, 자극이 강	완고성 병증 예를 들어 기관지 효천	소독주의, 감염방지
찰매법	수술용메스 완곡형 지혈겸자 지침기 봉합침	혈위양측 혹은 상하에서 국소 마취하고, 한면은 메스로 0.3~0.5 cm 절개하고 커브형 지혈겸자를 혈위깊은곳에 삽입하여, 혈위깊은곳을 뚫고, 대측피부로부터 뚫고 나오게 하고, 입구에 침을 넣고, 하나의 실선은 절개구멍에서 침을 뽑아, 실의 앞면은 묶어 결찰하고, 절단과 더불어 절개입구의 심부처에 매입한다.	상처면이 비교적 크고 자극성이 매우 강하다. 작용이 오래 지속됨	완고성병증	결찰부위를 줄인다. 만약 혈관을 손상하여 출혈을 일으키면 선을 뽑은 후 눌러 지혈이 필요
할매법	수술용 메스 견인기(retractor)	피부국소 마취 후, 수술용메스로 피부 0.5 cm 십자절개하고, 특수제작된 견인기로 혈위저부 상하좌우에서 밀어 움직여, 지방과 근막 사이 공간확보 후 양장선을 혈위 아래에 자입하고 무균으로 봉합한다.	절개면이 비교적 크고, 자극강, 작용이 오래 유지		

4. 성숙기 成熟期

이 시대의 성취는 주로 세 가지 방면으로 나타난다.

1) 이론상, 혈위매선의 전문서가 출현하였다. 온목생이 1991년 편저한 〈실용혈위매선요법〉은 해당 치료법의 첫 번째 전문서이다. 이 책은 혈위매선요법의 지난 40년간의 경험과 결과를 종합하여, 거대한 반향을 일으켰다. 2001년 온목생은 또한 정상용과 함께 편저한 〈매선요법치백병〉은 매선요법이 창립된 이래의 경험과 많은 자료를 정리하여 종합하였으며, 또한 매선요법의 기원, 작용기전, 특징과 작용에서 유익한 탐구를 하였고, 감염, 내과, 외과, 부인, 소아, 피부, 오관등 140여종 질병에서 혈위매선요법 및 그 체득을 상세히 소개하였다. 권근, 양효소 합작의 〈혈위매선요법〉, 이 책은 혈위매선의 각종 방법에 대한 계통적 정리 이외, 혈위매선치료 후의 정상반응, 이상반응과 주의사항등을 소개하였다. 이것 외에도, 일찍이 마옥천, 황정견등이 관련된 저작 2부가 있다.

2) 동물실험방법이 응용되기 시작한 혈위매선의 치료효과와 기전에 초보적 탐구가 진행되었다. 지금까지 혈위매선의 실험연구는 단지 2편에 불과하다.

3) 변증하여 실선선택, 취혈선택하는 일체화된 응용이다. 천선법, 절매법, 찰매법, 활매법은 상처면이 비교적 크고, 비교적 깊어서 극렬한 통증을 일으키고, 환자는 종종 쉽게 받아들이지 못한다. 그래서 현대임상매선법은 대개 주침법 및 직선법이 비교적 많이 보인다. 주침법을 기초로, 융침자, 약물 및 심리치료 일체적인 신형 혈위매선법을 창립하였고, 아울러 임시일회성전용매선기구 및 변증수요에 근거, 4 종류 규격의 전용약물양장선을 발명하였다: 1호는 청열개규선체이다: 2호는 활혈화어선체이다: 3호는 보기보혈선체이다: 4호는 자음보신선체이다. 이러한 법들은 조작이 간편하고, 소독핀셋을 사용하여 잘 배합조제된 약물양장선을 일회성매선기구 이중관내에 배치하여, 1.5~3 cm 깊이로 빠르게 자입함과 동시에 선체를 혈위에 탄력있게 넣고, 발침 후에 창구를 덮는데 활용하였다. 12시간후 목욕가능하며, 어떠한 활동에도 영향을 미치지 않는다. 양장선과 약물은 혈위에서 이중으로 생리, 물리와 생화학 자극을 통하여 질병치료의 목적에 이르게 하였고, 일반 양장선을 보완하여 반응작용이 심화되는 결점을 배척하였으며, 선을 침으로 대체하여 침과 약의 쌍방효과의 특수작용을 일으켰다. 임상에서는 주로 예방, 보건, 미용방면에 응용되며, 좌창(여드름), 황갈반(기미), 비만, 인체피로종합 및 얼굴 주름제거에 응용된다. 선 본체는 개선되고, 중의학의 변증이론과 밀접히 결합되어, 임상에서 환자의 체질과 한열허실에 근거하여 임의 적절히 선용되어, 혈위매선은 이미 흩어진 상태에서 계통화로 접어들었고, 진화되어 성숙함에 이르렀다.

Chapter 02

통증과 매선

통증

조직 손상과 관련되어 발생하는 감각적이고 정서적인 불쾌한 경험

국제통증학회 정의 IASP (international association for the study of pain)

통증의 종류 3가지

1. 염증성 통증(inflammatory pain)
2. 통각수용성 통증(nociceptive pain)
3. 신경병성 통증(neuropathic pain)

- 급성통증 – 원인이 분명하다. 원인을 제거하고 통증에 대한 침과 매선, 약물치료로 비교적 빨리 치유가 된다.
- 만성통증 – 통증이 시작된지 3~6개월이 지난 경우, 치료전에 이미 통증이 있었던 경우, 통증부위의 손상이나 염증의 병력이 있거나, 심리적으로 불안증 무력감이 있을 경우에 만성통증으로 진단할 수 있다.

초기에는 말초감작으로 통증이 과민해지다가 심해지면 중추감작으로 이어진다. C-fiber의 변성으로 만성통증이 심화된다.

감작(sensitization) – 통증을 증폭시키는 기전이다.

통각과민(hyperalgeria) – 통증을 유발하는 자극에 대해 증가 된 통증

이질통(allodynia) – 정상적으로는 통증을 유발하지 않는 약한 자극에도 발생하는 통증

반대로 통증을 억제시키는 기전도 있다 – 침과 매선!!!

통증치료의 원칙!!! 통증은 최대한 빨리 치료하는 것이 좋다.

통증의 치료는 불을 끄는 것과 같다. 초기에는 간단히 없앨 수 있지만, 심해지면 진화가 힘들어질 수 있다. 환자분들이 통증을 오래 참고 오는 경우에는 오히려 통증 민감성이 더 커져 있는 경우도 많다.

통증의 분류

1. 근골격통증 – 근육, 관절, 인대, 골막, 건 등에서 발생하는 통증
   통증 부위를 비교적 정확히 찾을 수 있으며, 자극에 비례하여 통증이 증가한다. 움직임에 의해서 통증이 유발된다. 타진(percussion)에 반응하며, 환자가 아픈 부위를 아시혈 형태로 표현하는 경우가 많다.
   매선으로 비교적 잘 치료되는 통증이다.

2. 내장통증 visceral pain
   체강의 내부장기 소화계, 호흡계, 순환계 등에서 발생하는 통증으로 통증 부위를 정확히 표현하기 힘들고, 자극에 비례하지 않는다. 침구 경혈학에 의거 매선침으로 치료한다.

3. 신경병성통증 neuropathic pain
   주변 조직은 정상이나 신경조직자체의 구조적 기능적인 변화(예를 들면 외상으로 신경을 건드리는 것)에 의해서 발생하는 통증으로 통증이 dermatome에 한정된다.

3차 신경통, 환상통, 이상감각(벌레가 기는듯한 느낌), 지각과민, 통각과민, 이질통(allodynia)

말초통증의 기전

우리가 임상에서 흔히 접하는 말초통증은 근골격계의 흔한 손상 예를 들어서 좌섬 염좌등의 조직 손상으로 인한 염증반응에서 비롯된다.

허리를 삐끗했건 발목을 다쳤던간에 손상부위에서 발생하는 것은 염증이다. 염증은 보통 통증과 발열 부종 3가지를 동반한다.

1. 손상부위에 미세혈관의 투과성이 증가로 혈장성분의 세포간유출 – 조직부종
2. 백혈구나 대식세포등 염증세포들의 리쿠르팅, lysosome이 유리되어 조직괴사, 섬유조직의 증식 등
   PG, kinin, histamine 등이 통증유발물질 발생 – 통증
   특히 prostaglandin (PG)은 구심성 신경말단의 nociceptor를 sensitization시킨다.
   또한 prostaglandin에 의해서 체온세팅값이 높아지며 발열이 일어난다. – 발열

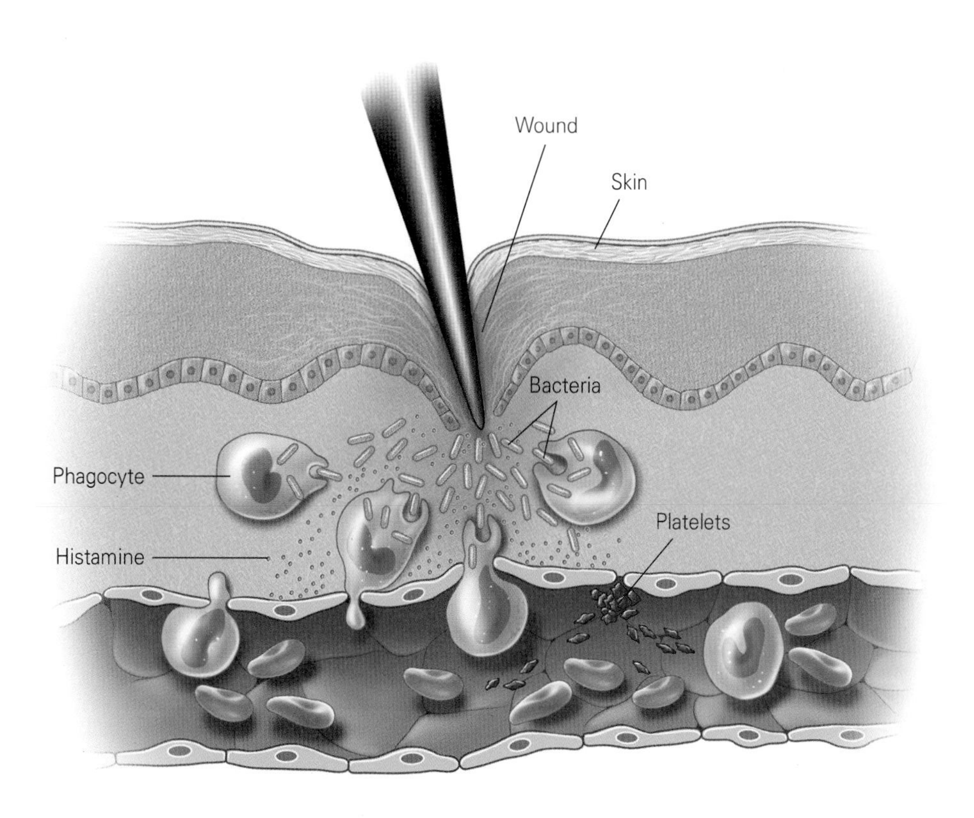

그림 6-1. **염증반응의 모식도**

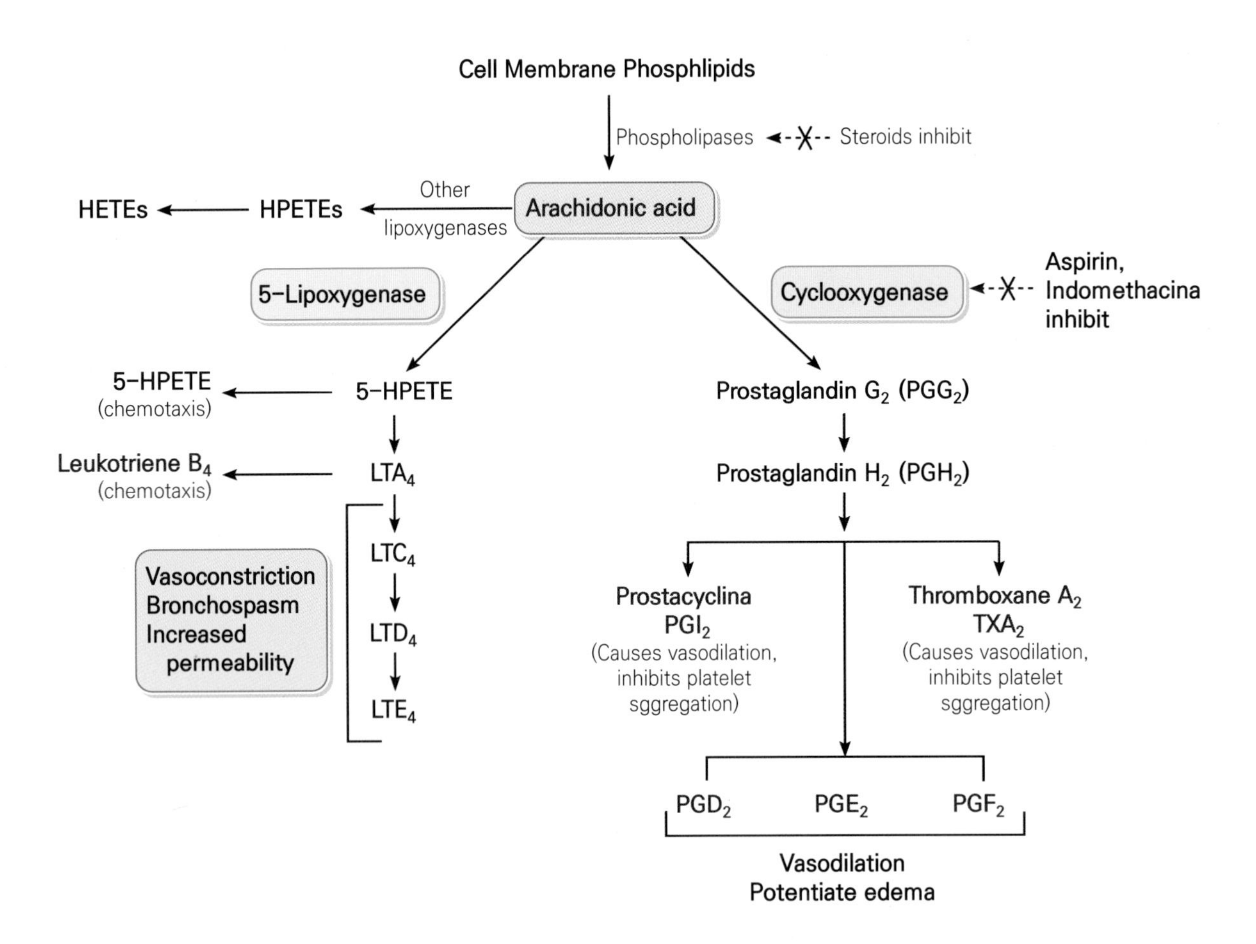

그림 6-2. **COX LOX 기전**

염증부위에서 생성된 PG가 피부표면에서 혈관수축성물질과 길항하여 혈관을 확장시키고, 교감신경말단에서 catecholamine 유리를 억제함으로써 혈관이 확장되고 국소혈류가 증가하며 붓고 통증이 증가한다.

- 양방 진통제 NSAIDs의 작용기전 : Cyclooxygenase activity의 억제
- Aspirin등 대부분의 NSAIDs : COX Ⅰ과 COX Ⅱ 모두 억제
- Ibuprofen : COX Ⅰ억제작용이 약간 강하다. 부루펜(Brufen)
- Acetaminophen : 중추신경계에서 COX 억제. 진통 해열작용 강하나 소염작용은 없다. 타이레놀, 펜잘, 게보린

매선은 말초에서 NSAIDs와 유사한 작용을 하는 것으로 임상에서 판단된다. 이는 침이 말초통증에서 작용하는 기전과 유사하다.

매선침 – 잘 소독되고 적절히 주입된 PDO매선은 진통작용은 물론 소염작용까지 나타낸다.

물론 매선은 만성통증에도 좋지만, 교통사고의 편타성 손상과 같은 급성 통증에도 좋은 말초 진통작용을 한다. 침술에 의한 진통작용보다 좀 더 유침시간이 길어서 보다 강력한 말초 진통작용을 임상에서 보여주고 있다.

부신피질호르몬(adrenal corticosteroids) 치료와 매선시술

부신피질 호르몬은 가장 강한 진통제중 하나로서 강력하게 염증반응(inflammation)을 억제한다.
이는 염증 반응의 핵심중 하나인 백혈구의 이동을 방해하여 염증반응을 억제하나 부작용으로 면역반응 또한 억제한다.

근골격 질환에서 급성의 상황에서는 어쩔 수 없이 덱사와 같은 부신피질 호르몬을 써야 할 경우도 있지만, 부신피질 호르몬은 단백질을 소모시키며 조직의 건강한 재생을 방해하여 무릎이나 관절의 경우에는 장기간 사용할 때 관절조직이 약해지는 결과를 초래할 수도 있다.
따라서 급성의 무릎이나 관절의 손상에는 짧게 덱사를 쓰더라도 급성 상태가 지나면 매선을 이용하여 관절조직의 치밀결합조직의 재생을 돕고 혈류순환을 좋게 하여 구조적으로 다시 안정화되도록 하는 것도 좋은 방법이다.

필자는 앞으로 근골격 질환과 정형의학, 재활의학 분야에서 PDO 녹는실 매선은 급격히 발전할 것으로 예상한다. 특히 만성적인 관절의 약화 즉 TENDON, FASCIA, LIGAMENT 등의 치밀결합조직의 약화와 근육의 손상을 회복하는 것에 PDO 녹는실 매선의 엄청난 위력이 발휘될 것이고 전통한의학의 뜸과 화침이 결합하면 파워풀한 대한민국 매선의학 치료법이 전세계에 각광받는 날이 반드시 올 것으로 예상한다.

매선침과 엔돌핀

침술과 오피오이드(opioid), GABA, 세로토닌(5-HT)등의 신경전달물질과의 관계는 많이 연구되고 있다. 자침을 통하여 엔돌핀, 엔케팔린 등의 분비로 중추성 진통작용을 나타내는 것이 확인되고 있다.

매선침 또한 중추성 진통물질과 적지 않은 관계가 있을것으로 예상한다.

매선침은 특유의 유침효과로 인하여 이들 중추성 진통작용을 보다 지속적으로 하는 메커니즘이 있을 것으로 논리적으로 생각된다.

특히 매선침은 말초와 중추에 각각 치료효과를 나타내어서 결과적으로 시너지 효과를 얻을 수 있다는 것이중요하다. 비유하자면 울트라셋처럼 중추와 말초 모두에 작용하는 기전을 나타낸다,

- 울트라셋 – 아세트아미노펜(타이레놀, 말초진통제)과 트라마돌(중추진통제)이 혼합된 진통제

Chapter 03

매선과 근육, 건, 인대

매선은 근육과 근육을 부착시켜주는 힘줄, 관절을 이루는 인대의 손상을 치유한다.

2008년도에 필자가 택시 탑승 중 뒷차의 추돌사고로 인하여 편타성 손상을 받고 정형외과에서 치료를 받았으나 통증이 쉽게 사라지지 않았다. 교통사고는 근육과 치밀결합조직의 손상으로 그 심한 통증이 유발되며 때로는 수면을 취하지 못할 정도의 통증이 야기된다. 그때 필자는 목과 어깨 경추부위의 압통점에 29게이지 5 cm 매선으로 통증이 심한 근육부위를 자침하였는데, 마치 진통제나 근육이완제를 주사한 것처럼 근육통증이 호전되는 것을 직접 경험하였다.

이처럼 Strain, Sprain에는 매선이 굉장히 뛰어난 치료를 나타낸다.

특히 인대와 건과 같은 치밀결합조직은 세포가 아니라 세포가 만들어내는 ECM이다. 근육세포의 경우에는 세포 스스로 사이토카인을 분비하고 적극적으로 치료와 재생을 도모할 수 있지만 이들 치밀 결합조직들은 부착부에 매선침이나 화침 뜸과 같은 재생을 유도하는 치료자극이 매우 중요하다.

2부에서 충분히 설명하였듯이 PDO녹는실은 치밀 결합조직인 인대와 건을 강화시켜주는 훌륭한 조직학적인 기전을 발휘한다.

매선은 근육의 기능을 강화하는가?

손상된 근육에서 녹는실 PDO매선은 근육의 손상을 회복시켜줌으로써 근육의 기능을 강화시켜준다. 즉 근육이 제 기능을 충분히 발휘할 수 있도록 해줌으로써 치료 전보다 근육을 강화시켜주는 효과를 보여준다.

일반적인 침술만으로도 근육에서 마이오카인이 분비된다. 침 치료는 근육의 수축을 유발하며 이는 지속적인 운동으로 나타나는 효과와도 유사하다고 한다(Lundeberg).

매선침 또한 유침의 효과로 이와 같은 영향이 오히려 더 컸으면 컸지 적지는 않을 것으로 예상된다.

임상에서 필자가 경험한 바로는 매선침은 근육의 손상과 경결을 풀어주며 근육이 제 기능을 충분히 발휘할 수 있도록 해줌으로써 치료 전보다 근육을 강화시켜주는데 뛰어난 효과를 발휘하고 있다.

즉 PDO녹는실 매선침은 근육단백질 합성을 촉진하고, 혈관신생으로 근육을 손상된 근육을 치유한다.

근육결을 따라서 매선을 주입하는 것이 일반적이며, 때로는 근육결과 상관없이 주입하기도 한다.

매선은 손상된 근육, tendon, ligament를 강화한다! 유침효과로 뛰어난 효과를 나타낸다.

Chapter 04

매선과 근방추 GTO

근육의 문제는 단축긴장 근복부병증과 이완약화 부착부병증으로 나눌 수 있다.

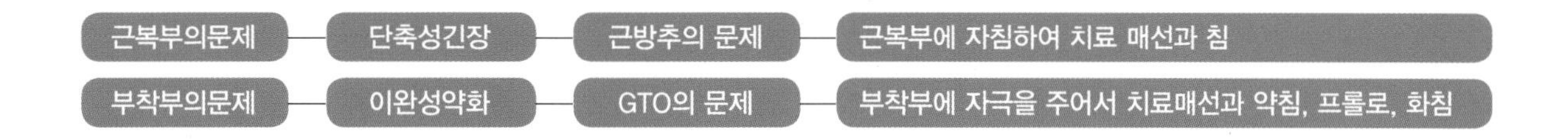

근방추(muscle spindle)

근방추는 근육 안에 있는 고유성 수용기로서 근육의 신장(stretching)을 감지한다. 근방추는 신장반사를 통하여 해당 근육을 수축시킨다.

근방추는 근육이 조금만 늘어나도 민감하게 반응한다. 근방추 중앙부에는 근육의 신장을 감지하는 수용기가 있고, 근방추 안에는 방추내 근섬유가 있어 작용기로서의 역할도 한다.

신장반사(stretch reflex) – 주동근 수축 촉진(단축), 길항근 수축 억제(약화)

골지건기관(Golgi tendon organ)

건골막접합부와 건근접합부에서 힘줄(tendon)에 걸리는 tension(장력)을 감지하는 고유수용성 수용기이다. 근육에 과다한 장력이 걸리면, 근육과 힘줄의 손상을 방지하기 위해서 역신장 척수반사를 유발한다.

GTO의 역신장반사의 활성화는 주동근과 동일 분절을 공유하는 근육의 근긴장도를 저하시키고 길항근과 동일 분절을 공유하는 근육의 근긴장도를 상승시킨다.

역신장반사(reverse stretch reflex)– 주동근 수축 억제(약화) 길항근 수축 촉진(단축)

근방추는 신장(stretching)에 반응하여 신장반사를 통해 주동근의 수축을 촉진한다.
GTO는 장력(tension)에 반응하여 역신장반사를 통해 주동근의 수축을 억제한다.

- 근방추반사 – 근육의 부하를 추가시키면 주동근이 신장된다. 근방추는 이때 신장되어 반사수축을 일으킨다. 반사수축을 통하여 근육은 다시 원래 위치로 돌아간다.

- GTO반사 – 근육에 과중한 부하가 걸리면 GTO에 tension이 걸리면서 이때 GTO는 근육과 힘줄을 보호하기 위하여 근육을 신장시켜버린다.

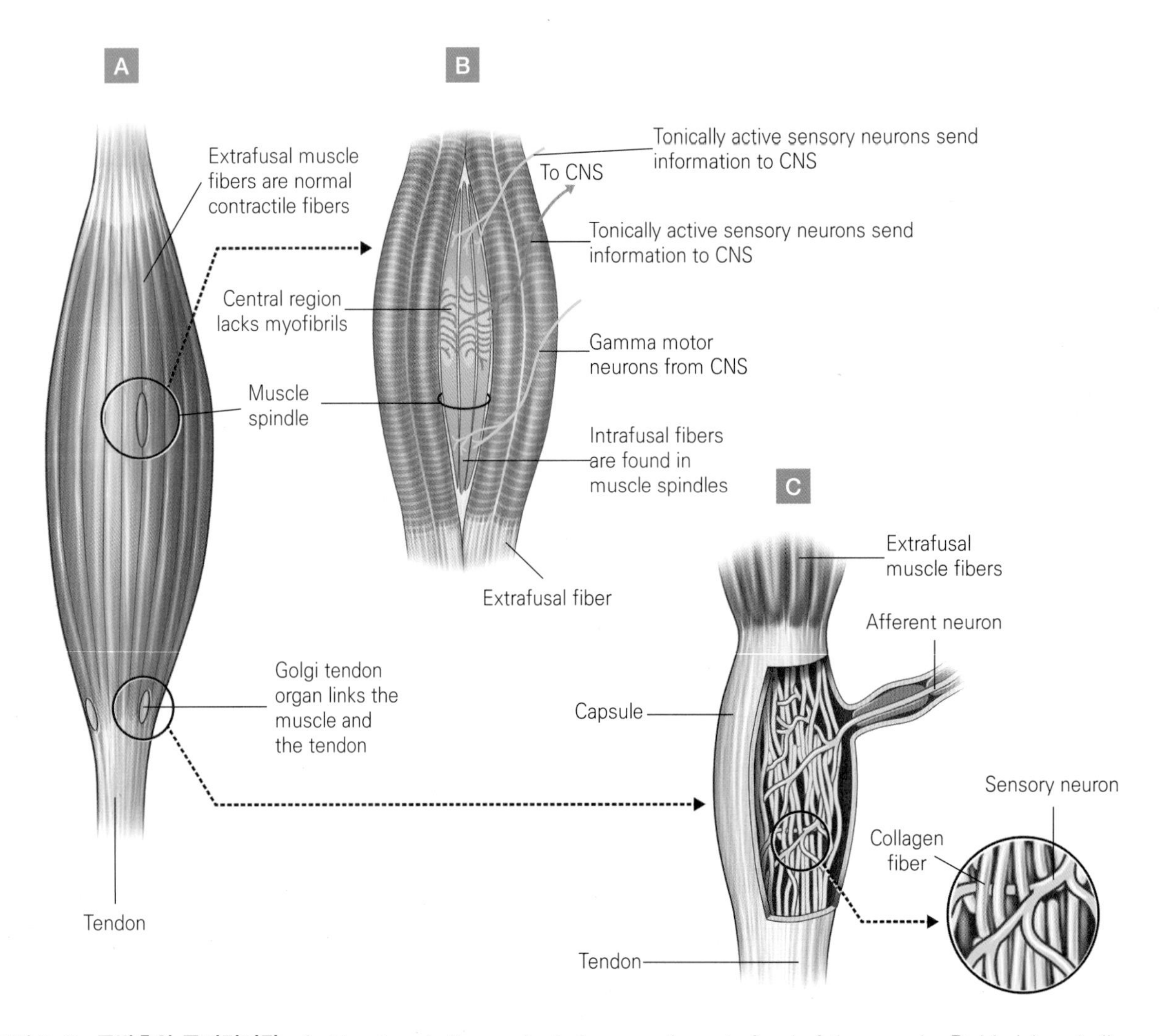

그림 6-3. **근방추와 골지건기관.** A: Muscle spindles are buried among the extrafusal of the muscle, B: Muscle spindle sends information about muscle stratch to CNS, C: Golgi tendon organ consists of sensory nerve endings interwoven among collagen fibers

근방추의 기능에 이상이 있으면 근긴장도가 과도하게 지속되어 단축긴장성 병변이 발생한다.
GTO의 기능에 이상이 있으면 근육이 비정상적으로 이완되어 이완성 병변이 발생한다.

근방추의 기능이상은 경결과 압통점으로 나타난다. 매선으로 근막과 극복부에 적절하게 자침하여 경결과 압통점을 풀어주어서 단축긴장성 병변을 치료할 수 있다.

건의 부착부에 매선과 약침, 화침과 같은 적절한 자극을 주어서 건 콜라겐의 재생과 혈류를 개선시켜주어 이완성 병변을 치료한다.

또한 매선침과 근방추와 GTO와의 관계는 앞으로 연구해볼 부분이 많을 것으로 예상된다.

안면미용 측면에서만 본다면 임상에서 안면표정근에서 그다지 심한 단축이나 이완이 발생하는 경우는 많지 않지만 가벼운 경결과 이완은 쉽게 매선침으로 호전된다.
때로는 교근과 같은 큰저작근과 두경부의 근육에서 단축과 이완이 발생하는 경우가 있으며 안면신경마비 같은 치료매선이 필요할 경우에는 단축과 이완을 근복부와 부착부에 매선과 약침등을 이용하여 치료를 한다.
안면표정근(mimic muscles, 表情筋)은 뼈에서 피부로 부착한다. 안면표정근의 부착부 즉 골-피부 부착부위에 가는 매선을 자입하는 것만으로도 좋은 효과를 볼 수 있다.

Chapter 05

매선과 신경조직과의 관계

매선침과 중추신경 자율신경과의 관계는 일반 침술의 경우와 유사할 것으로 예상된다.
침술과 신경계와의 관계를 고려하여 매선침을 유침의 개념으로 접근하는 것이 필요하다고 생각한다.

특히 말초감각과 중추감각에 침술이 미치는 영향에 대한 연구가 좀 더 이뤄지길 기대한다.
신경계는 신경조직과 그를 둘러싸고 있는 결합조직으로 이루어져 있다.
즉 신경계내의 결합조직에 대해서는 녹는실 매선이 영향을 미칠 것이다.

녹는실 PDO가 신경을 둘러싸고 있는 수초에 영향을 미칠 것으로 생각되며 앞으로 이에 대한 관심과 연구가 활발해지길 기대한다.

매선침을 신경지각과민에 사용하여 어느 정도 효과를 보는 경우도 있다.

통증매선침 임상시술

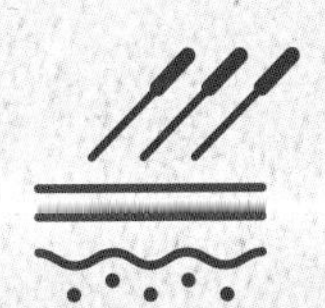

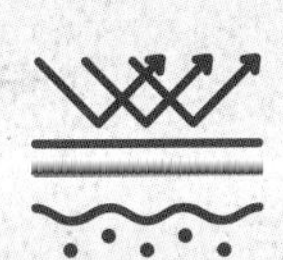

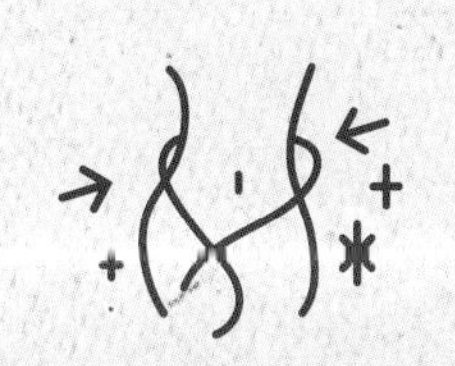

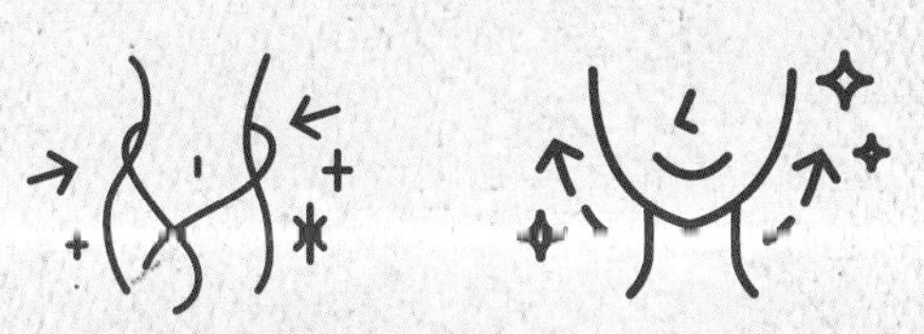

Chapter 01

통증매선의 기본 시술지침

통증매선은 아래와 같이 사용하는 것을 원칙으로 한다.

- 두경부에는 29게이지 3~5센티,
- 체간부에는 27게이지 5~6센티, 9센티
- 피하지방이 두터운 부위에는 25게이지 6센티, 9센티

동통매선의 자입각도

1. 직자 – 90도 수직각도로 자입 – 허리, 둔부, 상하지부등 내부장기가 없는 부위
2. 사자 – 45도 전후로 자입 – 목 어깨 체간부위
3. 횡자 – 20도 이하로 자입 – 두경부와 장기가 있는 부위

통증매선에서 중국식 切埋法이나 割埋法 扎埋法은 임상에서는 사용하지 않는게 좋다. 초기 약실주입식의 스파이널 니들도 사용하지 않는게 낫다고 생각한다.

초기에 우리들이 직접 PDS 봉합사를 소독하여 사용할 때는 29게이지에도 꽤 두꺼운 5–0 실을 넣었으나 현재 시중에 나와 있는 매선은 29게이지에 6–0, 7–0 가는실이 들어 있는게 보통이다.
대신 27게이지 또는 25게이지 니들에 5–0 실이 들어있다. 강한 자극과 유침효과를 위해서는 굵은 실을 사용하는 것이 좋지만 두경부에는 출혈과 부종 때문에 29게이지 매선을 사용하는 것이 유리할 때가 많다. 통증매선에는 거의 모노매선을 이용한다.

통증매선 시술시에는 매선침이 절대로 내부 장기나 관절강 안으로 들어가지 않게 한다.
폐첨이나 내부장기에 자입되면 의료사고가 난다. 돌팔이들의 매선시술로 인한 사고의 상당수가 폐나 내부장기로 매선침이 들어가서 생기는 기흉, 방광손상 등이다.

경혈부위를 핀칭하여 연조직에 횡자 또는 사자를 하는 것을 원칙으로 하는 것이 좋다.
다만 근육이 많은 부위나 내부장기를 손상할 우려가 적은 곳에는 직자가 가능하다.

안면부 미용매선이 아닌 통증매선은 일반적으로는 27, 29게이지는 참을만 하므로 따로 마취를 하지는 않는다. 그러나 매선을 대량 자입하거나 환자가 통증을 못참거나 25게이지 굵은 니들을 사용할때는 통증매선은 시간상 문제로 바르는 마취 보다는 스프레이 마취를 하는 경우가 많다(그림 7-1).

통증매선에 있어서도 양장사의 사용보다는 PDO실을 사용하기를 권장하며, 약액이나 봉독에 담그거나 묻혀서 자입하는 방법을 필자는 사용하지 않는다. 그래도 약액이나 봉독을 주입하고 싶으면 차라리 매선침을 먼저 자입한 후에 약침은 각각 따로 주입하는 것이 괴사나 염증에 안전하다고 개인적으로 생각한다.

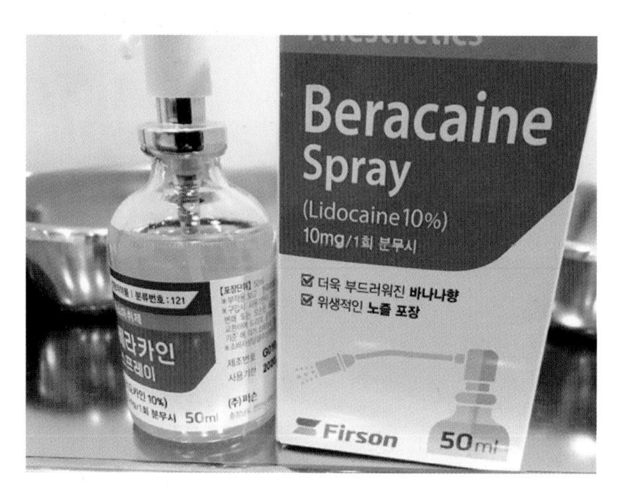

그림 7-1. **마취스프레이**

필자가 사용하는 통증매선 시술법예

필자는 주로 미용매선을 위주로 하지만 두경부의 통증매선 시술도 상당히 많이 하는 편이다.

임상에서 안면부나 두경부 통증과 얼굴의 미용과 큰 관계가 있다는 것은 나뿐만 아니라 많은 동료 의료인들이 느끼고 있는 사실이다. 얼굴 근육의 경결과 이완을 풀어주는 것, 목 어깨의 뭉침을 풀어주는 것, TMD문제를 해결해주는 것이 얼굴을 개선하는데 훌륭한 역할을 하기에 필자는 미용매선과 동시에 두경부의 통증을 해결하는데 많은 관심을 가지고 있다.

물론 두경부 뿐만 아니라 인체 전체의 통증에서 매선은 뛰어난 효과를 보여주고 있으며, 지금도 많은 동료 의료인들에 의해서 발전해 나가고 있다.

여기서는 필자가 주로 임상에서 통증매선을 사용하는 간단한 방법을 언급하도록 하겠다.

필자는 통증매선을 시술할 때 아시혈 위주로 통증 부위를 촉진하여 매선을 자입한다. 근육의 경결이나 심한 압통점이 있을 경우, 바로 그 부위에 적절한 길이와 굵기의 매선을 자입하며(필자는 오로지 PDO매선침만을 사용한다) 반대 측 부위에는 통증이 없더라도 균형을 맞추는 정도로 매선을 자입한다(그림 7-2, 7-3).

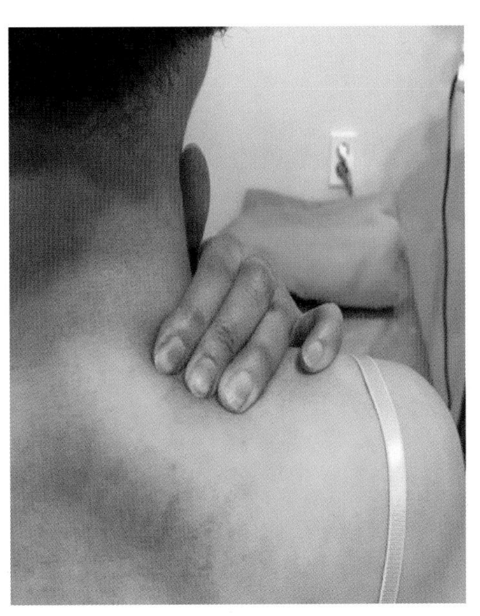

그림 7-2. **압통점 확인**

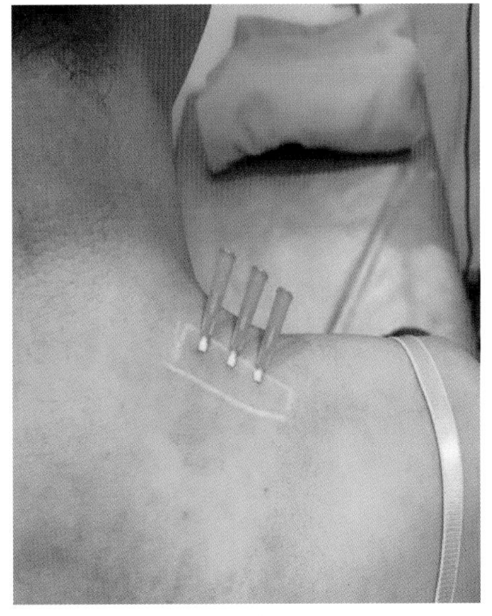

그림 7-3. **압통점 매선**

Chapter 02
두경부 매선시술

편두통 : 두유(頭維), 함염(頷厭), 현로(懸顱), 곡빈(曲鬢), 화료(禾髎)혈에서 측두근의 근막위에 PDO매선을 깐다는 개념으로 횡자(橫刺)를 해준다.

측두근의 경직이 있을 경우에 곡빈(曲鬢)–솔곡(率谷), 곡빈(曲鬢)–각손(角孫)혈을 橫刺.

비염 : 폐수(肺俞), 신수(腎俞), 상성(上星), 영향(迎香), 인당(印堂), 거료(居髎)–영향(迎香)혈, 거료(居髎)–비통(鼻通)혈을 橫刺.

알러지 비염 : 폐수(肺俞), 비수(脾俞), 신수(腎俞), 이문(耳門), 영향(迎香), 인당(印堂), 대추(大椎), 합곡(合谷), 족삼리(足三里)

구륜근 강화 : 지창(地倉)혈에서 구륜근 주위를 돌면서 깔아준다.

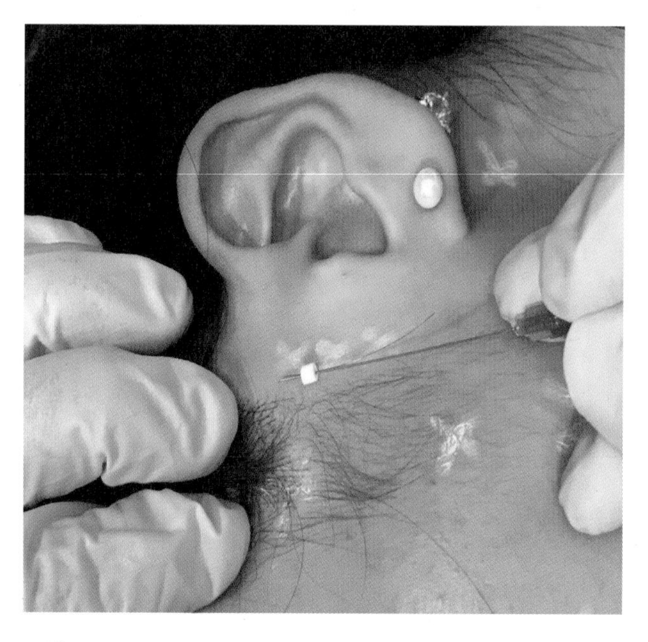

그림 7-4. **이명 난청 매선**

이문(耳門), 청궁(聽宮), 청회(聽會), 예풍(翳風)혈을 이용한다.
예풍(翳風)혈에서 이개근을 전체로 둘러싸듯이 매선으로 자침하는 것도 좋다.

만성 중이염 : 청궁(聽宮), 청회(聽會), 이문(耳門), 예풍(翳風), 외관(外關), 태계(太谿), 풍지(風池), 기해(氣海)

고혈압 : 심수(心兪), 간수(肝兪), 신수(腎兪), 백회(百會), 태양(太陽), 곡지(曲池), 혈해(血海), 족삼리(足三里), 삼음교(三陰交), 명문(命門)
사죽공(絲竹空)에서 두유(頭維)혈, 태양(太陽)혈에서 곡빈(曲鬢)혈쪽으로 횡자(橫刺)한다.

저혈압 : 내관(內關), 족삼리(足三里), 관원(關元)-기해(氣海)(透刺 또는 橫刺), 백회(百會), 심수(心兪)

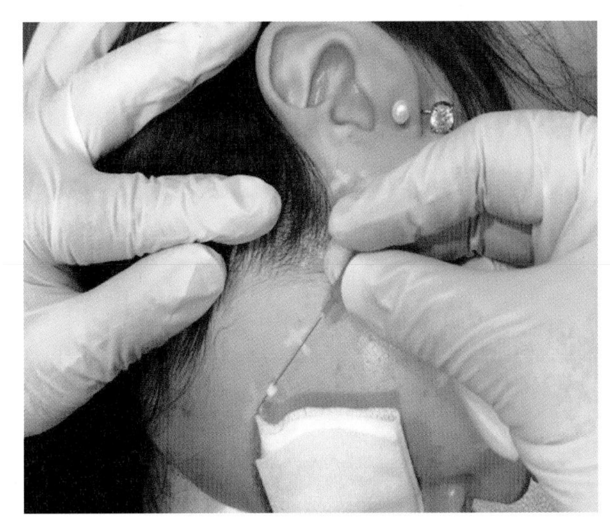

그림 7-5. **시력강화, 노안 매선**

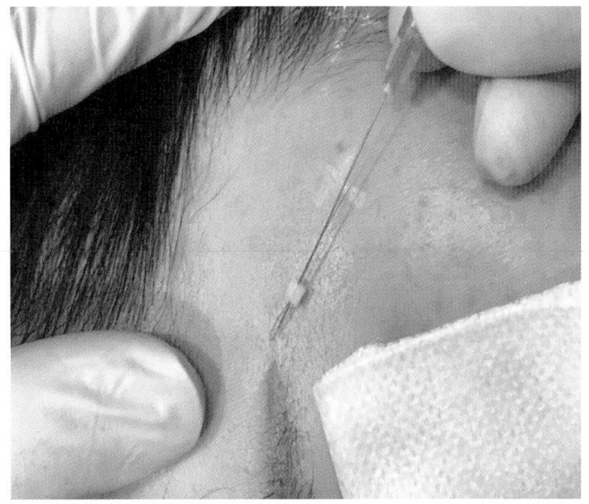

그림 7-6. **시력강화, 노안 매선**

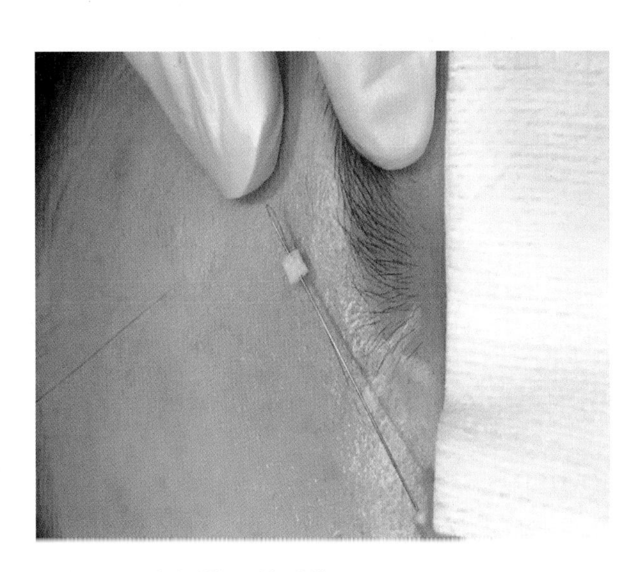

그림 7-7. **시력강화, 노안 매선**

매선과 약침시술을 병행한다. 간수(肝兪), 신수(腎兪), 광명(光明), 찬죽(攢竹), 사죽공(絲竹空), 동자료(瞳子髎), 어요(魚腰), 정명(睛明), 사백(四白)혈을 이용한다. 관료(顴髎)-동자료(瞳子髎), 거료(居髎)-사백(四白), 영향(迎香)-정명(睛明)혈 쪽으로 매선을 자침하며 절대로 안와내로 들어가지 않도록 하며 멍에 주의한다.

안검하수 : 찬죽(攢竹)-어요(魚腰) 관통, 어요(魚腰)-사죽공(絲竹空) 관통, 족삼리(足三里), 태계(太谿), 양백(陽白), 태양(太陽), 합곡(合谷), 곤륜(崑崙)

구안와사 : 견료(肩髎), 곡지(曲池), 합곡(合谷), 족삼리(足三里), 천종(天宗), 양릉천(陽陵泉), 삼음교(三陰交), 지창(地倉), 협거(頰車), 대영(大迎), 사백(四白)혈을 기본으로 매선침을 근육에 주입한다(그림 7-8).
안면신경의 분지부위 혈자리에 자침한다는 느낌으로 시술한다.
큰광대근, 작은광대근, 윗입술올림근, 입꼬리올림근, 소근부위의 경혈과 경락을 횡자(橫刺), 사자(斜刺)한다.

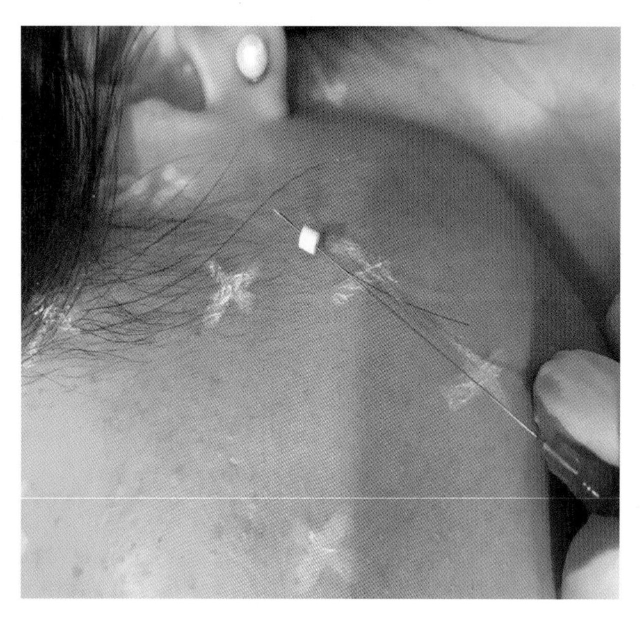

그림 7-8. **구안와사 매선**

중풍후유증 : 곡지(曲池), 합곡(合谷), 천종(天宗), 족삼리(足三里), 풍륭(豊隆), 양릉천(陽陵泉), 삼음교(三陰交), 풍시(風市), 간수(肝俞), 신수(腎俞), 삼초수(三焦俞), 견료(肩髎)

턱근육통증(교근경직) : 대영(大迎), 협거(頰車), 상관(上關), 하관(下關), 이문(耳門)혈을 29G 38 mm 매선으로 횡자(橫刺), 사자(斜刺)한다. 내익돌근도 경직되어 있는지 확인한다(그림 7-9, 7-10).
목과 어깨의 근육을 촉진하여 뭉쳐있을 경우에 매선으로 같이 풀어준다.

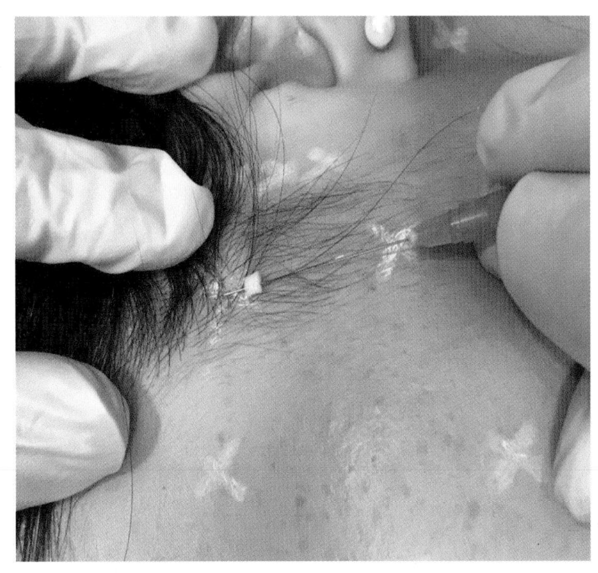

그림 7-9. **턱근육통증 매선**

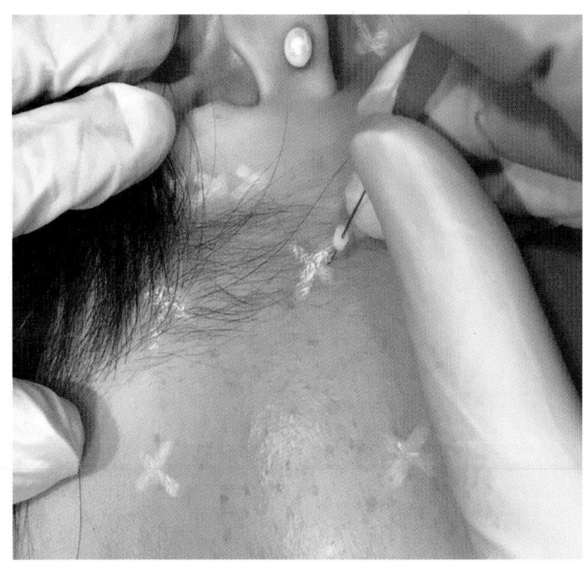

그림 7-10. **턱근육통증 매선**

TMD : 턱관절 통증은 근육성 통증이 대부분이다. 교근과 측두근 내외 익돌근을 매선으로 풀어준다는 느낌으로 시술한다.

특히 수면 시 이갈이와 이 악물기로 교근이 딱딱해져 있는 경우는 29G 매선으로 교근을 관통하여 bone touch의 느낌으로 매선을 깔아주면 좋은 효과를 볼 수 있다.

때로는 짧은 매선으로 하관(下關), 상관(上關)혈에서 사자(斜刺)로 근육 내로 시술하기도 한다.

대영(大迎), 협거(頰車), 상관(上關), 하관(下關), 이문(耳門), 청궁(聽宮), 청회(聽會)혈을 이용한다.

항강증 : 매선의 효과가 상당히 빠른 부분으로 압통점과 아시혈 위주의 매선시술로도 훌륭한 결과를 나타낼 수 있다. 풍지(風池), 풍부(風府), 천주(天柱), 아문(瘂門)혈을 이용한다.

때로는 옥침(玉枕), 뇌호(腦戶)혈을 이용한다(그림 7-11).

splenius capitis m 두판상근(頭板狀筋), splenius cervicis m 경판상근(頸板狀筋)

suboccipital m 후두하근(後頭下筋) 근육 부위를 촉진하여 압통점과 경결에 매선을 자침한다.

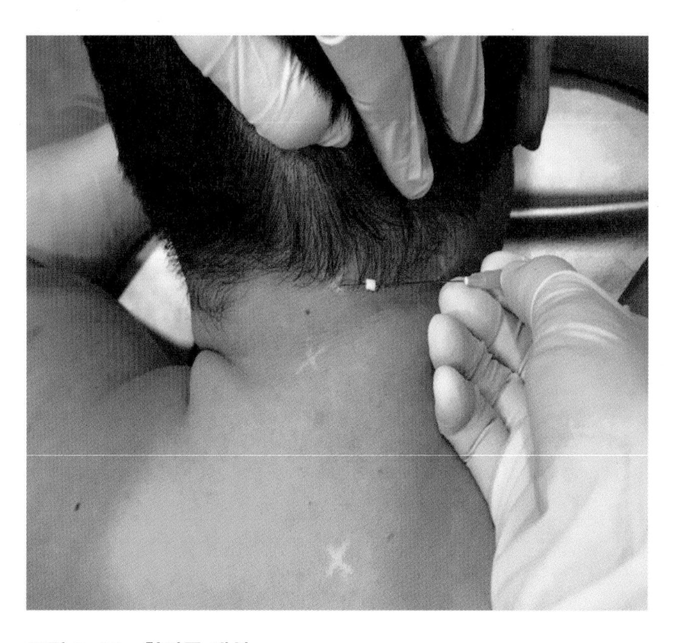

그림 7-11. **항강증 매선**

교통사고 후유증(편타성손상)

2008년도에 필자가 택시 탑승 중 뒷차의 추돌사고로 인하여 편타성 손상을 받고 정형외과에서 치료를 받았으나 통증이 쉽게 사라지지 않았다. 교통사고는 근육과 치밀결합조직의 손상으로 그 심한 통증이 유발되며 때로는 수면을 취하지 못할 정도의 통증이 야기된다. 그때 필자는 목과 어깨 경추부위의 압통점에 29G 5 cm매선으로 통증이 심한 근육부위를 자침하였는데, 마치 진통제나 근육이완제를 주사한 것처럼 근육통증이 호전되는 것을 직접 경험하였다.

교통사고나 기타 외상에 의한 근육과 건 인대의 손상에는 매선이 탁월한 효과를 발휘한다. 급성 근육손상의 경우 출혈이 없다면 재빨리 압통점에 매선을 깔아주면 통증해소는 물론 근육파열의 치료에도 좋은 효과를 얻을 수 있다. 풍부(風府), 아문(瘂門), 대추(大椎), 도도(陶道), 신주(身主), 영대(靈臺), 천주(天柱), 대저(大杼), 풍문(風門), 폐수(肺兪), 궐음수(厥陰兪), 견외수(肩外兪), 견정(肩井) 등 편타성 손상으로 근육의 통증이 호발하는 부위를 매선으로 사자(斜刺) 또는 횡자(橫刺)해준다(그림 7-12).

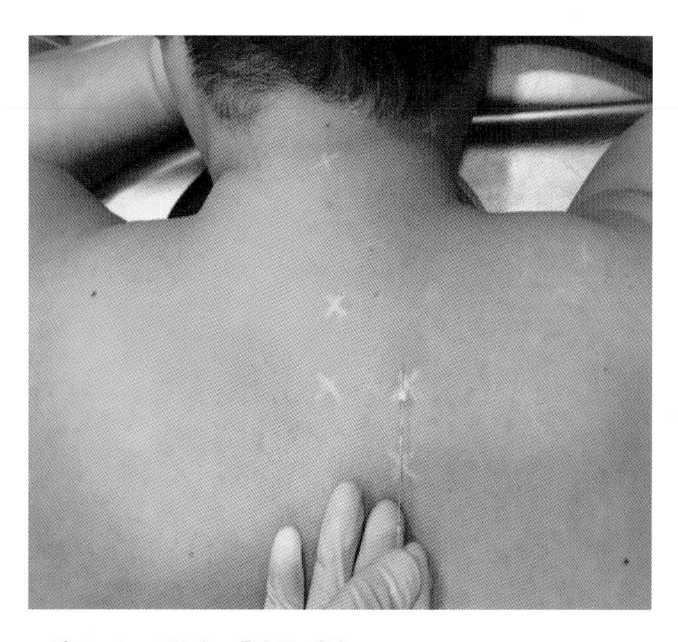

그림 7-12. **교통사고 후유증 매선**

Chapter 03

상, 하지부 매선시술

어깨통증 : 어깨통증은 매선침의 위력이 잘 나타나는 부위로 압통점과 아시혈 위주의 매선침법으로도 훌륭한 결과를 볼 수 있다. 그 외에 견우(肩髃), 견료(肩髎), 노수(臑俞), 견정(肩井), 비노(臂臑), 천부(天府), 협백(俠白)혈 등을 매선으로 감싸듯이 자침한다(그림 7-13).

오십견 : 승모근의 기시부·종지부 등을 자침해주며 견우, 견정(肩井), 견중수(肩中俞), 견외수(肩外俞), 천료(天髎), 거골(巨骨), 견료(肩髎), 곡원(曲垣), 병풍(秉風)혈 등을 매선을 이용하여 횡자(橫刺) 또는 사자(斜刺)한다.

아시혈, 환부의 반대편 양릉천도 이용한다.

엘보우(테니스, 골프) : 척택(尺澤), 곡택(曲澤), 소해(少海)혈을 횡자(橫刺) 또는 사자(斜刺)해준다. 곡지(曲池), 수삼리(手三里), 주료(肘髎)혈 등을 매선으로 자침한다(그림 7-14).

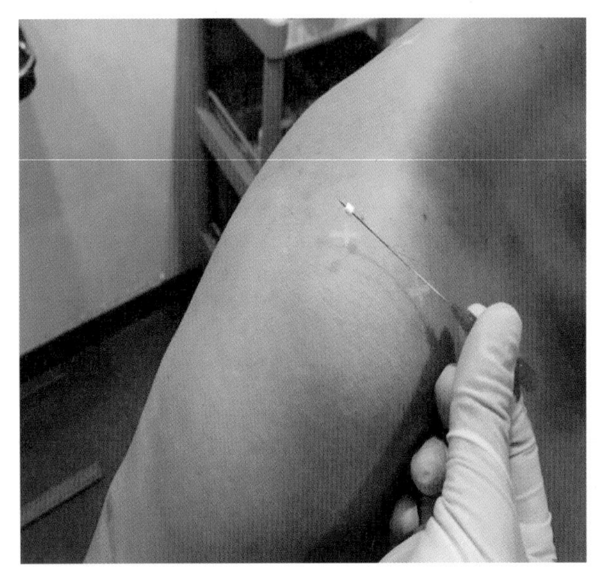

그림 7-13. **어깨통증 매선**

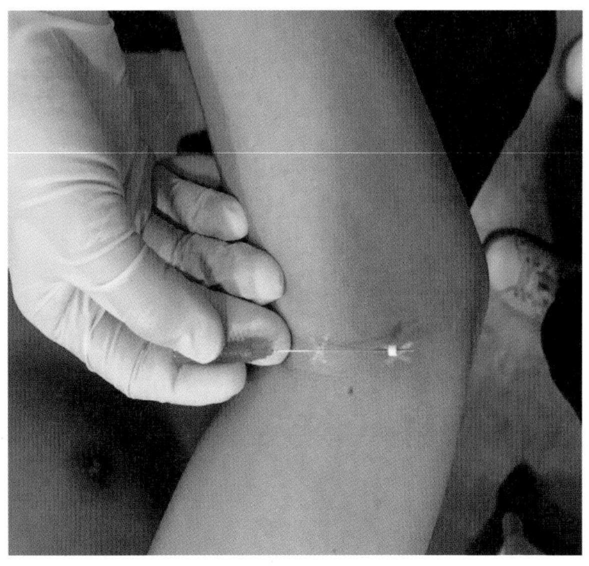

그림 7-14. **테니스 엘보우, 골프 엘보우 매선**

수근관증후군 : 대릉(大陵), 신문(神門), 태연(太淵), 내관(內關), 간사(間使)혈 부위를 열십자 모양으로 매선침을 횡자(橫刺)하고 때로는 내관(內關), 외관(外關)혈을 관통하는 느낌으로 매선을 심어준다(그림 7-15).

무릎통증 : 무릎부위에서 시술 시 주의할 점은 관절강 내로 매선침을 자침하지 않는 것이 좋다는 점이다. 통증이 있는 부위에 자침을 하는 것을 원칙으로 하고 일반 체침처럼 매선 침을 자입할 경우에는 29G 짧은 매선침을 체침으로 간주하여 자침한다. 무릎 주변의 혈자리를 횡자 또는 사자하여 무릎 주변을 감싸듯이 매선을 자입한다. 슬안(膝眼), 독비(犢鼻), 양릉천(陽陵泉), 음릉천(陰陵泉), 족삼리(足三里), 슬관(膝關), 혈해(血海), 음시(陰市), 양구(梁丘), 협척(夾脊), 신수(腎俞) 등을 둘러싸듯이 자침한다(그림 7-16, 7-17).

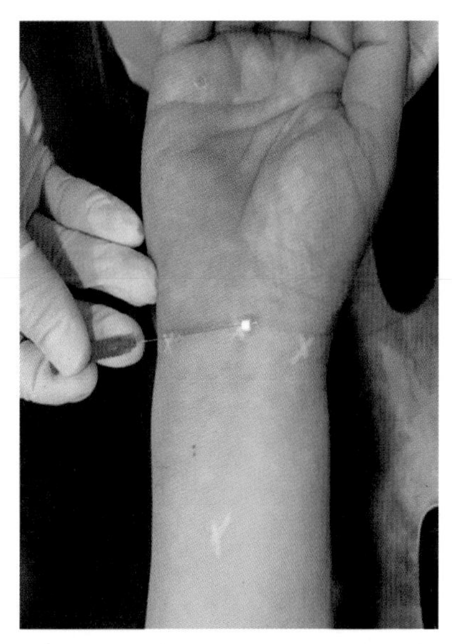

그림 7-15. **수근관증후군 매선**

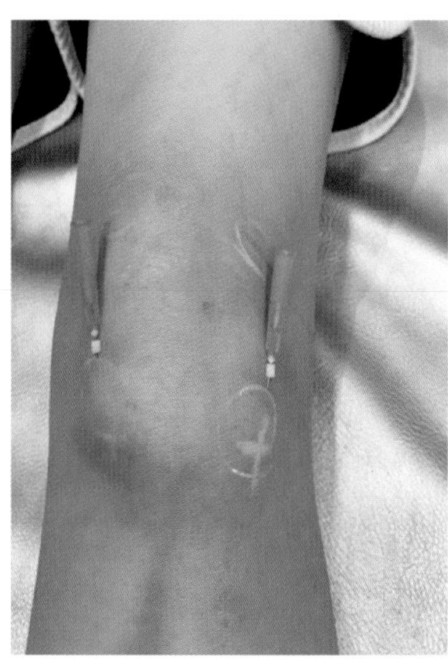

그림 7-16. **무릎통증 매선**

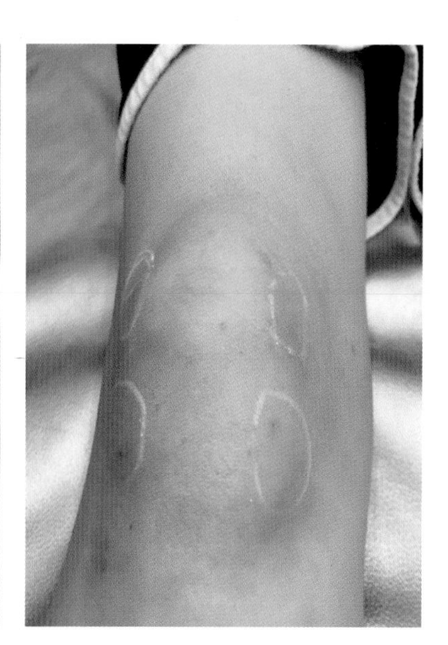

그림 7-17. **무릎통증 매선**

대퇴근강화 : 혈해(血海)-음포(陰包), 복토(伏兎)-음시(陰市)-양구(梁丘)혈을 매선으로 근막을 덮듯이 자침한다. 비관(髀關), 기문(箕門)혈 주변을 근육강화 매선시술을 한다(그림 7-18).

골다공증 : 골다공증치료는 변증에 의한 한약치료가 우선이며, 그 보조로 약침과 매선을 사용할 수 있다. 이 경우 직자를 원칙으로 하며 뼈 근처에까지 닿는다는 느낌으로 깊이 자침해준다. 복토(伏兎), 음시(陰市), 양구(梁丘), 혈해(血海), 음포(陰包) 부위를 깊숙이 직자(直刺)하여 골막까지 닿는다는 느낌으로 시술한다.

대퇴혈 부위뿐만 아니라 양릉천(陽陵泉), 음릉천(陰陵泉), 족삼리(足三里), 풍륭(豊隆), 삼음교(三陰交) 부위의 혈자리를 매선으로 직자해준다.

발목통증 : 구허(丘墟), 신맥(申脈)혈 주변을 매선으로 자침한다. 해계(解谿), 곤륜(崑崙), 중봉(中封), 삼음교(三陰交)혈을 이용한다(그림 7-19, 7-20).

근육경련 : 승부(承扶), 복토(伏兎), 양구(梁丘), 족삼리(足三里), 양릉천(陽陵泉), 승근(承筋), 승산(承山), 위중(委中), 곡천(曲泉)혈에 매선을 자침한다(그림 7-21, 7-22).

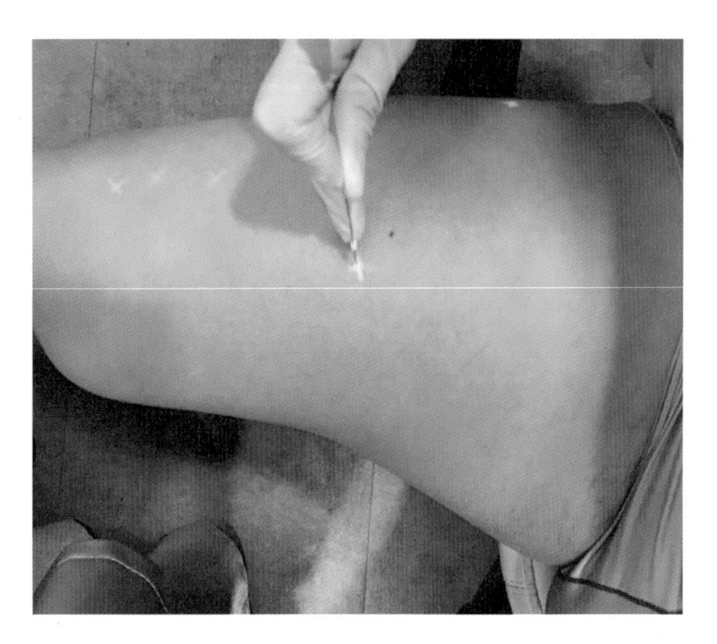

그림 7-18. **대퇴근강화 매선**

상지부종 : 피하층에 매선을 자침하는 것을 원칙으로 하며, 청령(靑靈), 천부(天府), 협백(俠白)혈 등의 위치에서 피하지방이 많은 곳에 핀칭하여 비교적 두꺼운 매선침을 피하층에 삽입한다.

하지부종 : 하지부종에는 위중(委中), 위양(委陽), 승부(承扶), 복토(伏兎), 양구(梁丘), 승근(承筋), 승산(承山)혈 등에 사자하거나 피하지방이 많은 곳에 핀칭하여 비교적 두꺼운 매선침을 피하층에 삽입한다.

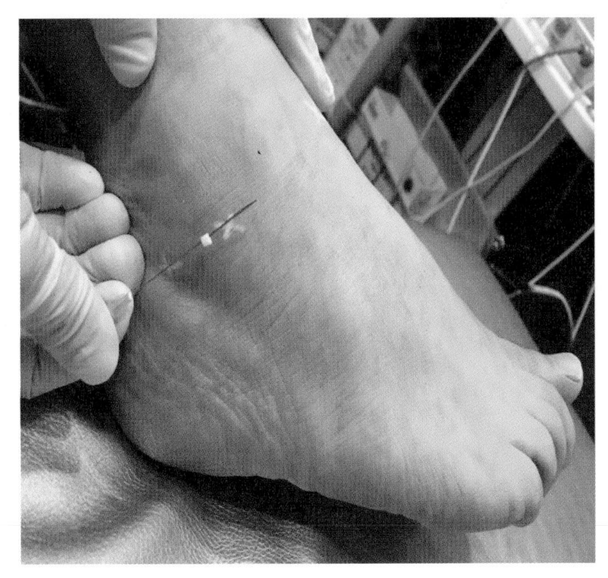

그림 7-19. **발목통증 매선**

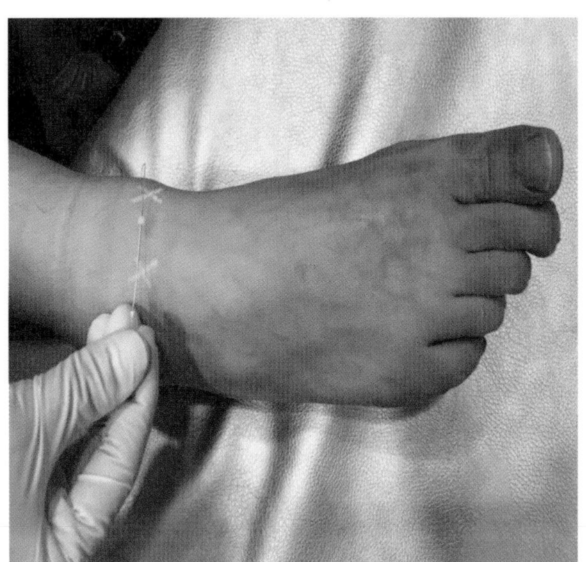

그림 7-20. **발목통증 매선**

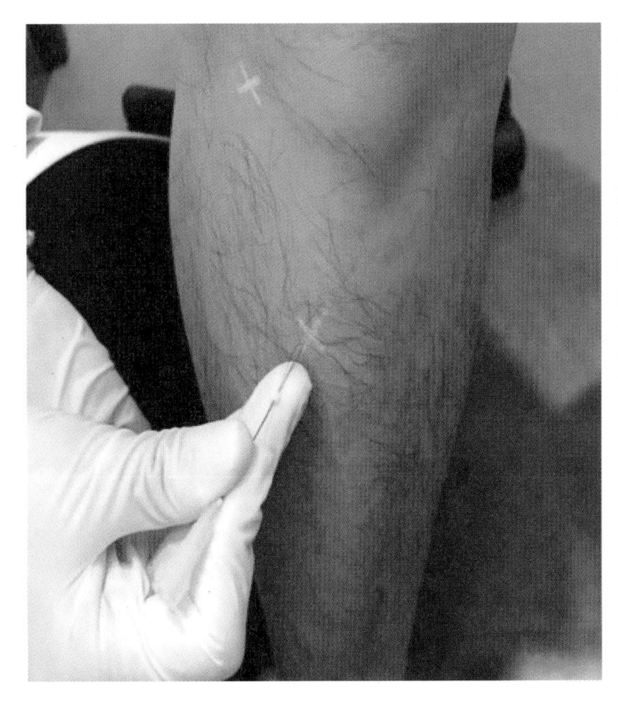

그림 7-21. **근육경련 매선**

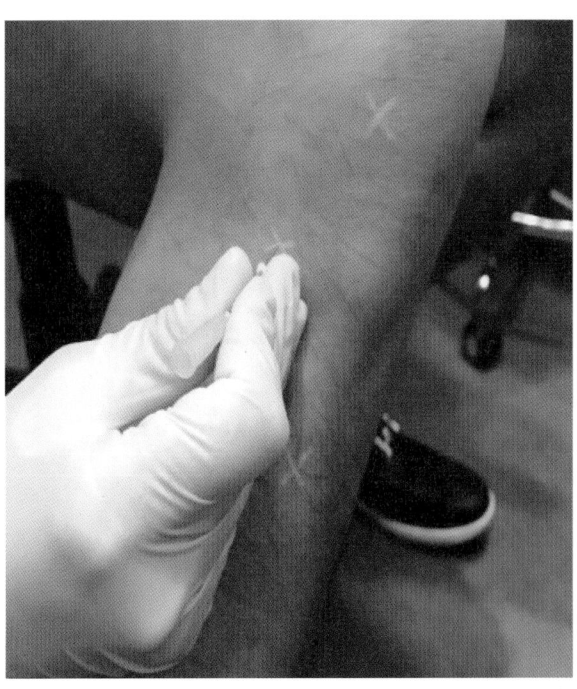

그림 7-22. **근육경련 매선**

Chapter 04

체간부 매선시술

인후부 통증, 만성기관지염 : 천돌(天突), 관원(關元), 염천(廉泉), 폐수(肺俞), 족삼리(足三里), 양릉천(陽陵泉), 조해(照海), 선기(璇璣), 화개(華蓋), 옥당(玉堂), 단중(膻中), 구미(鳩尾)혈을 이용한다(그림 7-23).

해수

- 외감해수: 폐수(肺俞), 단중(膻中), 합곡(合谷), 대추(大椎), 곡지(曲池), 풍문(風門)
- 내상해수: 폐수(肺俞), 단중(膻中), 족삼리(足三里), 열결(列缺)

후두염 : 인영(人迎), 수돌(水突), 천돌(天突)혈

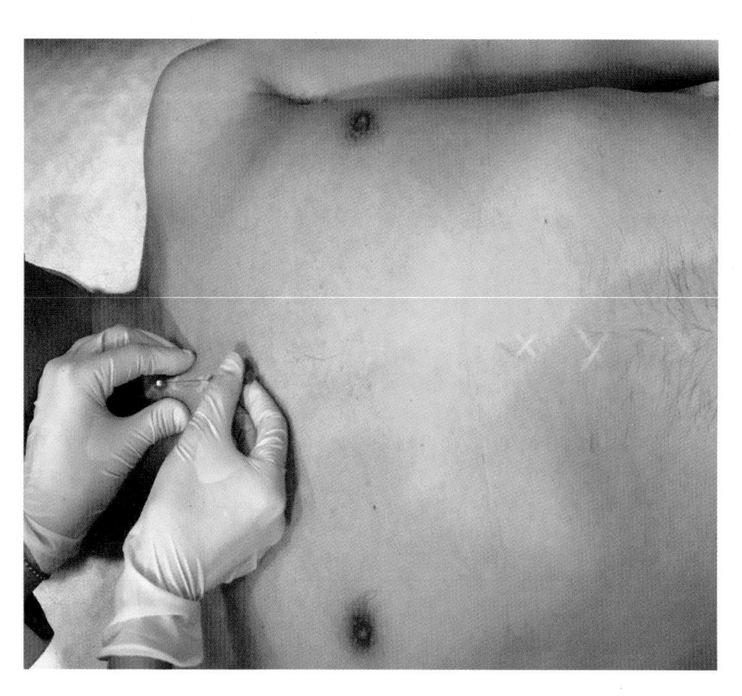

그림 7-23. **인후부 통증, 만성 기관지염 매선**

경추디스크 : 경추디스크 주변의 근육에 자침하며 풍부(風府), 아문(瘂門), 천주(天柱), 대추(大椎)혈 등을 자침한다.

요추디스크 : 협척(夾脊), 위중(委中), 풍시(風市), 양릉천(陽陵泉), 족삼리(足三里). 디스크는 아시혈을 최우선적으로 매선을 자침해준다.

척추기립근 강화매선 : 노화와 더불어서 허리가 굽고 체형이 올바르지 못한 것은 코어 근육과 척추 주변 근육의 약화로 발생하는 경우가 많다. 매선은 근육을 강화시켜주며 근육의 뭉침과 통증을 치료해 준다. 척추 주변의 경혈을 가로 또는 세로로 매선침을 횡자(橫刺), 사자(斜刺)로 자침한다(그림 7-24, 7-25).

풍부(風府), 아문(瘂門), 대추(大椎), 도도(陶道), 신주(身主), 신도(神道), 영대(靈臺), 지양(至陽), 근축(筋縮), 중추(中樞), 척중(脊中), 현추(懸樞), 명문(命門), 요양관(腰陽關)

천주(天柱), 대저(大杼), 풍문(風門), 폐수(肺俞), 궐음수(厥陰俞), 심수(心俞), 독수(督俞), 격수(膈俞), 간수(肝俞), 담수(膽俞), 비수(脾俞), 위수(胃俞), 삼초수(三焦俞), 신수(腎俞), 기해수(氣海俞), 대장수(大腸俞), 관원수(關元俞) 등의 경혈을 경혈과 경혈 사이를 매선으로 그물망처럼 연결해준다.

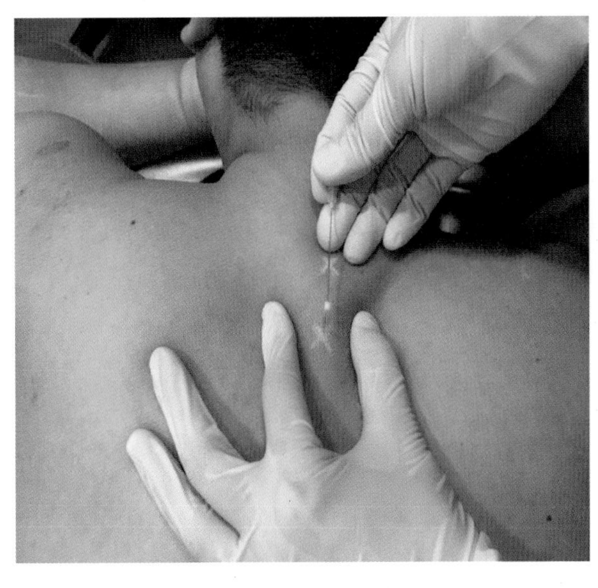

그림 7-24. **척추기립근 강화매선**

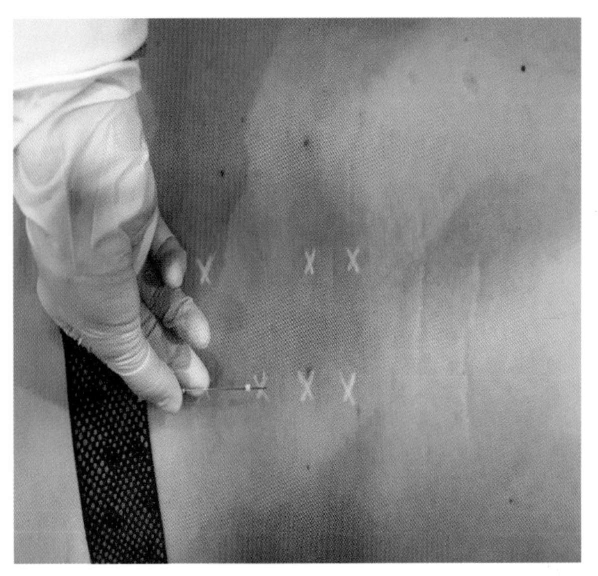

그림 7-25. **척추기립근 강화매선**

늑간신경통 : 늑간신경통이나 늑간근육통증의 경우에는 매선을 절대로 직자(直刺)해서는 안 된다. 매선시술에서 주의해야할 점 중 하나가 폐첨(肺尖)을 찌르거나 폐같은 내부장기에 매선침이 자입되는 것을 방지해야하는 것이다. 압통점이나 경계를 잇는 부위, 아시혈 위주로 매선을 횡자(橫刺)한다. 핀칭하여 매선이 깊게 들어가지 않도록 주의한다. 욱중(彧中), 신장(神藏), 영허(靈墟), 신봉(神封), 보랑(步廊), 불용(不容), 옥예(屋翳), 응창(膺窓), 유중(乳中), 유근(乳根), 기문(期門), 중부(中府), 주영(周榮), 흉향(胸鄕), 천계(天谿)혈 등을 횡자(橫刺)한다.

좌골신경통 : 풍시(風市), 양릉천(陽陵泉), 방광수(膀胱俞), 승부(承扶), 승산(承山), 은문(殷門), 곤륜(崑崙), 족삼리(足三里), 신수(腎俞), 위중(委中). 아시혈에도 매선을 자입한다.

흉통 : 단중(膻中), 중정(中庭), 구미(鳩尾), 응창(膺窓), 유중(乳中), 유근(乳根), 기문(期門), 중부(中府), 주영(周榮), 흉향(胸鄕), 천계(天谿)혈 등을 횡자(橫刺)한다.

소화불량 : 중완(中脘), 상완(上脘), 하완(卜脘)혈 부위를 매선침으로 횡자(橫刺) 또는 사자(斜刺)한다(그림 7-26).

위하수 : 하완(下脘), 중완(中脘), 상완(上脘), 상곡(商曲), 석관(石關), 복통곡(腹通谷), 활육문(滑肉門), 태을(太乙), 관문(關門), 양문(梁門), 위상(胃上), 불용(不容)혈 등의 위치에서 아래에서 위쪽으로 매선침을 횡자(橫刺)로 자침한다.

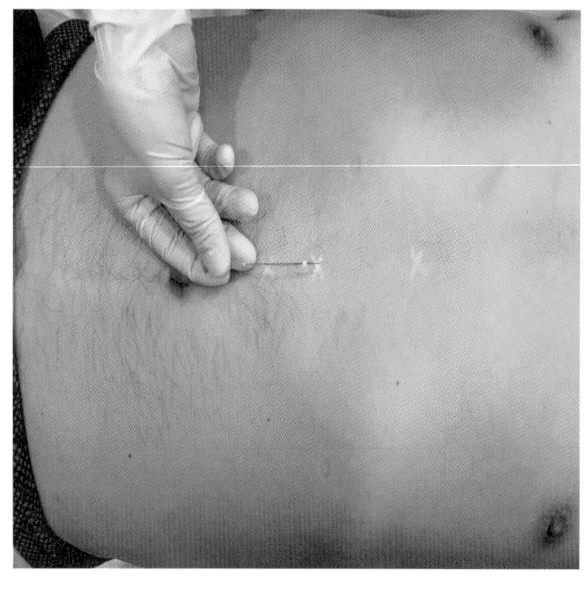

그림 7-26. **소화불량 매선**

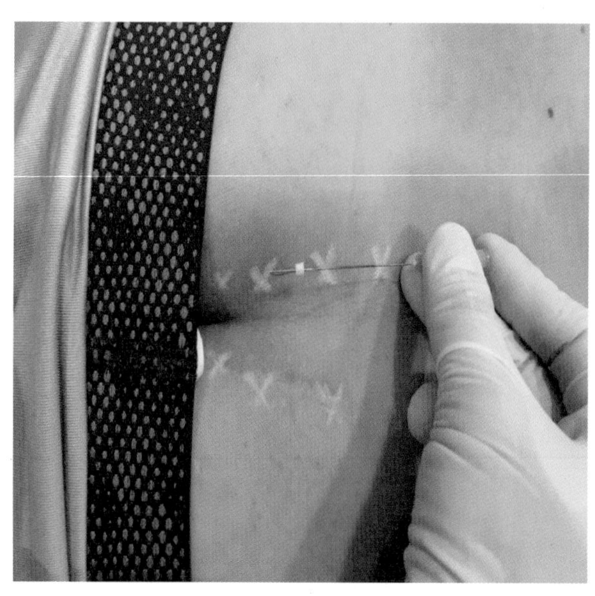

그림 7-27. **팔료혈 매선 시술**

만성위염 : 중완(中脘), 위수(胃俞), 비수(脾俞), 상완(上脘), 하완(下脘), 삼초수(三焦俞), 족삼리(足三里), 삼음교(三陰交)

복통 : 간수(肝俞), 위수(胃俞), 비수(脾俞), 대장수(大腸俞), 중완(中脘), 족삼리(足三里), 중완(中脘)−하완(下脘) 투자(透刺), 간수(肝俞)−담수(膽俞) 투자(透刺),

척추측만증 : 척추기립근 강화매선과 유사하게 치료를 한다. 다만, 척추측만을 바로잡기 위하여 척추라인을 따라 예를 들면 대저(大杼)−풍문(風門), 풍문(風門)−폐수(肺俞), 폐수(肺俞)−궐음수(厥陰俞) 식으로 경혈 사이를 매선으로 척추라인과 평행하게 자침한다.

성장촉진 : 척추측만증치료와 유사하게 척추 주변의 경혈을 매선으로 자극한다.

좌골신경통 : 팔료(八髎), 상료(上髎), 차료(次髎), 중료(中髎), 하료(下髎)혈을 매선으로 깔아주며 소장수(小腸俞), 방광수(膀胱俞), 중려수(中膂俞), 백환수(白環俞) 혈도 매선을 자침한다. 기충(氣衝), 급맥(急脈), 충문(衝門), 음렴(陰廉), 족오리(足五里), 비관(髀關), 기문(期門), 복토(伏兎), 음포(陰包)혈 등을 매선으로 자침한다(그림 7-27).

요통 : 요통 또한 압통점과 아시혈 위주로 자침하며 요양관(腰陽關), 명문(命門)혈 등을 직자(直刺)해준다.
신수(腎俞), 기해수(氣海俞), 대장수(大腸俞), 관원수(關元俞)등의 중요한 혈자리를 매선으로 척추방향으로 횡자(橫刺)하고 때로는 열십자 방향으로 매선침을 자입하여 통증부위를 그물망 형태로 매선을 깔아준다.

Chapter 05

기타질환 매선시술

전립선(소변불리) : 대거(大巨), 수도(水道), 기해(氣海), 관원(關元), 귀래(歸來), 곡골(曲骨)혈을 자침한다. 삼음교(三陰交), 신수(腎俞), 족삼리(足三里)

치질 : 소장수(小腸俞), 백회(百會), 회음(會陰), 장강(長强), 질변(秩邊), 승산(承山), 격수(膈俞)
항문괄약근 주변을 괄약근 근육강화매선으로 29G 또는 27G 5 cm 매선으로 자침한다.

생리동 : 곡골(曲骨), 음교(陰交), 삼음교(三陰交), 관원(關元), 팔료(八髎), 신수(腎俞), 대장수(大腸俞), 포황(胞肓), 자궁(紫宮), 질변(秩邊)혈 등을 자침한다.

월경불순 : 기해(氣海), 관원(關元), 삼음교(三陰交), 차료(次髎), 간수(肝俞), 혈해(血海), 신수(腎俞), 방광수(膀胱俞), 질변(秩邊), 풍륭(豊隆)

불감증 : 음교(陰交), 곡골(曲骨), 부사(府舍), 회음(會陰), 장강(長强), 석문(石門)혈등에 매선을 자침한다.

갱년기 : 신수(腎俞), 명문(命門), 관원(關元), 간수(肝俞), 심수(心俞), 비수(脾俞), 격수(膈俞), 혈해(血海), 삼음교(三陰交)

주의

- 비뇨생식기 쪽에 매선을 자침할 때는 방광이나 내부 장기를 손상하지 않도록 유의한다.
- 특히 돌팔이들이 비뇨생식기 쪽에 매선시술하다가 사고가 나는 경우가 있다고 한다.
- 다시 한번 말하지만 돌팔이들이 사용하는 길고 굵은 매선을 사용하면 위험하다. 27G 5 cm 짧은실로도 충분히 효과를 낼 수 있다.

월경불순 : 곡골(曲骨), 음교(陰交), 삼음교(三陰交), 관원(關元), 석문(石門), 자궁(紫宮)혈을 자침한다.

남성항노화 : 곡골(曲骨), 회음(會陰), 팔료(八髎), 신수(腎俞) 등 혈을 매선으로 자침한다.

양위(陽痿) : 신수(腎俞), 관원(關元), 기해(氣海), 회음(會陰), 명문(命門), 백회(百會), 삼음교(三陰交), 차료(次髎), 장강(長强), 곡골(曲骨)

조설(早泄) : 신수(腎俞), 관원(關元), 중극(中極), 장강(長强), 간수(肝俞), 담수(膽俞), 심수(心俞), 삼음교(三陰交)

남성불육증(男性不育症) : 명문(命門), 삼음교(三陰交), 관원(關元), 신수(腎俞), 간수(肝俞), 기문(期門), 비수(脾俞), 장문(長門), 곡골(曲骨)

비뇨결석 : 방광수(膀胱俞), 대장수(大腸俞), 신수(腎俞), 삼초수(三焦俞), 차료(次髎), 명문(命門), 기해(氣海), 관원(關元), 족삼리(足三里), 양릉천(陽陵泉)

만성 피로 증후군 : 비수(脾俞), 간수(肝俞), 신수(腎俞), 관원(關元), 백회(百會), 단중(膻中), 족삼리(足三里), 삼음교(三陰交), 기해(氣海), 혈해(血海)

불면증 : 심수(心俞), 신문(神門), 삼음교(三陰交), 족삼리(足三里), 양릉천(陽陵泉), 신수(腎俞), 간수(肝俞), 비수(脾俞), 담수(膽俞)

노이로제 : 심수(心俞), 신수(腎俞), 신문(神門), 백회(百會), 족삼리(足三里), 목부분 협척혈

우울증 : 간수(肝俞), 심수(心俞), 비수(脾俞), 폐수(肺俞), 신수(腎俞), 백회(百會), 위수(胃俞), 대장수(大腸俞), 소장수(小腸俞), 족삼리(足三里), 삼음교(三陰交), 단중(膻中), 구미(鳩尾), 합곡(合谷), 신문(神門)

암통증 : 중완(中脘), 하완(下脘), 기해(氣海), 관원(關元), 활육문(滑肉門), 외릉(外陵) (암의 발현 부위의 수혈을 매선으로 자침한다. 예를 들어 폐암은 폐수(肺俞), 간암은 간수(肝俞), 담수(膽俞), 대장암은 대장수(大腸俞), 위암은 위수(胃俞), 삼초수(三焦俞), 중완(中脘))

빈혈 : 비수(脾俞), 신수(腎俞), 간수(肝俞), 혈해(血海), 격수(膈俞), 족삼리(足三里), 기해(氣海), 곡지(曲池)

면역강화 : 대추(大椎), 간수(肝俞), 신수(腎俞), 위수(胃俞), 비수(脾俞), 격수(膈俞), 족삼리(足三里), 삼음교(三陰交), 기해(氣海)

치과질환

치통 : 족삼리(足三里, 양측), 상거허(上巨虛), 하거허(下巨虛), 협거(頰車), 하관(下關), 풍지(風池), 외관(外關)

구내염 : 비수(脾俞), 위수(胃俞), 족삼리(足三里), 삼음교(三陰交), 곡지(曲池), 협거(頰車), 지창(地倉), 내정(內庭), 승장(承漿), 삼음교(三陰交)
협측 점막에 매선을 깔아준다.

설강직 : 염천(廉泉)혈을 이용한다.
가는 매선침으로 염천(廉泉)혈에서 설근을 IM식으로 자입한다.

비만

1. 위열형 : 중완(中脘), 천추(天樞), 대횡(大橫), 상거허(上巨虛), 하거허(下巨虛), 풍륭(豊隆), 곡지(曲池), 족삼리(足三里), 위수(胃俞)
2. 비허습체형 : 중완(中脘), 비수(脾俞), 양릉천(陽陵泉), 삼음교(三陰交), 족삼리(足三里), 관원(關元), 기해(氣海)
3. 간기울결형 : 간수(肝俞), 기문(氣門), 담수(膽俞), 양릉천(陽陵泉), 혈해(血海)

기타 : 중완(中脘), 기해(氣海), 활육문(滑肉門), 관원(關元), 족삼리(足三里), 위수(胃俞), 삼초수(三焦俞), 비수(脾俞), 수도(水道), 풍륭(豊隆)

여드름 : 폐수(肺俞), 신수(腎俞), 위수(胃俞), 양릉천(陽陵泉), 삼음교(三陰交), 대추(大椎), 대영(大迎), 협거(頰車), 지창(地倉), 관료(顴髎), 거료(居髎), 승장(承漿)혈 등의 부위에서 근육 위의 피하 진피층으로 29G 매선을 그물망으로 깔아준다.
여드름 치료에도 매선이 자주 사용되고 있다. 여드름을 전문으로 하는 원장님들의 말에 의하면 MTS와 매선을 병행하여 좋은 효과를 보고 있다고 한다.

Reference

참고문헌

참고서적

- THE CIBA COLLECTION - FRANK H NETTER, M.D. - 정담
- Sobotta 원색인체해부학 - 전국의과대학해부학교수 - 신흥메드싸이언스
- 해리슨내과학-대한내과학회-MIP
- Robbins Basic Pathology - Kumar 외 - SAUNDERS
- 피부과학- 대한피부과학회-여문각
- 생리학-한국해부생리학교수협의회-정담미디어
- 생리학-Dee Unglaub Silverthorn-라이프사이언스
- 인체생리학 - Lauralee Sherwood - 라이프사이언스
- 신경과학의 원리-Eric R. Kandel 외 - HN사이언스
- 임상신경해부학 - 신문균 외 - 현문사
- 조직학-Ross Pawlina저 - 군자출판사
- 필수세포생물학- 대표역자 박상대-교보문고
- 악안면성형재건외과학 - 악안면성형재건외과학회 - 군자출판사
- 안면 신경 Atlas - 이윤호 - 신흥메드싸이언스
- 미용성형외과학 - FOAD NAHAI - 가본의학서적
- 머리 및 목 해부학 - 김명국 - 의치학사
- 지방흡입술 매뉴얼 - Sattler 외 - 한미의학
- 통증의 기전과 치료 - Cailliet - 영문출판사
- 리핀코트의 그림으로 보는 생화학 - 리핀코트 - 신일상사
- 마취과학 - 대한마취과학회 - 여문각
- 악관절장애와 교합의 치료 - Okeson - 대한나래출판사
- TMD 바로 알기 - 김연중 외 - 대한컨테센드출판
- 처방 가이드 - 일차진료아카데미 - 엠디월드
- 재생의학- 유지,이일우등-군자출판사
- 토털한방성형강의록- 본교재- 2007년 하세현편집
- 매선시술강의록- 참고교재- 2007년 하세현편집
- 동의보감-허준-법인문화사
- 황제내경-의성당
- 경악전서-장개빈-한미의학
- 의학입문-이천-법인문화사
- 침구학-대한침구학회교재편찬위원회-집문당

- 中醫穴位매선요법-任樹森-중국중의약출판사
- 매선요법-岳增輝-중국의약과기출판사

논문들

- Langevin, H.M., Churchill, D.L., Cipolla, M.J., 2001. Mechanical signaling through connective tissue: a mechanism for the therapeutic effect of acupuncture. FASEB J. 15, 2275-2282.
- Langevin, H.M., Bouffard, N.A., Badger, G.J., Churchill, D.L., Howe, A.K., 2006a. Subcutaneous tisse fibroblast cytoskeletal remodeling induced by acupuncture: evidence for a mechanotransduction based mechanism. J. Cell. Physiol. 207, 767-774.
- Langevin, H.M., Bouffard, N.A., Churchill, D.L., Badger, G.J. 2007. Connective tissue fibroblast response to acupuncture: dose-dependant effect of bidirectional needle rotation. J. Altern. Complement. Med. 13, 355-360.
- Rose, P. T., & Morgan, M. (2005). Histological changes associated with mesotherapy for fat dissolution. Journal of Cosmetic and Laser Therapy, 7(1), 17-19.
- Atiyeh, B. S., Ibrahim, A. E., & Dibo, S. A. (2008). Cosmetic mesotherapy: between scientific evidence, science fiction, and lucrative business. Aesthetic plastic surgery, 32(6), 842-849.
- Cho, K. J., Song, D. K., Oh, S. H., Koh, Y. J., Lee, S. H., Lee, M. C., & Lee, J. H. (2007). Fabrication and characterization of hydrophilized polydioxanone scaffolds for tissue engineering applications. In Key Engineering Materials (Vol. 342, pp. 289-292). Trans Tech Publications Ltd.
- Sulamanidze, M. A., Fournier, P. F., Paikidze, T. G., & Sulamanidze, G. M. (2002). Removal of facial soft tissue ptosis with special threads. Dermatologic surgery, 28(5), 367-371.
- Smith, M. J., McClure, M. J., Sell, S. A., Barnes, C. P., Walpoth, B. H., Simpson, D. G., & Bowlin, G. L. (2008). Suture-reinforced electrospun polydioxanone–elastin small-diameter tubes for use in vascular tissue engineering: a feasibility study. Acta biomaterialia, 4(1), 58-66.
- Kim, H., Bae, I. H., Ko, H. J., Choi, J. K., Park, Y. H., & Park, W. S. (2016). Novel polydioxanone multifilament scaffold device for tissue regeneration. Dermatologic Surgery, 42(1), 63-67.
- McManus, M. C., Sell, S. A., Bowen, W. C., Koo, H. P., Simpson, D. G., & Bowlin, G. L. (2008). Electrospun fibrinogen-polydioxanone composite matrix: Potential for in situ urologic tissue engineering. Journal of Engineered Fibers and Fabrics, 3(2), 155892500800300204.
- Amuso, D., Amore, R., Iorio, E. L., Dolcemascolo, R., Reggiani, L. B., & Leonardi, V. (2015). Histological evaluation of a biorevitalisation treatment with PDO wires.
- Wu, W. T. L. Barbed sutures in facial rejuvenation. Aesthetic surg. J., 2004.
- Sulamanidze, M. A., Fournier, P. F., Paikidze, T. G., et al. Removal of the facial soft tissue ptosis with special threads. Dermatol. Surg. 2002.
- Sulamanidze, M. A., Paikidze, T. G., Sulamanidze, G. M., et al. Facial lifting with "Aptos" threads: Featherlift. 2005.
- Suh, D. H., Jang, H. W., Lee, S. J., Lee, W. S., & Ryu, H. J. (2015). Outcomes of polydioxanone knotless thread lifting for facial rejuvenation. Dermatologic surgery, 41(6), 720-725.
- Kim, J., Zheng, Z., Kim, H., Nam, K. A., & Chung, K. Y. (2017). Investigation on the cutaneous change induced by face-lifting monodirectional barbed polydioxanone thread. Dermatologic Surgery, 43(1), 74-80.
- Biardzka, B., & Kałużny, J. (1988). Experimental and clinical investigations on the suitability of polydioxanone threads for cerclage of the eyeball. Ophthalmologica, 197(1), 47-50.

- Coras, B., Hohenleutner, U., Landthaler, M., & Hohenleutner, S. (2005). Comparison of two absorbable monofilament polydioxanone threads in intradermal buried sutures. Dermatologic surgery, 31(3), 331-333.
- Lee, H., Yoon, K., & Lee, M. (2018). Outcome of facial rejuvenation with polydioxanone thread for Asians. Journal of Cosmetic and Laser Therapy, 20(3), 189-192.
- Karimi, K., & Reivitis, A. (2017). Lifting the lower face with an absorbable polydioxanone (PDO) thread. Journal of drugs in dermatology: JDD, 16(9), 932-934.
- Molea, G., Schonauer, F., Bifulco, G., & D'angelo, D. (2000). Comparative study on biocompatibility and absorption times of three absorbable monofilament suture materials (Polydioxanone, Poliglecaprone 25, Glycomer 631). British journal of plastic surgery, 53(2), 137-141.
- Kim, H., Bae, I. H., Ko, H. J., Choi, J. K., Park, Y. H., & Park, W. S. (2016). Novel polydioxanone multifilament scaffold device for tissue regeneration. Dermatologic Surgery, 42(1), 63-67.

- 杨福霞. (2005). 穴位埋线治疗单纯性肥胖症的临床研究
- 蒙珊, & 陈文. (2005). 穴位埋线减肥临床疗效观察
- 杨才德, 包金莲, 李玉琴, 龚旺梅, 田瑞瑞, 宋建成, ... & 侯玉玲. (2015). 穴位埋线疗法发展概况
- 马显杰, 艾玉峰, 夏炜, 鲁开化, 郭树忠, 韩岩, ... & 杨力. (2002). 埋线重睑术的并发症及治疗
- 许姿妙. 穴位埋线治疗肥胖症 100 例临床观察
- 张兴明. 穴位埋线疗法的治疗原理与临床应用价值.
- 温木生. 穿刺针行针刺小针刀埋线综合疗法的可行性
- 李雪莹, & 葛宝和. 穴位埋线疗法治疗肥胖症的临床研究

토털 매선의학

성형매선과 치료매선

초 판 인쇄 | 2020년 7월 2일
초 판 발행 | 2020년 7월 10일

집 필 하세현
발 행 인 장주연
출 판 기 획 김도성
책 임 편 집 안경희
편집디자인 주은미
표지디자인 김재욱
일 러 스 트 이호현
제 작 담 당 신상현
발 행 처 군자출판사(주)
등록 제4-139호(1991. 6. 24)
본사 (10881) **파주출판단지** 경기도 파주시 회동길 338(서패동 474-1)
전화 (031) 943-1888 팩스 (031) 955-9545
홈페이지 | www.koonja.co.kr

* 파본은 교환하여 드립니다.
* 검인은 저자와의 합의하에 생략합니다.

ISBN 979-11-5955-581-7
정가 88,000원